EIGEN VUUR

Van Theresa Schwegel zijn verschenen:

De veroordeelde
Eigen vuur

THERESA SCHWEGEL

EIGEN VUUR

SIJTHOFF

Oorspronkelijke titel: *Officer Down*
Vertaling: Marjolein van Velzen
Omslagontwerp: Pete Teboskins/Twizter.nl
Omslagfotografie: Arcangel/Image Store

ISBN 978 90 218 0187 2
NUR 332

www.boekenwereld.com
www.uitgeverijsijthoff.nl

Voor mijn ouders

Ik zal een voorbeeldig privéleven leiden als voorbeeld aan allen; ik zal dappere kalmte bewaren tegenover gevaren, minachting of spotternij; ik zal zelfbeheersing ontwikkelen; en ik zal me te allen tijde andermans welzijn voor ogen houden. Eerlijk in daad en gedachte in mijn persoonlijk en professioneel leven zal ik de wetten van ons land en de voorschriften van mijn afdeling voorbeeldig naleven.

– Uit de *Amerikaanse Gedragscode voor wetsdienaren*

1

Normaal gesproken mijd ik huiselijk geweld, maar ditmaal staat er midden in de gang naar mijn eigen appartement een vrouw zichzelf voor het hoofd te slaan. En wel met haar eigen schoenen. Ik kan natuurlijk rechtsomkeert maken en met de lift terug naar beneden, naar de lobby, om de conciërge in te seinen. Maar Omar weet dat ik bij de politie ben. Hij zou me linea recta weer naar boven sturen.

De vrouw in kwestie is mijn buurvrouw, van flat 1612. Ze heet Katie of Kathy of iets in die trant, een vriendelijke naam die niet echt bij haar past, zeker nu niet. Ze is klein van stuk en vloekt als een ketter, nog erger dan ikzelf. Toen ik hier twee jaar geleden kwam wonen, was zij er al. Ze woont op haar eentje. De eerste keer dat haar nachtelijke feesten me uit de slaap hielden, probeerde ik het redelijk op te lossen en schoof een vriendelijk briefje onder haar deur door. De daaropvolgende keren diende ik een formele klacht in bij de Bewonersvereniging. De vorige keer, zowat een jaar geleden, riep ik mijn collega's erbij. Die betrapten haar op het snuiven van coke met een stel hoge omes van een handelsdelegatie. Sindsdien groet ze me niet meer. 'Kijk jij maar eens hoe kút je je straks voelt als ik straks opgedonderd ben, klootzak!' krijst ze, en ieder schuttingwoord wordt kracht bijgezet met een klap tegen haar hoofd. Een onderarm vol gouden armbanden rinkelt als echo op haar gebaar. Ik neem aan dat ze stoned is, maar zodra ze mij ziet houdt ze op, haar armen in de lucht, en werpt me een blik toe die glinstert van verontwaardiging. Ik sta met mijn mond vol tanden. 'Mag ik er even langs,' lijkt me geen optie. Ik heb eerder het gevoel dat ik háár in de weg sta.

Ze doet een stap achteruit om me beleefd voorbij te laten, alsof er niets aan de hand is. Ik sta erbij als een idioot. Hoe kan dat mens zo serieus doen terwijl ze er zo bespottelijk uitziet? Als ik niet de kans grijp om haastig naar mijn eigen voordeur te lopen, richt ze haar aandacht, haar gegil en haar schoenen op de deur.

'Hoor je wat ik zeg, klootzak? Kan het jou ook maar ene réét schelen als ik de pijp uit ga?'

De deur trekt zich er hoegenaamd niets van aan.

Al een paar weken hoor ik haar met deze gozer ruziemaken: onze woonkamers grenzen aan elkaar. Zinloze, kwetsende kreten. Ruziemaken om het ruziemaken. Op een avond, na een dubbele dienst, was ik zo moe dat ik een hele week had kunnen slapen, maar ik deed geen oog dicht omdat ik het stel hoorde: 'Wát zei je daar? Zeg dat nog eens. Nou, zeg op.' Ik voelde me weer een kind, in bed naast de slaapkamer van mijn ouders. Ik prentte mezelf in dat dit niet mijn probleem was. Indertijd was het mijn probleem geworden. Nu staat het levensgroot in de gang.

'Dacht je soms dat je iets beters kon vinden?' wil de vrouw weten. 'Afgezien van je moeder?' *Au!*

Als er geen antwoord komt, begint ze de deur te bewerken met haar schoenen. Gelukkig maar dat ze niet op hemzelf kan inhakken.

Ik kijk om me heen. Er is niemand te bekennen, hoewel ik zeker weet dat iedereen achter zijn eigen deur staat mee te luisteren. En laten we wel zijn: daar lossen de meeste bewoners hun eigen crises op.

Intussen vind ik de situatie niet zo amusant meer, ook al springt een van haar acrylnagels eraf. Dat maakt het er alleen maar erger op.

Ze weet echter van geen ophouden, en ergens heb ik zin om mee te doen, om ook tegen die gozer te gaan staan krijsen. Ik weet zeker dat hij iets verkeerd gedaan heeft. De meesten van mijn collega's zijn mannen. Sommigen van mijn beste vrienden zijn mannen. Ik weet hoe mannen in elkaar zitten. En gozers die spelletjes willen spelen, die gaan wat mij betreft maar naar het casino.

Daar staat tegenover dat deze jonge vrouw ook niet bepaald

een heilige is. Misschien is het niet mijn beste zet, maar ik besluit de gozer het voordeel van de twijfel te gunnen. Ik ga achter haar staan en grijp haar armen om te voorkomen dat ze mijn schedel gaat bewerken. Tot mijn verbazing verzet ze zich niet. Misschien hoopte ze ergens dat ik haar zou tegenhouden. De schoenen glippen haar handen uit, de mijne in. Misschien is ze moe. Misschien is ze eraan toe om te praten.

Of misschien wil ze dat ik haar schoenen vasthoud, zodat ze met haar hoofd tegen de deur kan gaan staan bonzen.

Wel moet ik bekennen dat er soms geen land te bezeilen is met verliefde vrouwen. Mijn vader hield het met iedere vrouw van hier tot Timboektoe en mijn moeder slikte steevast zijn misselijke smoezen. Wat hij ook deed, hij kon altijd bij haar terugkomen. Waarschijnlijk waren de goede momenten goed genoeg voor mijn moeder. Natuurlijk houd ik rekening met de mogelijkheid dat ze bij mijn vader bleef om hem ongelukkig te maken. Ik ben de eerste om toe te geven dat ze misschien een heel klein beetje gestoord was. Eén ding spreekt in haar voordeel: ik heb haar nooit tegen een deur zien staan krijsen.

'Je kunt die deur maar beter opendoen, Jerry, anders doe ík het!' gilt ze, en daarop volgt een reactie. De deur gaat open en Jerry, een verbazingwekkend kalm ogend iemand, smijt een flesje pillen naar buiten. Dat komt onverwacht en het schampt als een slecht gerichte bal langs haar ribben om vervolgens geluidloos op de vloerbedekking te vallen.

'Doe het dan,' zegt hij. 'Je bent niet goed.' Dan groet hij mij met een vriendelijk knikje en sluit de deur even onhoorbaar als hij hem geopend had. Het slot klikt dicht. Ze kijkt me aan alsof ze wil bevestigen dat we zojuist getuige zijn geweest van een wandaad van het zuiverste water en grist haar schoenen uit mijn handen.

Ik raap de pillen op. Het is alprazolam, een merkloos middel tegen angststoornissen. Als ze de rumoerige strijd van schoen tegen voordeur wordt voortgezet, begin ik te denken dat Jerry misschien iets kalmerends heeft ingenomen.

Op dat punt besluit ik dat ik mijn eerste ingeving moet volgen en een aanvaardbare uitweg moet zoeken. Als wij gebeld worden wegens huiselijk geweld, dan moet ik van de jongens meestal de vrouw voor mijn rekening nemen, alsof ik een band met haar zou hebben of zo. Die vlieger gaat bijna nooit op. Meestal worden de vrouwen nog hysterischer van mij, en dat is wel het laatste waaraan mijn buurvrouw behoefte heeft.

Ik weet dat ik mijn mond moet houden, naar huis gaan en me verkleden voor mijn afspraak. Maar dat doe ik niet.

'Misschien moet je even ophouden. Dat hysterische gedoe leidt tot niets.' Ik schud met het pillenflesje alsof het sambaballen zijn.

Ze steekt de schoenen onder haar arm en pakt het flesje van me aan. 'Klootzak,' mompelt ze terwijl ze op het etiket kijkt. 'Hier ga ik niet dood van.'

'Hij weet best dat je jezelf niet van kant gaat maken,' zeg ik tegen haar. 'Wil je dat hij reageert? Trek dan die schoenen aan en loop weg.'

'Dit is mijn flat. Als ik er een einde aan maak, zal hij eruit moeten.' Het is duidelijk dat ze niet luistert, maar ze is in ieder geval van gedachten aan het veranderen. 'Zo'n huur kan hij nooit opbrengen.' Ze geeft nog een paar dreunen tegen de deur en laat zich dan uitgeput op de grond zakken.

'Kun je ergens anders naartoe?' Ik hoop dat ze ja zegt.

'Waarom zou ík weg moeten? Híj heeft die kutkaartjes in zijn spijkerbroek laten zitten. Moet ik soms gedachten lezen of zo? Ik zit de hele dag bij de wasserette terwijl hij god weet waar rondhangt, en als meneer dan terugkomt, doet hij alsof ik expres zijn geweldige plannen heb zitten verzieken...'

Wacht eens even. 'Dus jij dreigt met zelfmoord vanwege de bonte was?'

Uit de blik die ze me toewerpt spreekt een krachtig 'Fuck you'.

Ik ben hier niet goed in. Als ik naar die kaartjes informeer, gedraag ik me als een agent. Als ik haar wat dan ook vraag, schiet ze in de verdediging. Wat ik het liefst zou doen, is haar vragen om zo'n pil te nemen, zodat ik verder kan. Van waar ik sta zie ik mijn voordeur en hoor ik mijn telefoon rinkelen. Ik wil wedden dat dat Mason is, om te vragen waar ik blijf. Dit zal hij niet geloven.

Daar sta ik, naar de muur te staren. Ik wacht geduldig op haar volgende zet. Ik zie dat het behang een subtiel bladmotief heeft. Is dat nieuw? Ik heb nog nooit zo lang in de gang gestaan.

'Heb jij een sigaret voor me?' vraagt mijn buurvrouw, hoewel het geen echte vraag is. Ze weet dat ik rook. Ze weet ook dat ik bij de politie ben. En ze vindt dat ik haar wat schuldig ben.

Ik geef haar mijn pakje Camel en een aansteker.

'Ik kan Omar gaan halen,' bied ik aan.

Ze presenteert me een sigaret uit mijn eigen pakje alsof ze me niet gehoord heeft. Geweldig. Twee jaar lang hebben we kans gezien elkaar te ontlopen en nu wil ze vriendinnen worden.

'Ben jij wel eens verliefd geweest?' vraagt ze, terwijl haar hand met de aansteker omhoogkomt om me een vuurtje te geven.

Ik neem een lange trek van mijn sigaret en vraag me intussen af of een eerlijk antwoord hier gepast is, of dat dat het begin zal worden van een gesprek dat de hele nacht gaat duren.

'Ja,' antwoord ik uiteindelijk. Ik ga naast haar zitten. Ik wist dat ik me ooit schuldig zou voelen dat ik haar betrapt had. Maar zodra ik zeker weet dat ze zich niet ter plekke van kant zal maken, kan ik na deze sigaret met een gerust geweten weg. Ze ziet er ontzettend kwetsbaar uit, in kleermakerszit op de grond met haar roze sokken. Ik vraag me af of ze die kleur van nature hebben. Misschien heeft ze die ook in de was verknald.

'Ben je momenteel ook verliefd?'

'Ja.' Het voelt lekker om dat te zeggen.

'Laat hij je wel eens op de gang staan van je eigen appartement?'

'Nee. Maar ik doe dan ook niet de was voor hem.'

'Bezorgt hij jou wel eens het gevoel dat je gek bent? Dat het allemaal jóúw schuld is?'

'Nee.' In de blik waarmee ze naar me opkijkt ligt iets kinderlijks, alsof ze de rest van mijn antwoord met spanning afwacht. Ik denk er even over na. 'Weet je waar je aan moet denken? Aan waarom jullie indertijd verliefd zijn geworden. Kwam het door de manier waarop je zijn T-shirt opvouwde? Of door je recept voor spaghetti?' Er branden daar nog wel eens dingen aan, dat ruik ik, dus ik zeg: 'Dat lijkt me sterk. Waarschijnlijk waren jullie niet van elkaar los te weken. Maar nu je samenwoont is alles anders. Je denkt niet meer aan wat er straks kán gebeuren, je denkt dat je weet wat er gaat gebeuren. Je doet niet meer je best om zo veel mogelijk samen te zijn, maar je baalt van ieder moment dat je op de bank zit. En liefde gaat verloren in de details. In rekeningen. In afwas. Als je dat allemaal wegdenkt en als je dán nog van elkaar houdt…' Ik ben zelf behoorlijk onder de indruk van mijn eigen theorie, en volgens mij sta ik op het punt tot haar door te dringen, maar dan ruik ik plotseling weer een brandlucht en zie ik dat ze met mijn aansteker het haar op haar armen zit te schroeien.

Jerry heeft gelijk, dat mens is niet goed wijs. Als ik de aansteker afpak, begint ze te giechelen. Ik heb geen idee of ze mij uitlacht, of gewoon de slappe lach krijgt omdat ze een lange streep haar weggebrand heeft. Kinderachtig.

'Succes.' Ik geef het op. Ik hijs me overeind.

'Mag ik je iets serieus vragen?' vraagt ze voordat ik haar voorbij kan lopen.

Ik wacht.

'Hoe doe je het? Hoe zorg je dat het werkt?'

Op dat moment gaat haar deur op een kier open en blijft zo staan. Zo te zien is Jerry van gedachten veranderd.

Mijn buurvrouw springt overeind, laat haar schoenen en pillen gewoon liggen, keurt mij geen blik meer waardig en bekommert zich niet om hoe ik het laat werken. Het grappige is, als ik het haar vertelde, zou ze me niet geloven. Dan zou ze denken dat ík niet spoorde.

De deur klapt achter het tweetal dicht als ik bijna bij mijn eigen deur ben. Ik voel me slim en ik betreur het dat ik niemand ooit de macht heb gegeven om mij op de stoep te laten staan.

2

'Dit is uw persoonlijke alarmnummer. Spreek een bericht in.'

Klinkt flauw, vind je ook niet? Nou, niet als het Mason Imes is. Ik wacht op de pieptoon.

'Met Sam,' zeg ik. 'En het is tien over tien. Inspecteur, waar bent u? Ik heb honger. Bel me. Snel.'

Ik hang op en kijk nog eens in de gangspiegel. Het is al een hele tijd geleden dat ik me omgekleed heb, zo lang dat ik intussen ben gaan twijfelen aan mijn keuze. Dacht ik nou echt dat een wat ruimvallende zwarte jurk en laarzen tot aan mijn knieën het feit kunnen verhullen dat ik al in geen maand naar de fitness ben geweest? Het dagritme van een politievrouw is me de laatste tijd zwaar gevallen. Lijnen is er niet bij als je dienst hebt. Cafeïne, nicotine, fastfood, alcohol; soms heb ik het gevoel dat ik zó met de junks mee kan naar de afkickkliniek. Ik probeer alles wat ik eet en drink te compenseren met lichaamsbeweging, maar sinds het weer zo slecht werd ben ik niet één keer langs het meer gaan lopen. Ik zat net op de negen kilometer toen de kou toesloeg. Morgen, zeg ik iedere keer. Morgen kleed ik me warm aan en dan begin ik weer.

Ik hijs de beugel van mijn beha goed. Mijn decolleté moet de aandacht afleiden van mijn kont, maar dat helpt de rest van mijn ietwat verflenste uiterlijk niet. Mijn haar ziet eruit alsof het de hele dag in een staart heeft gezeten (heeft het ook) en mijn make-up heeft alles van een tweede laag in plaats van een verse (inderdaad). Goed dat we naar Iggy gaan: op dit soort momenten moet ik het hebben van een schemerige atmosfeer.

Het hele diner was Masons idee. Hij weet dat ik laat op de avond het liefst bij Iggy zit. Iggy is simpel, timmert niet aan de weg, ligt mijlenver overal vandaan en bestaat al zo lang dat het intussen niet meer trendy is. De vaste klanten zijn anoniem en zitten daar niet mee. Je eet er bij kaarslicht, als je voorin bij het raam zit kun je de menukaart lezen bij het licht van de straatlantaarns aan Milwaukee Avenue en het bargedeelte wordt schemerig verlicht door de blauwe tl-constructies aan het plafond. Het is een soort eetgelegenheid zonder sluitingstijden, althans voor types als Mason en ik, waar de enige die op je let de kelner is. En dan nog alleen om te zien of je bord leeg is, en je glas vol. Nergens kun je na tienen 's avonds nog zo'n lekkere steak eten. Volgens mij komen de meeste mensen hier voor Iggy's martini's, waarvan hij minstens dertig mierzoete variaties schenkt; ik heb er niet mee geëxperimenteerd, want ik drink whiskey en ik houd niet van zoet.

Dat weet Mason ook, dus weet ik zeker dat hij een alternatief dessert heeft gepland: zoet gefluister dat leidt tot een laatste glas bij hem thuis, en een lange nacht niet ver van hier, waar ik dan morgen wakker word en per taxi terugreis naar mijn saaie leven waar ik andermans problemen doorsta dankzij mijn eigen dagdromen.

Maar langzamerhand heb ik niet zo'n zin meer in de avond. Misschien komt het door die toestand in de gang daarnet, maar de lol is er een beetje vanaf. Ik weet niet of ik eigenlijk nog wel uit wil. Als ik iets in de koelkast had, had ik dat intussen al zó uit het pak soldaat gemaakt en was met mijn pyjama aan in bed gaan liggen.

Mason zal wel opgehouden zijn op het werk. Hij weet dat ik de pest heb aan wachten.

Net als ik mezelf iets te drinken wil inschenken, gaat de telefoon. Zal ik opnemen? Ik kan een hele avond in mijn eentje thuis zitten, om te voorkomen dat Mason het allemaal al te serieus maakt. Maar dan komt er dus ook geen steak. Mijn maag knort. Ik neem op.

Het is Mason niet. Het is mijn baas, brigadier MacInerny, wijk 23, Chicago.

'Samantha Mack, met je brigges. Kun je op het bureau komen? William Wade heeft griep.'

Fuck. Ik kan niet weigeren. Althans, het zou natuurlijk wel kunnen, maar het kan niet. Wade is een hypochonder, maar hij neemt ook altijd voor mij waar en hij stelt geen vragen.

'Smack?' vraagt MacInerny, met net genoeg gezag in zijn toon om het als een commando te laten klinken.

'Ja. Ik kom eraan,' zeg ik en ik hang op. Mijn liefdesnacht is voorbij voordat hij begonnen was, en dat zonder een kik. Ik zet de fles Jameson terug en ga naar de slaapkamer om me te verkleden.

De rit naar het noorden verloopt snel: in dit seizoen en op dinsdagavond zijn er niet veel mensen op pad. Zodra de winter het meer in zijn greep krijgt, klampt hij zich zo lang mogelijk vast en biedt niet meer dan een paar tartende lentedagen. In april zijn de mensen het zat om op de lente te wachten: dan negeren ze de elementen, bergen hun wollen ondergoed weg en trekken een windjack aan in de hoop dat het niet nog een keer gaat sneeuwen.

Eerlijk gezegd hou ik wel van dit soort avonden, met zo'n heldere lucht, als de hemel verwarmd lijkt te worden door de lichten van de stad. Ik neem de Inner Drive helemaal tot Addison, al staan er op die manier minstens tien stoplichten langs mijn route. De gebouwen aan Lake Shore leven vreedzaam samen, bedenk ik, net als mensen. Ik neem de tijd voordat ik weer te maken krijg met al het lelijks.

Ik loop het bureau binnen en er zit niemand aan de balie. Ik neem aan dat ik het appel gemist heb en ga op weg naar de kleedkamers. Onderweg zie ik een doos Dunkin' Donuts in de kantine staan, dus prop ik snel twee exemplaren met chocola naar binnen. Echt vers zijn ze niet en ik heb de pest aan zoetigheid, maar niets is erger dan aan je dienst beginnen op een lege maag.

De koffiepot is leeg, dus trek ik een blikje cola uit een machine en neem dat mee. Nou, dat was dan mijn avondmaaltijd.

In de kleedkamer hangen de mannen rond in diverse stadia van ontkleding. Ze luisteren naar Flagherty, die een nieuwe schuine mop vertelt. Flagherty's naakte, harige pens hangt joviaal over zijn riem heen, precies zoals zijn baardige kin over zijn nek hangt. Als hij me ziet, houdt hij halverwege de zin op, maar niet omdat hij denkt dat ik dit soort humor misschien kwetsend vind. Paul Flanigan, een jonkie met kuiltjes in zijn wangen en zo'n schatje dat hij beslist geen promotie zal maken, verbergt zijn onderlijf achter de deur van zijn kast, ook al heeft hij een boxershort aan. Hij is niet aan me gewend. De anderen zijn alleen maar licht geïrriteerd dat ik de grap heb onderbroken. Dus zeg ik: 'Wade heeft een beetje buikpijn. Wie is vanavond mijn partner?'

Ze kijken om zich heen alsof ik het eind der wereld heb verkondigd.

'Hallo?' vraag ik.

Omdat iedereen mijn blik ontwijkt, antwoordt Flagherty uiteindelijk: 'Wade had dienst met Fred.'

'Dat is zeker een grap?' informeer ik.

'Inderdaad, Smack,' zegt hij. 'Maar dat was niet de clou.'

Er zit iemand onderdrukt te gniffelen.

'Haha,' zeg ik. Toen de brigges belde, zei hij er niet bij dat ik de nacht zou doorbrengen met mijn ex.

'Hallo, vreemdeling,' zegt Fred. Hij staat buiten op de stoep op me te wachten, al is het zo koud dat je gezicht zowat van je kop waait. Zijn eigen gezicht heeft heel wat winters doorstaan, hoewel dat niet te zien is aan zijn uitdrukking. Afgezien van een halvemaanvormig litteken rond een van zijn ogen zou je denken dat hij verkeersagent is in een buitenwijk.

'Net als vroeger, hè,' zegt Fred en het litteken beweegt niet mee met zijn glimlach; het lijkt wel gestold kaarsvet.

'Niet helemaal,' zeg ik, voordat ik instap. Een dappere poging, maar ik heb geen zin om herinneringen op te halen. Ik doe de veiligheidsriem vast en zet mijn pet recht.

'Wat heeft Wade?' vraagt Fred terwijl hij instapt.

'Griep.'

'Dat heerst nogal. Deb was ook niet lekker.' Deb. Deborah. Debbie. Getver.

'Als je per se moet praten, laat haar er dan buiten,' zeg ik, en ik staar naar buiten. Mijn ademhaling wordt sneller en herinnert me eraan dat ik een sigaret nodig heb. Ik pak mijn Camels en steek er een op. Ik weet dat Fred bezwaar wil maken, maar hij doet het niet. We rijden vanuit Addison naar Lake Shore Drive in wat hij, naar ik hoop, een ongemakkelijke stilte zou noemen.

Fred parkeert bij de Fireside Tap, een kroegje aan Lawrence, waar het chique centrum overgaat in een minder gewilde buurt, waar niemand blij mee lijkt te zijn. Gevaarlijk zou ik het er niet willen noemen, maar ik ga er niet zonder mijn dienstwapen heen.

'Gaan we dronkenlappen oppakken?' informeer ik.

'Er zit hier ergens een verklikker, en die heeft me opgepiept. We hebben hier aan de overkant afgesproken. Een gozer die zich uit de problemen wil redden,' zegt Fred.

'Dat is precies de situatie waarin alle mannen die ik ken zich bevinden.' Ik vraag me af of hij zichzelf daar ook toe rekent. Ik steek een nieuwe sigaret op met de peuk van de saf die ik nog niet eens opheb.

'Je weet dat dat voor ons allebei ongezond is,' merkt Fred op.

'Eén avond zal je heus geen kwaad doen.' Ik blaas een rook-
wolk zijn kant uit.

Hij draait het raam een eind open.

Uit wraak zet ik de verwarming hoog.

'Het is altijd strijd met jou. Ik zou haast gaan denken dat
je het erom doet,' zegt hij, en hij zwaait overdreven met zijn
armen om mijn rook te verdrijven.

'Precies, Fred. Eens per jaar hebben we samen dienst en
toch ken jij mij beter dan ik mezelf ken.'

'We zijn nog steeds vrienden.'

Ik las een theatrale pauze in.

'Een vriend laat zijn partner niet vallen.' Daar had ik op ge-
oefend.

'Ik heb jou niet laten vallen.'

'Nee, je bent getrouwd,' zeg ik. Met een geldzuchtige teef,
vermomd als blondine zonder zelfrespect, maar dat zeg ik er
niet bij.

'Het ligt niet aan Deb dat wij geen partners meer zijn, en
dat weet jij best.'

'Wou je beweren dat het jouw idee was om nachtdiensten
te gaan draaien? Jij was toch degene die nog liever op het vlieg-
veld bij de douane ging werken als je daarmee om tien uur
naar bed kon?'

'Sommige mensen veranderen.'

'Dat kun je wel zeggen, ja,' antwoord ik; ik wil net van leer
trekken als hij me onderbreekt.

'Daar heb je hem.'

Ik neem aan dat hij het over de verklikker heeft, een klein
huftertje met een stoere loop dat zojuist bij het metrostation
is opgedoken. Je ziet het meteen als iemand voor beide zijden
werkt. Zulke types gedragen zich alsof ze van de prins geen
kwaad weten. En in een mensenmassa vol stomkoppen span-
nen zij de kroon. Neem nou deze vent hier: het vriest dat het
kraakt, maar hij draagt een dun leren jekkertje, geen muts,
geen handschoenen. Daklozen kleden zich nog beter dan hij.

En hij kijkt pal onze kant uit, naar de patrouillewagen, voordat hij over het poortje springt en de trap oprent. Zonder te betalen. Nog een raadsel dat hij geen kuitenflikker maakt.

'Jezus, doet hij dat alleen om ons een hak te zetten?' Ik heb zin om mijn dienstwapen te trekken en hem vanuit het portierraam neer te knallen, gewoon om te laten zien wie hier de sterkste is. Mijn hand gaat op weg naar de portierhendel, maar Fred houdt me tegen.

'Ik ga wel, Smack. Blijf jij maar zitten tot je klauwen weer ingetrokken zijn.'

Voordat ik kan antwoorden is hij de auto al uit, achter de verklikker aan.

Het duurt amper vijf minuten. Ik heb mijn sigaret niet eens helemaal opgerookt en ik zit nog te balen over die klauwopmerking, en terecht: Fred heeft me door mijn eerste jaar heen gesleept en me vervolgens laten vallen als een onenightstand. Fred zei dat ik zijn beste vriend was en nodigde me vervolgens niet eens uit op zijn bruiloft. En Fred heeft me laten zien hoe echte partners met elkaar omgaan. Om vervolgens over te stappen op nachtdiensten, zodat ik zónder partner zat. Ik zit dus net een passende repliek te formuleren op de hele gang van zaken, maar op dat moment springt Fred de auto weer in en roept: 'Daar gaan we!' Hij trapt het gaspedaal tot op de bodem in en zet koers naar Clark Street. Zijn adrenalinepeil is bijna tastbaar en ik besef dat ik mijn persoonlijke grieven even opzij moet schuiven, hoewel ik nog steeds zin op een opmerking over het feit dat Deb niet van zichzelf blond is.

'Waar gaan we naartoe?' vraag ik.

'Weet je nog van Marko Trovic? Die grafzeiker die we vorig jaar in Rogers Park hebben opgepakt? Die gozer die liep te geilen op de dochter van zijn vriendin?'

'Ja,' antwoord ik. Zoiets vergeet je echt niet. Trovic heeft het niet zo op vrouwen – en dan met name ex-maagden die het wagen voor meer dan boodschappen het huis uit te gaan.

Hij had het niet gewaardeerd om door mij bij de kraag gevat te worden.

'Die heb ik een paar weken geleden opnieuw ingerekend,' zegt Fred. 'Ditmaal betrapte ik hem met zijn handen ín het broekje van dat kind. Ze had zo'n geval aan waar de dagen van de week op staan, weet je wel? En hij zei dat ze de verkeerde dag aanhad. Gore pedo.'

'Geweldig,' zeg ik. 'Dus nou krijgt dat kind allerlei problemen. Dat wordt straks een stripper die nooit op woensdag wil werken.' Zelf vind ik hem wel geslaagd, maar Fred luistert niet eens.

'Ik heb het helemaal volgens het boekje aangepakt, maar hij is er tijdens zijn borgtocht vandoor gegaan. Vriendin en de rest van de buurt doen geen bek open, althans niet in het Engels. Volgens Birdie is hij weer gesignaleerd, om het een of ander af te maken.'

'Birdie?' vraag ik.

'De verklikker,' zegt Fred. 'En als dat zo is, en als we die klootzak van een Trovic vinden en ik hem even onder handen kan nemen, dan zal hij heel wat meer nodig hebben dan het ondergoed van een klein kind om te verzinnen wat voor dag van de week het is.'

Ik neem aan dat dat dan dus niet volgens het boekje zal gaan.

Ik moet bekennen dat ik even blij ben als Fred dat we dat stuk ellende gaan oppakken. De dag dat we hem arresteerden zal me altijd bijblijven, al zou ik hem nog zo lief vergeten. Ik deed Trovic de handboeien om; dat was mijn eerste vergissing. Hij was niet van plan zich door een vrouw de wet te laten voorschrijven. Hij vergastte me op zijn ongezouten mening en braakte vloeken over me uit. Zijn woorden klonken dronken, iets tussen Servisch en Engels in, onderling verbonden met een onduidelijk uitgesproken 'm', als in 'Jebem ti mmm'majku… mmm'merikaanse hoer'. Zijn adem rook naar *sarma*: varkensvlees in druivenbladrolletjes, die hij had zitten vreten op het moment dat wij arriveerden. Ik verdroeg zijn grove bek zolang ik kon en beging toen mijn tweede vergissing: ik informeerde waarom hij achter kleine meisjes aan zat, of überhaupt achter vrouwen, als hij zo'n hekel aan ons had. Ik suggereerde dat hij misschien van de andere kant was. En misschien nog iets over dat hij het wellicht liever met schapen deed. Fred moest erom lachen, maar Trovic kon het niet waarderen. En hoewel zijn handen geboeid achter zijn rug zaten, zag hij kans een keukenstoel te grijpen en mij daarmee te rammen. Ik sloeg tegen de vlakte, en meteen daarna lag ook Trovic plat op zijn smoel – dankzij Fred en zijn gummiknuppel. Fred ging lichtelijk door het lint, en ik hoorde de doffe klap van metaal op Trovic' ribben. Trovic bood geen weerstand, maar hield zijn lippen geplooid in een uitdagende grijns, zijn zwarte blik op mij gevestigd, en zonder dat er verder nog een woord gezegd werd, raakte ik doordrongen van zijn zuivere haat. Wekenlang zag ik zijn gezicht nog voor me als ik 's nachts mijn ogen dichtdeed. Ik weet niet wat me het meest dwarszat: dat ik zo stom was geweest om te denken dat ik de zaak onder controle had, of dat ik wist dat ik niets kon doen om die haat van hem een andere kant uit te sturen. Sommige arrestaties blijven je nu eenmaal bij.

We komen zachtjes aanrijden, zonder verlichting, en stoppen bij een appartement in Rogers Park. Het ziet er niet beter of erger uit dan de andere huizen in de straat, maar ik blijf natuurlijk op mijn hoede. Niet alleen vanwege Trovic. Dit is een lastige buurt: in het zuiden wordt hij begrensd door Loyola University, in het noorden grenst hij aan een openbare instelling voor psychiatrische patiënten. Ik vraag me af of Trovic hier hokt met een studente of met een patiënt.

Het is stil, het soort stilte waarbij je weet dat je even moet wachten, heel even moet stilstaan bij…

'2318,' meldt Freddy over de radio.

'Zeg het maar, 18,' antwoordt de centrale.

'Verzoek om versterking op West Jarvis, nummer 1431.'

'Ik heb team 2320 op de hoek van Pratt en Western,' antwoordt de centrale, 'die kunnen er over vijf minuten zijn.' Als haar stem door de lucht giert, laat ik me op mijn plek onderuitzakken. Ik vrees dat we dit niet gaan redden. Eén auto, zo'n twintig zijstraten van ons vandaan, kan hier niet zo snel zijn.

'Oké.' Freddy legt de microfoon weg en blijft zo stil zitten dat zijn uniformjasje niet eens dat vertrouwde, genoeglijke kraken laat horen wanneer het tegen de vinyl zitting schuurt. Ik moet denken aan al die keren dat we zo hebben gezeten, in gezamenlijke stilte. Na een tijdje kijk ik opzij en zie dat hij naar mij kijkt, en plotseling is hij niet meer die hufter die zijn liefdesleven belangrijker vond dan zijn werk. Dit hier is mijn voormalige partner, mijn maatje, mijn vangnet...

'Kom op,' zegt hij.

Ik neem terug wat ik net zei over een vangnet.

Ik zou hem wel tot rede willen brengen, maar Fred staat al half op de stoep en ik moet er wel achteraan. Net als vroeger.

Ik haal Fred in. Hij speurt de voorgevel af, zijn getrokken pistool dicht tegen zijn been gedrukt. Ik zoek dekking tegen de witte aluminium schutting, geel in het licht van een enkele straatlantaarn. Ik controleer mijn wapen, al weet ik dat het geladen is. Ik zie mijn adem, dus die houd ik in terwijl ik snel naar binnen loer door een raam links van me. Binnen is het donker; ik zie alleen mijn eigen spiegelbeeld. Fred voelt aan de voordeur. Die zit niet op slot. Ik weet dat hij naar binnen gaat en dat er geen tijd is voor protest. Ik moet dus ook naar binnen. Ik leg mijn hand op zijn schouder als teken dat ik er klaar voor ben. Hij duwt de deur open en samen stormen we naar binnen. Ik ga meteen rechts van de deur tegen de muur staan, hij links.

Ik denk dat Fred meteen zal roepen dat we er zijn, maar hij blijft in het donker staan luisteren, de stilte staan peilen, en dus doe ik dat ook. Ik had niet verwacht dat ik er een plattegrond bij zou krijgen, maar de stilte hier binnen geeft me het gevoel volledig verdwaald te zijn. Er klopt iets niet. Ik heb het gevoel dat ieder moment iemand het licht aan kan doen en dat het voltallige personeel van het bureau dan met de kreet 'Verrassing!!' tevoorschijn springt: een ingewikkelde grap voor Freds verjaardag. Jammer dat we die vorige week al gevierd hebben met een taart van de plaatselijke banketbakker en een kaart met al onze namen erop.

Ik hoor iets aan het eind van de lange gang die van voor naar achter door het huis loopt, een soort onwillekeurige beweging. Ik wacht tot Freddy het sein geeft en met één blik zegt hij: *Ja, ik heb het ook gehoord, we zitten er vlakbij, er zit daar iemand, eropaf, Sam.* Hij blijft zelf achter om een oogje in het zeil te houden en om te wachten tot de juiste persoon de verkeerde zet doet.

Schaduwen van de door de wind gegeselde boomkruinen buiten springen door de vensters van de gang naar binnen, zodat ik om niets mijn wapen richt. Het is een soort verstoppertje, en mijn .38 is zwaar speelgoed. Rechts van me zijn deuren en bij iedere deur blijf ik even staan en richt snel mijn pistool naar binnen terwijl ik naar de andere kant van de deuropening spring en blijf staan wachten of er iets te horen valt. Ik ga pas weer verder als ik zeker weet dat er niemand is – mij zal het niet overkomen dat ik iemand over het hoofd zie. Vlak voordat ik bij de achterdeur aankom, kraken de planken onder mijn voeten. Ik blijf staan en pers me tegen de muur, een flink eind uit de buurt van het kaal gesleten deel van de vloer. Ik haal mijn zaklantaarn uit mijn jaszak en schijn om me heen, de lege keuken door. Ik blijf de lichtbundel op de achterdeur richten; die staat open en de roestige scharnieren knarsen. Ik voel dat de kou net de keuken in begint te dringen. Door die deur moet Trovic naar buiten gegaan zijn. Toch?

Ik volg mijn instinct en loop op de deur af. Zodra ik in beweging kom, hoor ik iets, vlak achter me, en in paniek bedenk ik dat je altijd één hoek over het hoofd ziet, of één schaduw die zich verplaatste toen je heel even niet oplette. Als gestoken draai ik me om, klaar om een kogel af te vuren op iemand die naast de koelkast verscholen staat, maar het is Fred, en hij duwt de loop van mijn pistool omlaag alsof ik beter had moeten weten. Dan sta ik mezelf eindelijk een diepe zucht toe, maar op dat moment legt Fred een vinger op zijn lippen en wijst met zijn andere hand op het plafond. Ik hoor heel zachtjes een beweging op de planken vloer boven, net als in de gang.

Fred pakt mijn hand alsof ik een kind ben en richt mijn lantaarn op de onderste traptrede. Dan knipt hij het licht uit en laat mijn hand los. Terwijl mijn ogen aan het donker wennen, verdwijnt hij. Ik volg hem, in de hoop dat ik in het donker de goede kant uit loop, en zo te horen gaat hij de trap op. Voorzichtig, op mijn tenen, loop ik de keuken door.

Me stoerder voordoend dan ik me voel, loop ik voetje voor voetje de trap op terwijl ik eigenlijk maar één ding wil: me omkeren en er als een haas vandoor. Ik heb het gevoel dat Trovic op ons zit te wachten. Waarom hebben we niet op versterking gewacht?

Ik durf mijn lantaarn niet aan te doen, hoewel die in mijn linkerhand recht vooruit gericht is, net zoals het pistool in mijn rechterhand. Boven aan de trap zie ik een vaag schijnsel, de nachthemel gezien door een raam, en daarheen richt ik mijn schreden, terwijl ik intussen bid dat er niets op mijn pad komt.

Net als ik mijn voet op de bovenste trede zet, hoor ik een pistoolschot.

Voordat mijn hersenen mijn lichaam kunnen aansturen, laat ik me op de grond vallen. Ik lig op mijn ellebogen en probeer me te oriënteren. Ik kruip weg van de trap en weg van het licht uit het raam, in de richting van die ellendige pikzwarte duisternis. Ik tast langs de lambrisering, en zo navigeer ik een gang door tot ik bij een opening kom die de ingang van een slaapkamer moet zijn. Ik ga op mijn knieën zitten en richt mijn wapen rond de hoek van de deur. Ik zie geen fuck en ik kan niets horen boven mijn eigen ademhaling uit, dus blijf ik stilzitten en houd mijn adem in. Er wordt een tweede schot gelost. Ik kan niet direct plaatsen waar het vandaan komt of waar de kogel is ingeslagen, maar ik weet wel dat het bijna raak was. Ik zit vlak om de hoek. Dat licht van het raam achter me zegt alleen waar ik daarnet zat, niet waar ik heen moet. Ik moet die kamer in.

'Fred!' roep ik.

Er komt geen reactie, dus ga ik de hoek om, mijn rug tegen de muur gedrukt, en richt mijn wapen de duisternis in. Ik wacht en ik wacht en ik wacht, en hoewel ik mijn ogen opensper zie ik minder dan niets. De tijd rekt zich uit als een elastiekje. Ik wacht tot het knapt. Ik wacht op een nieuw schot. Ik wacht op iets, op wat dan ook, op iets wat geen deel uitmaakt van deze stilte en de afgrijselijke, onuitgesproken conclusies die je daaruit kunt trekken. Zal ik het op een krijsen zetten, vraag ik me af, of zal ik een schot lossen, die stomme zaklamp aandoen en opstaan met de mededeling: 'Oké, ik geef me over.'

Dan hoor ik Freddy's stem: 'Smack?' Maar zonder de gebruikelijke overtuiging.

'Fred,' zeg ik, opgelucht dat hij er is. 'Waar zit je?'

'Hier.' Niet dat dat me iets zegt in het donker, maar ik volg het geluid van zijn stem en ik hoor hem moeizaam ademhalen. Dus vraag ik: 'Ben je getroffen?'

Op datzelfde moment zegt hij: 'Ik heb hem te grazen genomen.'

'Trovic?' vraag ik, en zo in het stikdonker hoef ik zijn naam maar te zeggen of ik word al zo bang dat ik mijn lantaarn moet aanknippen. Meteen zie ik Fred liggen: anderhalve meter voor me. Ik kruip naar hem toe.

'Ik heb hem geraakt, die smerige vuilak. Let jij maar eens op.'

Hij grijpt mijn arm zodat ik mijn lantaarn en wapen bijna niet in de hoeken van de kamer kan richten, op zoek naar 'hem'. Ik hoop dat ik Trovic' lijk zal vinden. Ik hoop dat we

geen al te gemakkelijk doelwit vormen. We zitten in een slaapkamer, bijna volkomen leeg afgezien van een onopgemaakt
bed. Ik zou aan de andere kant van het bed moeten kijken. Ik
zou onder de matras moeten kijken. Ik zie een lamp op een
nachtkastje staan. Die zou ik aan moeten doen. Ik zou iets
moeten doen, maar Fred laat mijn arm niet los.

'Fred?'

'Ik ben gewond,' zegt hij. Shit.

Ik kniel naast hem en knoop zijn jas open. Ik voel langs zijn
borstkas, maar daar zit geen bloed. Hij heeft een kogelvrij vest
aan. Ik tast naar mijn radio, maar hij grijpt mijn handen en
zegt: 'Je zult me nog dankbaar zijn.'

'Daar heb ik geen tijd voor,' zeg ik. Ik moet hem hiervandaan zien te krijgen. Met alleen die lantaarn krijg ik geen goede indruk van de hele kamer en ik weet niet of we hier veilig
zitten. 'Kom op,' zeg ik tegen hem.

Hij blijft roerloos liggen, dus leg ik de lantaarn op de grond,
het licht op het bed gericht. Ik ga achter Fred staan en sla mijn
linkerarm om zijn borst heen, mijn rechterhand vrij voor het
pistool. Ik zet me schrap en sleur aan Fred in een poging hem
naar de muur te slepen. Geen beweging in te krijgen.

'Jezus, wat een pijn. Volgens mij is hij er dwars doorheen
gegaan.' Hij grijpt mijn arm en trekt het pistool omlaag, dus
ik houd op want ik bedenk dat hij dus écht gewond is en dat
ik hem in dat geval moet laten liggen. Ik steek mijn wapen
weg en loop weer om hem heen zodat hij me kan aanwijzen
waar hij getroffen is.

Hij knijpt even in mijn arm, een heel subtiele aanwijzing
om dichterbij te komen, en plotseling denk ik niet meer dat
dit erom gaat dat hij getroffen is. Ik kom zo dichtbij dat ik
hem in het licht van de lantaarn op de vloer achter ons kan
aankijken. Volgens mij zie ik tranen.

'Fred?' is het enige wat ik kan uitbrengen. Wat ik echt wil
fluisteren is dat het me spijt van alle ellende die we elkaar hebben aangedaan, en dat we de zaken niet hebben kunnen uit-

praten voordat het te laat was... Is het te laat? Kunnen we ooit weer worden wie we waren?

Dan zegt Fred: 'Heb jij John nog gebeld?'

God weet waarom.

En dan te bedenken dat ik dacht dat dit een gewichtig moment was. En dat we iemand gingen arresteren. Niet te geloven: midden in deze hele toestand probeert hij me nog aan een vriend van hem te koppelen. Een advocaat uit Northbrook nota bene. Waarom komt hij daar uitgerekend nú mee aanzetten?

Ik ga op mijn knieën zitten en voel weer aan zijn borstkas. Hij maakt een klaaglijk geluid. Ik voel aan zijn nek. Geen bloed.

'Jezus, Fred, ik heb John niet gebeld en ik wil het er niet over hebben. Help me. Zeg me waar je getroffen bent.'

'Als ik een klootzak was, zou je wel naar me luisteren,' zegt hij, en hij kucht even. Denkt hij dat dit zijn laatste woorden zijn? Hij laat mijn arm niet los.

'Je bént een klootzak. En ik zou nog niet dood aangetroffen willen worden in gezelschap van iemand die zijn geld verdient met criminelen op vrije voeten houden.' Ik probeer Fred tot een reactie te bewegen, om hem bij de les te houden. Ik weet niet wat er met hem is. Ik hoop maar dat de versterking onderweg is.

'Kom op, hij is geknipt voor jou.' Fred houdt even zijn adem in, verbijt zich en vervolgt: 'Een geweldige gozer. Vrijgezel, stabiel...' Het is meer dan pijn; zijn stem klinkt zwaar van de spijt.

'Als we mijn liefdesleven nu eens lieten voor wat het was? Tot we hier weg zijn?' Volgens mij weet hij van Mason en mij, en waarschijnlijk vindt hij dat maar niks, maar dit is bespottelijk.

'Je hebt geen idee wat voor iemand het is... waartoe hij in staat is...' Dan breekt zijn stem en probeert hij me koortsachtig weg te duwen. Zijn blik smeekt om hulp.

Zo te zien heeft hij pijn, dus ik probeer hem te kalmeren. 'Relax,' zeg ik, 'het komt allemaal goed.' Maar ik besef hoe debiel dat klinkt als ik merk dat Fred over mijn schouder kijkt, naar iemand die achter me staat. Ik voel de planken onder mijn knieën bewegen en ik weet dat we erbij zijn. Hij heeft Marko Trovic niet doodgeschoten. En ik had niet onder het bed gekeken.

'Laat haar met rust,' zegt Fred met de moed van iemand die ten dode is opgeschreven.

Ik weet dat ieder gebaar zinloos is, maar ik trek mijn pistool. Op datzelfde moment duwt degene die achter me staat me tegen de grond, met twee handen en zo hard dat ik mijn nek voel knakken. Ik val op de grond naast Fred. Ik ben uit balans, maar dat deert me niet: ik rol door en vuur. Door de terugslag van het schot val ik op mijn reet en ik schuif over het hout, langs Fred heen. Ik schop tegen de lantaarn, die in een boog over de vloer rolt. Hij blijft op mij gericht liggen, alsof het een zoeklicht voor Trovic is. Verblind door het licht vuur ik in de richting van de dader. Ik weet dat Fred ergens voor me, een eindje naar links, ligt, dus ik richt mijn schot over hem heen. Ik weet niet hoeveel schoten ik uiteindelijk los, maar ik haal de trekker eindeloos over, tot ik alleen nog het *klik-klik-klik* van de hamer in een lege kamer hoor.

En daarna niets.

Ik blijf roerloos liggen. Niemand beweegt. Ik moet Trovic geraakt hebben.

Ik krabbel overeind om de lantaarn te grijpen. Ik schijn ermee in de richting van het bed. Ik zoek de hele kamer af, maar ik zie niemand.

Ik hap naar adem. 'Freddy,' zeg ik. Hij geeft geen antwoord. Ik durf mijn blik niet af te wenden. De batterijen in de lantaarn rammelen, zo erg beeft mijn hand.

Ik laat het lege pistool vallen en tast naar Freds wapen. Plotseling druppelt er iets warms en nats over mijn voorhoofd in mijn ene oog. Ik raak het met een vinger aan alsof het het bloed van iemand anders is. Een fractie van een seconde later voel ik een scherpe pijn boven op mijn hoofd en terwijl ik op de grond val, bedenk ik dat Trovic mij ook geraakt moet hebben.

Ik blijf liggen en vraag me af of ik dood ben.

3

Oké, ik ben niet dood, maar de enige reden waarom ik dat weet is dat er mensen zijn die dat zeggen. Ze buigen zich over me heen en fluisteren: 'Ze is wakker,' en 'Maak je geen zorgen,' en 'Niet schrikken.' Ik heb geen idee waar ze het over hebben tot ze een stap opzij doen zodat ik een blik kan werpen op de puinhoop die we gecreëerd hebben. Felle verlichting brengt de ruimte tot leven: een sjofele slaapkamer met een onpersoonlijke, tijdelijk aandoende inrichting alsof het een opvangtehuis of een motel is; alles is vergeeld als oud krantenpapier, behalve het zwartrode bloed op de vloer. Agenten met rubberhandschoenen aan en beschermende brillen op zijn rondom me aan het werk, bezig meer stof te maken waar toch al zoveel stof ligt. Ik zie iemand iets wat zo te zien mijn pistool is in een plastic zak stoppen.

'Fred,' zeg ik. Ik voel hem naast me. 'Fred,' herhaal ik en ik tast naar hem, maar plotseling komen overal handen vandaan die me behoedzaam van de grond tillen. Iemand zegt: 'Je hebt een hersenschudding.' Iemand anders komt met: 'We brengen je naar het ziekenhuis.' Ik verzet me, ik zeg dat ik nergens last van heb, en ik laat me naast Fred vallen en trek aan zijn overhemd, maar hij blijft roerloos liggen. Ik heb zin om hem een lel te geven en hem van alles naar het hoofd te slingeren en te zeggen dat ik van hem houd en ja hoor, ik zal John bellen, vervelende ouwe klier... Maar ze pakken mijn armen weer en zeggen me nogmaals dat ik een hersenschudding heb.

Ze trekken me weg van Fred en helpen me naar buiten alsof ik de weg niet weet. Alsof ik hier soms niet in het stikdonker binnengekomen ben.

Buiten zetten ze me achter in de ambulance en doen alsof ik doodga. En ik zit daar als slachtoffer. Ik schaam me voor mijn uniform.

Ik zie de andere agenten officieel kalm doen, maar intussen hoor ik de vragen: 'Wie wilden ze pakken?' en 'Waarom hebben ze niet op versterking gewacht?' en 'Waar ging die ruzie dan over?' Ik weet de antwoorden. Maar mij wordt niets gevraagd.

Dan zie ik brigadier MacInerny. Ik laat me uit de ambulance zakken en bereik hem vlak voordat de ambulancebroeders proberen me terug te sleuren. MacInerny slaat zijn arm om me heen. Ik snap niet waarom hij zegt dat ik rustig moet doen, want ik zeg niet eens wat. Tot ik zijn blik op een brancard volg. Daar ligt een wit laken overheen.

'Marko Trovic,' zeg ik, maar nu ik dan eindelijk iets zeg, lijkt brigges me niet te horen. 'Dat is Marko Trovic,' herhaal ik. Brigges houdt me stevig vast en we weten geen van beiden waar ik heen zou gaan als hij dat niet deed. Ik hoor de brancard dichterbij komen, ik hoor de wieltjes draaien.

'Dat is Fred,' meen ik brigges te horen zeggen, maar op dat moment gebeurt het: Marko Trovic gaat rechtop zitten op zijn brancard. Niet dood.

Een toeschouwer gilt als Trovic het laken van zijn gewonde borstkas gooit en zijn pistool trekt. Iedereen duikt alle kanten op en ik gris MacInerny's pistool uit de holster voordat hij op de grond valt en dekking zoekt.

En dan schiet Trovic. Op mij.

Ik voel alle zes de schoten door mijn vlees heen branden, door mijn borst, door mijn hart, en toch zie ik kans zijn vuur te beantwoorden terwijl ik uitermate traag neerval. Onderweg neem ik alles in me op, tot de kleinste details: Trovic' valse blik van onder zijn doorgegroeide wenkbrauwen, het zware gouden medaillon onder zijn overhemd, de gemene grijns waarmee hij mijn kogels weert. En dan zie ik alles plotseling alleen nog van onder af.

Ik lig op de grond en ik weet dat ik ditmaal dood moet zijn. Ik heb nergens pijn. Ik voel me niet beroerd. Ik vind het niet eens erg dat ik dood ben. Mijn enige hoop is dat Fred het gered heeft.

Er staan mensen om mijn lijk heen. Ze spreken op gedempte toon en ik versta ze niet. Ook herken ik hun gezichten niet. Ik zou het liefst zeggen: 'Niks aan de hand, ik ben geen held, ik deed gewoon mijn werk,' gewoon om hen te troosten, maar ik weet dat ze me niet zouden verstaan. Dan zie ik één gezicht scherp. Eentje maar.

En dat is Marko Trovic.

Ik gil zo hard dat de levenden het kunnen horen.

'Ze is wel degelijk wakker.'

Een dikke, onvriendelijke verpleegkundige bindt iets om mijn arm. Zodra een andere verpleegkundige begint te rommelen aan een verband om mijn hoofd, weet ik zeker dat ik nog steeds niet dood ben. Want als je dood bent kun je niet overgeven en ik sta op het punt om dat te doen. Een tl-balk doet een aanslag op mijn ogen en een gordijn in een misselijkmakende tint roze hangt om de halve kamer heen.

'Ik ben misselijk.' Na deze waarheid als een koe krijg ik een niervormige bak handzaam op mijn middenrif geplaatst. Ik lig dus in het ziekenhuis. Ik zou nog liever dood zijn.

'Diep ademhalen,' zegt de dikke verpleegkundige, en ze legt haar hand op mijn voorhoofd alsof ze mijn tollende hoofd kan stilzetten. Ik moet zeggen, het helpt.

Meteen daarna slaat ze de panden van mijn ziekenhuisjas open zodat mijn borsten te zien zijn voor iedere toevallige passant, en luistert naar mijn hart. Ze heeft een bloes aan met een patroon van fleurige lippenstiften en make-upkwasten, en omdat ze geen greintje ijdelheid lijkt te bezitten, vraag ik me af waarom ze juist dát patroon heeft gekozen. 'Hartslag stabiel, Cerita.'

Cerita knikt en maakt zich op om een naald in mijn arm te steken. 'Hoe oud ben je?'

'Tweeëndertig.'

'Wat zie je er dan nog jong uit. Ik had geschat dat ze ergens in de twintig was,' zegt Cerita tegen de dikke terwijl ze met haar middelvinger tegen de injectiespuit tikt.

'Ze heeft nog geen kinderen gehad. Van kinderen word je dik,' zegt de dikke.

'Wat is er gebeurd?' vraag ik. Ik sper mijn kaken open en mijn mond voelt aan alsof ik meel doorgeslikt heb.

'Je hersens zijn zowat uit je schedel gevallen,' zegt Cerita onaangedaan. 'Maar de dokter heeft het allemaal gehecht. En de wond zit straks onder je haar. Goed dat je zoveel haar hebt.' Ik knijp mijn ogen dicht zodat ik de naald niet naar binnen zie gaan. Vuurwapens, oké. Maar naalden...

'En goed dat ze een hard hoofd heeft. Dat is me een hersenschudding,' zegt de bolle met een blik op mijn röntgenfoto in een lichtkast. Dat deel van mijn droom is dus waar, maar...

'Wat is er vanavond gebeurd?' wil ik weten.

'Dat weet niemand. Ze zitten allemaal te wachten tot jij bijkomt en het verhaal vertelt. Je bent de populairste patiënt sinds... sinds die baseballspeler, afgelopen voorjaar. Cerita, hoe heette die ook alweer? Die Cub met dat gebroken sleutelbeen?'

'Moet je mij niet vragen. Ik ben Sox-fan,' antwoordt Cerita terwijl ze een propje watten over de naald heen legt en die uit mijn huid trekt. 'Dat voorkomt dat het al te erg gaat zwellen,' legt ze uit. Dan stopt ze haar spullen in een soort plastic emmertje, een gereedschapskist voor scherpe zaken, en wil ervandoor.

'Is mijn partner hier ook, in het ziekenhuis?' vraag ik. Cerita blijft staan. Ze kijken elkaar aan alsof ik gevraagd heb of ik lid mag worden van een geheime club.

'Zeg maar tegen die agent dat hij naar binnen mag,' zegt de bolle tegen Cerita. 'Die vent zit maar te zaniken.'

'Waar is Freddy?' vraag ik zodra MacInerny binnenkomt. Als gebruikelijk kan hij zichzelf amper bijhouden. Altijd en eeuwig buiten adem, altijd met een nerveuze hand in zijn pijnlijke nek. Ik maak me zorgen om zijn bloeddruk.

'Hoe gaat het, Smack?' vraagt hij. Een vraag op een vraag. Niet best.

'Zie ik er goed uit?' vraag ik. Hij staat te zoeken naar een beleefd antwoord, dus ik bespaar hem de moeite en zeg: 'Met mij is het prima.'

'De dokter zegt dat je een...'

'Ja, ik heb een hersenschudding. Dat weet ik. Maar wat is er in godsnaam gebeurd?'

MacInerny blijft op enige afstand van het bed staan en houdt zijn blik op de grond gericht. Met zijn kolenschoppen van handen staat hij met een witte zakdoek te frunniken alsof het een goocheltruc is, hoewel er niets magisch te bekennen valt. Na een tijdje zegt hij: 'Fred is ter plekke overleden.'

Die uitspraak heeft niets reëels voor me, en ik probeer in gedachten terug te gaan: Fred zei dat hij getroffen was, maar ik wist niet waar. We waren aan het praten, en er stond iemand achter ons...

'Marko Trovic,' zeg ik.

MacInerny kijkt me aan alsof ik gek ben. 'Wie?'

'De vent die ik heb neergeschoten. Het andere lijk. Dat is Marko Trovic.'

'Er was geen ander lijk.'

Díé uitspraak heeft wel iets reëels. Die slaat in als een bom. Marko Trovic leeft. Net als in mijn droom. Ik ga rechtovereind zitten.

'Zit hij dan vast?' vraag ik.

MacInerny treuzelt met zijn antwoord. Hij doet alsof hij

nog nooit zo iets interessants in handen heeft gehad als die zakdoek van hem.

'Hij is ervandoor.' Neem ik aan.

'Waren jullie daarom bij dat huis? Op zoek naar Trovic?' vraagt MacInerny.

'We hadden een tip gekregen. Dat hij daar zat. En hij zát daar ook. Hij heeft Fred neergeschoten.' Als ik mijn ogen dichtdoe, zie ik flitsen van wat er gebeurd is: Fred die naar zijn pistool tast, de blik op zijn gezicht als hij het gevaar achter me ziet, mijn knieën die op de grond smakken, de fractie van een seconde voordat ik me omdraai en schiet. Onze levens in mijn handen.

'Weet je zeker dat je die vent gezien hebt, die Trovic?' vraagt MacInerny. Ik zie Trovic' gezicht wel degelijk, zijn dreigende grijns, maar ik weet het verschil niet tussen wat ik me herinner en wat ik gedroomd heb. Heb ik zijn gezicht gezien toen ik me omdraaide en begon te schieten?

'Dat weet ik niet,' antwoord ik.

'We zijn bezig dit tot op de bodem uit te zoeken, Sam. Momenteel is het een beetje gecompliceerd.'

'Voor mij ligt het simpel,' zeg ik. 'Marko Trovic. En als hij niet vastzit, kan er maar beter iemand naar hem op zoek.'

MacInerny pakt mijn hand en helpt me voorzichtig weer te gaan liggen. 'Relax, Smack. De dokter zegt dat je het rustig aan moet doen, dat je hoofd eerst beter moet worden. Dit lossen we vanavond niet op. Ga lekker slapen, dan komt er iemand van rechtsbijstand om te praten als je je wat beter voelt.'

'Wat moet ik nou met een jurist? Je houdt iets voor me achter.' Ik krijg het gevoel dat ik problemen ga krijgen vanwege een of andere overtreding van de reglementen, zoals niet wachten op versterking.

'Dat is nu eenmaal de procedure,' zegt hij. 'Er is een politieman dood.'

'En ik zeg je net wie hem doodgeschoten heeft. Als je dat nou even doorgeeft aan het voltallige politiekorps, dan hebben we die Trovic bij zijn ballen nog voordat je zijn dossier gelicht hebt.' Mensen die agenten vermoorden hebben hier geen schijn van kans, dat is alom bekend. 'Hij is waarschijnlijk nu al op de vlucht. De complete uniformdienst moet achter hem aan! Je moet e-mails versturen, het journaal inlichten...' Het lijkt mij allemaal glashelder, tot MacInerny zegt: 'We wachten op ballistiek.'

Ballistiek. 'Hoezo?'

'Voorlopig is ons enige aanknopingspunt de kogel die ze uit Freds lichaam gehaald hebben,' antwoordt hij.

'Ja, en dus?'

'Dus kunnen we niet zomaar iemand arresteren van wie jij niet weet of je hem wel of niet gezien hebt, als we niets meer hebben dan twee dienstpistolen, allebei afgevuurd, en twee gewonde politiemensen, van wie een dodelijk. We hebben bewijs nodig. We hebben vingerafdrukken en ballistiek nodig.'

'Trovic heeft Fred neergeschoten. En ik heb op Trovic geschoten.'

'Weet je dat zeker?'

Wacht eens even, wat krijgen we nou? Mijn hoofd mag dan een beetje mistig zijn, maar: 'Ja, dat weet ik zeker. Hoe dacht jij dan dat ik aan die hersenschudding kom?'

MacInerny draait met zijn nek. 'Dit proberen we stil te houden,' zegt hij, 'zowel voor jouw bestwil als voor het bureau. Het is al doorgestuurd naar Recherche en ik ga dadelijk met de hoofdcommissaris praten.'

Mijn bestwil? De hoofdcommissaris? De commissaris van heel Chicago?

'Denk je dat ík Fred doodgeschoten heb?'

'Sam, ga nou geen overhaaste conclusies trekken. We moeten het volgens het boekje doen en we moeten de lijnen openhouden voor de hoge omes. We mogen geen fouten maken.'

'Jouw fout is dat je op een of andere testuitslag zit te wachten terwijl Trovic de eerste de beste vlucht de stad uit neemt.'

Ik ga weer overeind zitten, slinger mijn benen over de rand van het bed en zeg: 'Ik ga zelf wel naar hem op zoek.'

Ik kom te snel overeind en al het bloed stroomt mijn hoofd uit. Even voel ik me prima, hoogstens wat duizelig. Dan komt de pijn in mijn hoofd opzetten, zo erg dat ik naar adem hap. MacInerny grijpt mijn arm zodat ik niet val en ik vind het niet prettig, maar hij laat simpelweg niet los.

'Verdomme, er is niks mis met me,' zeg ik en ik denk echt dat het allemaal goed komt als ik maar even kan wennen aan het rechtop zitten. Brigges zet me weer op het bed, gaat naast me zitten en drukt op het knopje voor de verpleegkundigen.

'Er is wél iets mis met je, en jij blijft hier,' zegt hij.

'Ik moet iets doen,' meld ik hem.

'Wat dacht je van medewerking? Zorg jij nou maar dat je uitgerust raakt. Ik ga naar de commissaris en zeg hem dat jij morgen een verklaring aflegt.'

'Die kan ik je hier en nu geven. Fred en ik zaten achter Marko Trovic aan. Die heeft Fred doodgeschoten, en ik heb op hem geschoten. Ik moet hem gemist hebben. Hij moet ervandoor gegaan zijn. We moeten hem vinden.'

'Vertrouw er nou maar op dat we er alles aan doen.' Behalve Trovic zoeken, wil ik nog zeggen, maar Cerita verschijnt op de drempel met haar emmertje naalden en ik weet dat deze discussie afgesloten is.

'Oké, brigges,' geef ik toe. Voorlopig.

Ik heb geen idee hoe laat het is. Ik heb het gevoel dat ik hier al dagen lig, maar de zon is nog niet eens op. Ik wacht tot mijn hoofd geen pijn meer doet en ik vraag om pijnstillers. De verpleegkundigen luisteren niet. Ze zeggen dat ik moet gaan slapen.

Ja, ja. Ik hoef mijn ogen maar dicht te doen of ik zie Marko Trovic.

Dus lig ik in het donker voor me uit te staren en probeer me te herinneren wat er precies allemaal gebeurd is. Niets komt in de juiste volgorde boven, en hoe meer ik erover nadenk, des te onlogischer het allemaal lijkt.

Ons laatste gesprek blijft maar door mijn hoofd spoken. 'Ik heb hem te grazen genomen,' zei Fred. 'Je zult me nog dankbaar zijn.' En dan dat gezever over zijn vriend John. 'Je hebt geen idee wat voor iemand het is,' hield hij maar vol. Wat wilde hij daar nou mee zeggen? En waarom was hij daarover begonnen terwijl we in zo'n gevaarlijke situatie zaten? Fred haalt werk en privé altijd door elkaar, dat weten we allemaal, maar hij neemt zijn privéleven niet mee de straat op. Vannacht deed hij anders dan anders. 'Laat haar erbuiten,' zei hij tegen Trovic. Ik weet dat ik al een tijdje niet met Fred gewerkt had, maar ik herinner me hoe hij werkt, en dit was meer dan wraak vanwege Trovic' eerdere vergrijpen. Niemand houdt van pedofielen, maar vannacht deed Fred alsof Trovic achter zijn eigen kind aan zat. Dit was iets persoonlijks, en het had niets te maken met mij, de Amerikaanse hoer.

Wat ik me ook herinner, ik kan me geen andere reden voorstellen waarom het allemaal zo gelopen is. Dit was iets persoonlijks en Fred had mij erbuiten gelaten. Marko Trovic is de enige die weet waarom en momenteel is er niemand naar hem op zoek. Ze hebben niet eens iemand op de gang bij mijn kamer gezet.

Ze geloven niet dat hij er was. Ze denken dat ik het verzonnen heb. Waarschijnlijk denken ze dat ík Fred per ongeluk doodgeschoten heb.

Ik ga rechtop zitten en gun me een minuut de tijd om te wennen aan de pijn in mijn hoofd. Dan stap ik uit bed en loop een paar keer de kamer rond om te kijken of ik dat aankan. Dan trek ik een jas aan die iemand van het bureau heeft meegebracht en sluip voorzichtig de gang door, langs de bolle zuster, naar buiten.

4

De taxichauffeur aarzelt als ik op de achterbank plaatsneem. Waarschijnlijk vanwege mijn outfit.

'Hoek Lake Shore en Goethe,' zeg ik. Hij neemt me in zijn binnenspiegel op. 'Daar woon ik,' stel ik hem gerust. Hij zet de meter aan. Waarschijnlijk vindt hij de inkomsten belangrijker dan de situatie. Hij moest eens weten.

De rit verdraag ik, hoewel de chauffeur een zware voet op de rem heeft. Een paar maal denk ik dat mijn brein mijn hersenpan uit zal vliegen, zó tegen de voorruit aan. Ter afleiding kijk ik naar de zonsopkomst boven het meer. De zon wordt rond en solide naarmate hij meer afstand krijgt van de warme kleuren aan de horizon. Hoe vaak heb ik niet samen met Fred bij het ochtendgloren met een kop koffie in de hand argeloos over de Drive gepatrouilleerd? Alle ogenblikken die we over het hoofd gezien hadden, lijken plotseling veel belangrijker nu hij er niet meer is.

In de verte zie ik mijn eigen flat. Een hoog gebouw, slecht onderhouden, zonder enige luxe. Maar je vindt er altijd een parkeerplek en ik heb een geweldig uitzicht over het meer. In het zuiden zie ik het observatorium en het Drakehotel, en als het helder is kan ik zelfs de bahaitempel zien.

Als we bij de entree aankomen, is Omar zo attent om zonder een spier te vertrekken de taxi te betalen en mij naar binnen te helpen. Hij doet alsof er regelmatig mensen barrevoets arriveren. In maart.

Achter Omar aan loop ik naar binnen. Omar heeft een vriendelijk gezicht met een chocoladebruine huid en een vanillewitte glimlach. Hij is minstens tien jaar ouder dan ik en heeft het allemaal al een keer meegemaakt. Ik heb me vaak afgevraagd hoe hij er zonder uniform uitziet. Wat hij doet als hij geen deuren openhoudt.

Hij drukt op de zoemer voor de ingang, loopt met me mee naar de lift en geeft me een reservesleutel. Ik ben blij dat hij vandaag dienst heeft. Hij is zijn gewicht in goud waard.

'Maak er wat van,' zegt hij terwijl de liftdeuren geluidloos dichtschuiven. Misschien ziet hij me daartoe in staat.

Ik ga mijn eigen flat binnen en bestudeer mijn hoofd in de spiegel. Ik haal het verband eraf en tel de hechtingen. Volgens mij zijn het er negen. Ze zien er even pijnlijk uit als ze aanvoelen. Ik doe het verband terug en probeer mijn politiepet eroverheen te trekken. De wond is opgezwollen en ik grimas van de pijn. Ik smijt de pet op de grond. Ik ga níet huilen.

Ik probeer mijn uniform aan te trekken, met een overhemd dat ik alleen draag als ik te laat voor de stomerij ben geweest. Ik krijg het bovenste knoopje niet dicht, het zit te strak. Ik stik zowat. Met tintelende handen maak ik de rest van de knoopjes open en ik leun tegen de spiegel, duizelig van mijn eigen lichaamswarmte. De logische kant van mijn brein zegt me dat ik niet zo stom moet zijn om dit te proberen, maar logica is nooit een van mijn sterkste kanten geweest.

Ik laat me op de grond zakken en probeer me te concentreren. Ik kan uit mijn ogen kijken. Ik kan lopen. Ik kan functioneren. Ik leef nog. En ik moet Marko Trovic vinden. Ik moet alleen overeind zien te komen.

Buiten hoor ik sirenes. De stad ontwaakt. De politie is aan het werk, ík zou aan het werk moeten zijn. Ik knoop mijn shirt weer dicht, trek de rits van mijn broek omhoog en tast automatisch naar mijn holster. Dan herinner ik me: dat is bewijsmateriaal. Net als mijn pistool.

En plotseling heb ik het niet meer. Mijn lichaam zakt onwillekeurig in elkaar en ik rol me op tot een bal op de vloer, schokkend van het huilen. Wat dacht ik nou eigenlijk? Fred is dood omdat ik nergens aan dacht. Fred is dood omdat ik even niet oplette. Ik wring me in alle bochten, maar het is en blijft mijn schuld. Ook al heeft Trovic dan misschien de trekker overgehaald, ík ben verantwoordelijk. En ik ben er nog.

Ik moet erachter komen wat er gebeurd is. Ik neem de details van de afgelopen avond keer op keer door, zo vaak dat het een film begint te lijken. Ik praat tegen Fred. Ik voel gevaar. Ik draai me om en vuur. Ik zie Marko Trovic. Hij schiet op me. Ik voel de kogels. Fred blijkt dood te zijn. Wat is echt, wat heb ik gedroomd?

Ik probeer de puzzelstukken aaneen te passen, en ergens in de loop van de dag merk ik dat Mason er is. Ik ben alle gevoel van richting kwijt; ik voel me alsof ik wakker word uit een droom die precies de werkelijkheid is. Ik zie Mason over me heen gebogen staan, groter dan ooit, zijn stoppels doorgegroeid doordat hij een extra dienst heeft gedraaid, zijn staalharde blik zacht van bezorgdheid.

Ik concentreer me op de dikke aderen op zijn armen, als elektrische kabels, terwijl hij me van de vloer opraapt en me ondersteunt. Ik voel me klein. Ik sta, hoewel ik mijn benen niet voel. Ik ben volledig gedesoriënteerd; hoe wist hij dat ik hier was? Ik voel me als verdoofd. Ik kan maar niet wennen aan de gedachte dat Fred er niet meer is. Dit kan nog steeds een droom zijn.

'Sam, gaat het?' vraagt Mason, en bij het tastbare geluid van zijn stem treft de realiteit me. De vloer ligt bezaaid met kleren. Ik heb alles wat maar blauw is van de kleerhangers gerukt, maar ik heb me niet eens aangekleed. De gloeilamp in de kast is opgebrand. Er slingert ongeopende post. Ik heb de kabelrekening niet betaald. Het is een puinhoop. En ik dacht nog wel dat ik alles volledig in de hand had.

Ik barst weer in tranen uit.

Ik val in Masons armen en hij houdt me vast en laat me huilen. Ik huil tot er schijnbaar niets meer te huilen valt. Dan zeg ik: 'Freddy is dood,' en is huilen weer het enige dat nog zin heeft.

Mason trekt me dichter naar zich toe en drukt mijn druipende neus tegen zijn overhemd aan.

'Freddy is dood,' zeg ik opnieuw, alsof het door de herhaling echt zal worden. Het werkt niet.

Mason veegt met zijn hand mijn neus af en kust me op mijn natte mond. Daar zit hij niet mee; mijn tranen zijn de zijne. Hij zegt niets, hij houdt me alleen maar vast, en door de kracht van zijn omhelzing staat de tijd even stil. Weer raak ik mijn gevoel voor werkelijkheid kwijt, maar ditmaal ben ik dankbaar.

In zijn armen houd ik plotseling op met huilen, als een kind dat tot het besef komt dat huilen zinloos is. Ik voel me hier veilig, in zijn armen, in de stilte, helemaal los van de oneerlijke wereld.

Tot zijn radio tussenbeide komt met de statische ruis van de realiteit. '2356, locatie opgeven, graag,' komt het verzoek van de centrale.

Mason reageert door zijn radio uit te zetten. Hij is hier niet voor onderzoek. Hij kust mijn voorhoofd en gaat tegen de muur zitten zodat ik tegen zijn borst kan leunen. Ik nestel me op zijn schoot en hij streelt zachtjes over mijn haar. Terwijl ik daar zo half ingedommeld lig, bedenk ik dat dit onder de huidige omstandigheden de beste manier is om de wereld nog even op afstand te houden, en dat Mason dat prima doet.

Ik moet in slaap gevallen zijn, maar wanneer? Ik weet nog dat Mason me naar bed droeg. Een tijdje later hoorde ik hem tegen iemand zeggen dat hij in de buurt was en dus even was langsgegaan en hoe hij me had aangetroffen. Ik hoor hem zeggen dat ik in deze staat niet het huis uit kan. Hij zegt dat ik moet slapen. Ik klamp me vast aan de zekerheid van zijn stem en hoop dat hij deze ellende draaglijk kan maken.

Als het een tijdje stil blijft, denk ik dat hij weg is. Maar als ik mijn ogen opendoe, zit Mason vlak bij me op de rand van het bed.

'Wou jij soms eeuwig blijven doorslapen?' informeert hij. Ik vraag me af hoe lang hij daar naar me heeft zitten kijken.

'Hoe laat is het?' wil ik weten.

'Kwart voor negen. Donderdagochtend.'

'Heb ik een heel etmaal geslapen?'

'Als je niet aan het slaapwandelen of aan het ijlen was.'

'Ik ben duizelig.'

'Dat is de hersenschudding. Je was vreselijk verward, dus ik heb een verpleegkundige gebeld. Die zei dat ik je gisteravond voordat ik wegging een pijnstiller met codeïne moest geven. Ik wilde niet dat je nog een vluchtpoging zou ondernemen.'

'O. De vluchtpoging.' Waarschijnlijk is hij niet onder de indruk.

'Sam,' zegt hij, 'de nachtverpleegkundige van het Saint-Vincentziekenhuis kreeg zowat een hartstilstand toen ze je niet kon vinden. Ze heeft het alarmnummer gebeld. Het is de hele stad rondgegaan. MacInerny was des duivels. Hij is bang dat de pers er lucht van krijgt. Ik heb je wat tijd bezorgd, gezegd dat ik je hier gevonden had en dat je gewoon rust nodig had, maar het is intussen meer dan een etmaal geleden.'

Ik zie aan zijn blik dat er nu iets komt wat me niet zal aanstaan.

'Ik moet je naar het bureau brengen.'

Inderdaad.

Mason geeft me een glas water en twee gewone pijnstillers. 'Dit moest ik je van nu af aan geven, zei de verpleegkundige. Geen aspirine, geen alcohol.' Gehoorzaam slik ik de pillen door. Ik voel me dom, maar goddank is het dan tenminste Mason die me moet ophalen.

'Ik kleed me even aan,' zeg ik.

Ik moet flink zijn. Ik klem mijn kaken op elkaar en trek een trui over mijn verwarde haar. Mason probeert me te helpen, maar als hij zijn hand op mijn zere schouderblad legt, vertrek ik mijn gezicht van de pijn: dat is precies de plek waar Trovic me zo hard tegen de grond heeft geduwd.

Trovic.

'Je zei dat je MacInerny gesproken hebt,' zeg ik tegen Mason terwijl ik een spijkerbroek aantrek. 'Heeft hij ook gezegd of ze Trovic al hebben?'

Mason kan soms zo'n blik hebben waarvan je als aan de grond genageld blijft staan. Dit is niet die bepaalde blik, maar ik sta wel als aan de grond genageld.

'Wat is er?' wil ik weten.

'Er gaan geruchten over jouw gesprek met MacInerny. Over Trovic. Ik heb zowat iedereen gesproken die ter plekke was. Ze zeggen dat ze alleen jouw vingerafdrukken en die van Fred hebben gevonden. En verder niets.'

'Wat hebben ze dan tot nu toe losgelaten?' vraag ik. 'Ze kunnen de pers niet zomaar een dooie agent geven zonder aanwijzingen.' Ik weet wat Mason gaat zeggen, maar ik geloof mijn oren niet als ik het hoor: 'Ze zeggen dat het een ongeluk was.'

Ze zeggen dat ik het gedaan heb. Ze gaan niet eens op zoek naar Trovic.

'En ballistiek dan?' informeer ik.

'Nog geen uitslag,' antwoordt hij. 'De zaak is niet gesloten. Het is gewoon iets voor de pers. Je weet hoe dat gaat. Het is het beste voor de familie, voor het bureau, als we een verklaring hebben...'

'Maar er was wél nog iemand aanwezig. Marko Trovic – dat ís je verklaring!'

Mason kijkt me met een geduldige blik aan. Ik weet dat hij me wil geloven, maar zo te zien lukt hem dat niet. Hij staat op.

'Ik moet je naar het bureau brengen,' zegt hij. 'Daar kun je met een jurist praten, een verklaring afleggen in verband met je wettelijke aansprakelijkheid, en...'

'Hoe kan je daar nou zo rustig over doen? Alsof het zomaar een probleempje is, een kleine hobbel in je grootse plan dat tot nu toe niet gerealiseerd is? Volgens mij wil jij mij alleen maar naar het bureau brengen om de anderen te laten zien wat een fantastische rechercheur je bent.'

'Ik ben de vijand niet, dus doe nou niet alsof ik dat wél ben. Dit gaat niet om onze relatie.'

'Ze denken dat ik mijn partner heb doodgeschoten, ze denken dat ik een of andere moordenaar heb verzonnen, en dan denk jij dat ik me zorgen maak om onze relátie? Nee, die is goed!'

'Luister, Sam, ze weten dat ik hier ben. Ze zitten op ons te wachten. Wat voor indruk denk je dat zij krijgen als ik je niet opbreng? We moeten dit volgens het boekje doen. Als ze het idee krijgen dat jij en ik iets met elkaar hebben...'

'Zie je nou wel, ík ben niet bang dat ze erachter komen dat wij met elkaar neuken, jíj bent bang.'

'Ik weet niet wat er die bewuste nacht is gebeurd, Sam, maar als je wilt dat ik je help, moet je je vandaag aan de spelregels houden. Als je wilt dat ik de zaak onderzoek. Als je hier uit wilt komen met je badge intact.'

'Die badge steken ze maar in hun reet. En jij kunt voor mijn part doodvallen als je gelooft dat ik het gedaan heb.'

In plaats van een verdiende tegenaanval draait Mason zich simpelweg om en loopt weg.

Ik kijk hem na, de gang door, en ik weet dat hij zich niet zal omdraaien. Ik heb zojuist een kalf van een obstakel tussen ons in geplaatst: mijn ego. En daar gaat hij niet tegenin. Hij weet dat ik koppig ben, want ik heb geen zin om van hem of van wie dan ook afhankelijk te zijn.

Maar die koppigheid kan ik me momenteel niet veroorloven. Ik heb Mason nodig.

'Sorry, Mason, je hebt gelijk...' Ondanks de misselijkmakende duizeligheid bij iedere pas zonder zijn steun loop ik achter hem aan de gang door, de woonkamer in. Mijn duizeling ijlt me vooruit en bijna klap ik plat voorover op mijn bek. Ik zoek iets om me aan vast te grijpen. De bank is te ver weg, dus leun ik tegen de muur voor steun. Evenzogoed raakt mijn hoofd omstrengeld door een onvoorstelbare pijn, die me op mijn knieën dwingt. Ik kan Mason niet roepen, want ik ben

bang dat ik zal overgeven als ik mijn mond maar even opendoe. Ik knijp mijn ogen dicht en haal diep adem.

Binnen enkele seconden staat Mason weer naast me.

'O, meisje toch. Gaat het weer een beetje?' Hij steunt me,
en zijn sterke handen motiveren me om tegen de pijn te vechten. Ik slik moeizaam en probeer me overeind te hijsen.

'Sorry, Mason,' zeg ik na een tijdje. 'Breng me maar naar
het bureau.'

'Je moet je niet zo druk maken.'

'Oké.' Ik draai mijn hoofd om en leun tegen zijn borst. Ik
voel me idioot.

'Wil je terug naar het ziekenhuis?'

'Nee.'

'Zeker weten?'

Ik knik, hoewel ik het helemaal niet zeker weet. Mijn hoofd
doet verschrikkelijk pijn. Ik heb geen gevoel in mijn arm. Maar
Fred is dood en Mason moet me helpen erachter te komen
waarom.

'Wil jij me helpen?' vraag ik, hoewel ik weet wat het risico
van persoonlijke relaties is, vooral van relaties die geheimge-
houden worden.

'Dat weet je toch,' zegt hij. 'Doe jij nou maar wat Mac-
Inerny zegt. Dan probeer ik intussen meer te weten te komen
over Trovic.'

'Oké,' zeg ik. 'Daar gaan we.' Ik wil even dapper zijn als
Mason.

Hij helpt me overeind en wacht even tot hij zeker weet dat
ik op eigen benen kan staan. Dan loopt hij met me naar de
deur en pakt een jas voor me uit de kast. Een gewone, zwart-
wollen jas, niet de officiële blauwe ernaast.

Terwijl hij me in de mouwen helpt, vraag ik: 'Mason?'

'Ja.' Hij opent de deur en als ik niet over de drempel stap,
pakt hij mijn hand.

'Hou je van me?'

Hij bukt zich en kust me, en hij meent het. 'Nee. Niet expres.'

5

De rit naar het bureau verloopt in stilte, afgezien van de statische ruis, af en toe onderbroken door wat geknetter, van de politieradio. Mason en ik praten niet veel, wat maar goed is ook. Ik vind het helemaal geen fijn idee dat hij de sterkere is. Ik moet me goed voor ogen houden dat dit niets te maken heeft met onze relatie. Als ik niemand anders heb om mee te praten of te zwijgen put ik me helemaal uit. Ik heb een partner nodig.

Na al die maanden samen ben ik soms nog steeds verlegen tegenover hem, nog erger dan toen we elkaar pas kenden. Misschien ben ik bang dat hij iets over me zal ontdekken dat hem niet aanstaat. Misschien ben ik bang dat ik niets aan hem zal ontdekken dat mij niet aanstaat. Wat zal ik zeggen? Ik vind alles aan hem leuk. Zijn glimlach: zijn tanden staan zo recht als maar kan zonder dure beugeltandarts. Zijn handen: de huid ruw waar hij ruw moet zijn, maar toch met een zachte aanraking. En dan zijn stem: als we in bed over van alles en nog wat liggen te praten, als ik het gevoel heb dat wij tweeën de enigen in heel Chicago zijn die nog op zijn. Zelfs als ik razend op hem ben, vind ik die jongensachtige krullen van hem nog leuk. En daar komt hij niet af, of misschien als hij zijn hoofd kaalscheert. Ik ben gek op die krullen, ook omdat hij er zelf niets aan vindt. Kennelijk is 'jongensachtig' geen compliment.

Vanuit mijn ooghoek kijk ik naar hem, zodat hij het niet merkt. Volgens mij ligt er een glimlach rond zijn lippen. Daar word ik zenuwachtig van. Vanwaar die glimlach?

Had ik gelijk, ben ik zijn jachttrofee? Zal hij met me door het hele bureau lopen, achter mijn rug knikkend naar onze collega's? *Dat viel niet mee,* zegt hij dan als ik weg ben. *Daar heb je je handen vol aan.* Dan drommen ze samen als de pers rond de president, met open mond, en je ziet de wieltjes draaien in hun hoofd terwijl Mason vertelt hoe hij mij op sluwe wijze in de kraag heeft weten te vatten. Als een haantje zal hij rondstappen als over een stankvrije mestvaalt.

Verdomme. Ik moet iets zeggen. Ik doorzie zijn plannen. Hij is mijn partner niet. Hij werkt alleen.

Ik draai me naar hem om, vastbesloten hem de volle laag te geven, maar voordat ik mijn mond opendoe kijk ik nog eens, en dan besef ik dat ik het bij het verkeerde einde heb. Hij zit te turen. Het is geen grijns, hij probeert gewoon tegen de zon in te kijken. Ik had beter moeten weten: zijn uitdrukkingen zijn erop berekend informatie te verkrijgen, niet om zelf iets los te laten. Hij voelt dat ik naar hem kijk, en legt zijn hand op mijn knie. Terwijl we langs het meer rijden glinstert de ochtendzon op het water. Ik zeg geen woord.

Als we op het bureau komen, keur ik mijn begeleider geen blik meer waardig. Er staat niemand buiten en de meeste patrouillewagens zijn op pad in de ochtendspits, maar je weet maar nooit. Een relatie op het werk is een riskante zaak. We worden geacht loyaal te zijn, maar dat zijn we niet. Niet echt.

Mason en ik gaan door de zijdeur naar binnen en lopen achterlangs naar MacInerny's kantoor. Vlak voor de deur blijft Mason staan en kijkt me aan tot hij contact maakt. Dan klopt hij aan.

'Binnen,' roept MacInerny. Mason doet de deur open. Brigges hangt op als hij me in het oog krijgt. Zo te zien functioneert hij op nog minder slaap en met nog meer hoofdbrekens dan ik.

'Dank je, Imes,' zegt MacInerny. 'Alle lof dat je ondanks je belangrijke plichten bij Moordzaken de tijd genomen hebt om dit verloren schaap op te halen. Ga zitten, Samantha.'

Als hij me zo noemt, weet ik dat ik fout zit. Mason weet het ook, want hij doet de deur achter me dicht zonder ook maar een voet over de drempel te zetten.

'Ga zitten,' zegt MacInerny nogmaals. Ik gehoorzaam. Vervolgens gaat hij zwijgend verder met zijn administratie en ik probeer aan andere dingen te denken tot hij klaar is. Maar het raam achter hem is een lichtend kader waarvan mijn ogen gaan tranen, waarheen ik ook kijk. Maar goed, ik heb al zo vaak in deze positie verkeerd dat ik in wezen de titels op de boekenplanken rechts van me uit mijn hoofd ken.

Voor de zoveelste maal lees ik het bordje op zijn bureau: EN OM TE BEGINNEN MAKEN WE ALLE JURISTEN VAN KANT – SHAKESPEARE. Ik vraag me af of MacInerny ooit naar de schouwburg is geweest.

Ik denk me hem in, met een smoking aan, een roomwitte sjaal omgeslagen, en een toneelkijker. Net als ik zover ben, laat hij zijn pen vallen en zet zijn leesbril af.

'Ik neem maar aan dat Imes je heeft ingelicht over wat gisterochtend duidelijk is geworden nadat jij het ziekenhuis verlaten had,' zegt hij.

'In grote lijnen wel,' zeg ik. 'Het spijt me.'

'Daar is het te laat voor. Om halftwee arriveren de hoofdinspecteur en de rest van de hoge omes.'

'Vandaag?' Ik kijk op de klok: het is nog geen kwart over negen.

'Had je soms iets belangrijkers te doen? Als je wilde dat ik er meer tijd voor nam, had je in dat bed moeten blijven liggen. Ze hoorden dat je ervandoor gegaan was. Je boft nog dat ik ze heb weten over te halen tot een bespreking. Ze wilden je achter slot en grendel hebben.'

'Mijn partner is dood. Wat dachten ze dan dat ik zou doen?'

'O, geen idee… je aan de regels houden, misschien? Je moet één ding goed begrijpen, jouw gevoelens interesseren die lui geen zak. Ze kijken naar de feiten en het feit is dat je zonder toestemming uit het ziekenhuis vertrokken bent. Voor hen is dit gewoon een zaak, net als alle andere zaken, maar dan een die wel eens rampzalig zou kunnen aflopen voor dit bureau.'

'God verhoede dat een agent zich als een mens zou gedragen.'

'Die zogenaamde menselijke reactie van jou zou wel eens

kunnen worden opgevat als een vluchtpoging.' Brigges loopt om zijn bureau heen en gaat op de hoek ervan zitten. Dat doet hij als hij iets wil zeggen dat niet voor andere oren bestemd is. De vorige keer dat hij daar zat, was dat om me advies te geven nadat ik over de rooie was gegaan omdat Fred een andere dienst gekozen had. Eerlijk gezegd: ik had een koffiemok door de voorruit van Freds patrouillewagen gekeild. Met koffie en al.

'Kijk eens hier, Smack,' zegt MacInerny en hij rekt zijn nek uit. 'Volgens mij ben jij niet helemaal doordrongen van de ernst van de situatie. Als je zo idioot blijft doen, gaat er nog een keer iemand denken dat dit meer dan een ongeluk was.'

'Het was geen ongeluk! Het was Marko Trovic! Waarom luistert er niemand naar me?'

'Kom op, Smack. Ik sta aan jouw kant, maar je moet wel een beetje meewerken.'

'Hoe dan? Door te doen alsof het níét Marko Trovic was?'

'Ik verwacht van jou dat je een samenhangend verhaal houdt over wat er dinsdagnacht gebeurd is. Zonder uitweidingen, zonder een scène te trappen. Je vertelt uitsluitend wat je je herinnert en niet wat jij daarvan vindt. Zodra je aan het speculeren slaat, krijgen we problemen met justitie. Die grijpen ieder excuus aan om ons door de molen te halen. Jouw positie is niet direct veilig. Dus je vertelt de waarheid.'

'Als ik de waarheid vertel, dan moet ik zeggen dat het volgens mij Trovic was.'

'Deze zaak kun jij niet oplossen, Samantha. Je bent er zelf bij betrokken. Als je over die Trovic-toestand begint, dan gaan ze hier weg met meer vragen dan waarmee ze gekomen zijn, en de helft daarvan brieven ze zó over naar de *Sun Times*. We moeten dit onder ons houden. We moeten onze jongens een kans geven de zaak te onderzoeken.'

'De waarheid dus, maar dan minus Marko Trovic.'

'Je hebt een dikke vier uur om na te denken over wat die waarheid is.' MacInerny laat zich van het bureau glijden, trekt een la open en haalt er een pakje Camel uit. 'Als ik jou was,' zegt hij, 'zou ik maar aardig tegen ze doen. Zodat ze niet nog eens terugkomen.'

'Moet ik hier de hele ochtend blijven zitten en dan vervolgens lief doen tegen die hufters?'

Ruim vijf uur later rook ik de laatste Camel uit het pakje en heb ik zojuist mijn hart gelucht tegenover MacInerny, hoofdinspecteur Jackowski en een overdreven keurig geklede juriste met een krankzinnig kapsel dat in die beroepsgroep verboden zou moeten zijn. Hoofdinspecteur Jackowski's haar zit nog beter dan het hare.

Twee redelijk neutrale adviseurs van Moordzaken leiden het gesprek. Een van hen moet waarschijnlijk hoognodig naar de wc, te zien aan de manier waarop hij op zijn stoel zit te draaien. Ik heb minstens een pot koffie op sinds mijn gesprekje met MacInerny en ik ben niet half zo ongedurig als deze vent.

De andere adviseur heeft volgens mij nog nooit iets met cafeïne genuttigd, want hij leest schijnbaar onaangedaan zijn complete rapport woordelijk voor als reactie op mijn verklaring; en dat doet hij minutieus, op de saaiste toon die ik ooit gehoord heb. Bovendien leidt hij iedere zin in met de woorden 'Volgens ons rapport'. Dus: 'Volgens ons rapport was agent Flagherty als eerste ter plekke en beval hij agent Blake om het terrein af te zetten terwijl hijzelf zonder succes probeerde agent Frederick Maloney te reanimeren. Agent Hauser verzorgde uw hoofdwond tot de ambulance arriveerde. Ter plekke werd bepaald dat u veilig naar het Saint-Vincentziekenhuis kon worden vervoerd.' En: 'Volgens ons rapport is agent Maloney overleden aan een schotwond in het posterieure mediastinum, een wond veroorzaakt door een schot in de rug, boven het gedeelte dat door het kogelvrije vest werd beschermd.'

Wat een verhoor. Ik neem aan dat hij de zaak opbouwt naar een stuk informatie dat in tegenspraak is met mijn verklaring, die volgens mij een behoorlijk grondig relaas was van alles wat zich had afgespeeld tot aan het moment dat ik van mijn stokje ging. (Minus, uiteraard, mijn overtuiging dat Fred is vermoord door Trovic. En ook ons gesprek over mijn liefdesleven had ik onvermeld gelaten.) De aanwezigen lijken geïnteresseerd; bij wijze van uitzondering doet zelfs Jackowski alsof hier iets nieuws wordt verteld.

Dan zegt de adviseur: 'Volgens ons rapport blijkt uit sporenonderzoek dat u uw wapen hebt afgevuurd, een .38 kaliber dienstrevolver, die leeg is aangetroffen. De kogels uit de muren ter plekke komen overeen met de loop van uw wapen.' Ik heb zin om dat ellendige rapport uit zijn handen te rukken: dan zullen we nog eens zien of hij zélf ook wat te zeggen heeft. Maar ik besluit het beleefd te houden.

'Zoals ik al zei,' zeg ik zo gelijkmatig mogelijk, 'heb ik mijn wapen afgevuurd toen ik dacht dat er iemand anders in het vertrek aanwezig was.'

De adviseur kijkt licht geïrriteerd, alsof hij probeert een akelig luchtje te negeren. Hij wendt zich van me af en zegt: 'De conclusie van het ballistisch rapport luidt dat de kogel die uit agent Maloneys lichaam is verwijderd, óók overeenkomt met de loop van agent Macks wapen.'

Nou, dat is het dan. Ik ben erbij.

'Dus het maakt u niet uit wat ik zeg. U denkt dat ik het gedaan heb.'

De advocate leunt achterover in haar stoel. 'Dat blijkt uit de feiten.' Ze houdt haar hoofd schuin en wacht tot ze ieders aandacht heeft voordat ze vervolgt: 'Wat ik wil weten is of u het al dan niet opzettelijk hebt gedaan.'

Pardon? Beschuldigt ze me van moord? Ik kijk om me heen om te zien of de anderen even verbouwereerd zijn als ik.

'Dacht u dat ik Fred opzettelijk had neergeschoten?' vraag ik.

'U hoeft niets te zeggen,' klinkt de falsetstem van de zenuwachtige adviseur, alsof hij mijn beste vriend is. Maar dat moet ik wél, ik móét iets tegen die arrogante teef zeggen, en tegen die administratieve werkbijen, en tegen de mannen die geacht worden één lijn met mij te trekken.

'Jullie waren er niet bij,' zeg ik. 'Geen van jullie was erbij. Hoor je niet wat ik zeg? Ik weet wie dit gedaan heeft, namelijk de gozer die me dít bezorgd heeft,' – ik wijs op mijn hoofd. 'Dat rapport van jullie, daar klopt niets van. Ik heb mijn pistool niet tegen de rug van het vest van mijn partner gezet en hem neergeschoten. Dat was Marko Trovic, dat seksistisch stuk ongeluk, die racistische pedofiel die we moesten arresteren.' Ik zie MacInerny's pogingen om oogcontact te maken, maar ik ben nog niet uitgesproken.

'Dát is degene die Fred heeft neergeschoten. Ik dacht dat ik hem te grazen had genomen, maar kennelijk heb ik gemist. En wat ik hier ook mis, dat is de reden waarom jullie één ding volledig over het hoofd zien, namelijk de mogelijkheid dat er nog iemand in huis was. Ik vraag me af waarom jullie dus maar aannemen dat ík de schuldige ben. Zoals ik het zie, heeft Trovic mij buiten westen gemept en vervolgens Freddy met mijn wapen neergeschoten. Dus nu is mijn vraag aan jullie: waarom is er niemand naar hem op zoek?'

De adviseurs beginnen driftig te bladeren op zoek naar een rapportpagina met de informatie ter verklaring van de bom die ik zojuist heb laten vallen.

'We proberen uitsluitend het plaatje rond te krijgen,' zegt de man met de vlakke stem.

'En wel volgens het boekje,' echoot zijn partner, maar ik wil weten: 'In wat voor kútboekje staat dat je de vent die mijn partner heeft doodgeschoten een voorsprong van meer dan een dag moet geven?'

De juriste geniet van de chaos die ze heeft gecreëerd en mijn collega's komen aanzetten met: 'De kwestie ligt gevoelig' en 'We moeten bepalen hoe we hiervandaan verder moeten' en 'We moeten rekening houden met de nabestaanden.'

'De nabestaanden? En déze nabestaanden hier dan?' vraag

ik, en ik wijs op mezelf en MacInerny. Ik begin me mateloos te ergeren, vooral wanneer Jackowski zijn hoofd schudt naar de advocate alsof hij geen idee heeft waar ik het over heb.

MacInerny heft zijn handen op alsof hij ze daarmee schoonwast. Onvoorstelbaar dat hij me zo laat vallen. Dan zegt hij: 'Ga zitten, Sam.'

Ik weet niets beters te doen. Ik heb niemand aan mijn zijde. Ik ga zitten.

'Raadsvrouwe?' vraagt hoofdinspecteur Jackowski. 'Wat is het laatste woord?'

Het mens trekt haar eigen rapport tevoorschijn, en leest daaruit voor: 'De dood van Frederick J. Maloney wordt momenteel onderzocht. Of agent Mack slachtoffer, getuige of verdachte is, is voorlopig niet bekend. Wel bekend is dat agent Mack aanwezig was bij, en gewond geraakt is tijdens, het incident. Het verdient dan ook aanbeveling dat zij met administratief verlof gaat tot de situatie is opgehelderd.'

Ze slikken het allemaal, zelfs MacInerny, alsof het rechtstreeks uit de Bijbel komt.

'Maar er vált helemaal niets op te helderen zonder mij,' werp ik tegen.

De vent met het saaie stemgeluid kijkt weer op met die verdomde map vol papieren voor zich. 'Volgens ons ziekenhuisrapport is er sprake van een hersenschudding ten gevolge van stomp trauma aan het hoofd. Monsters genomen uit mevrouw Macks hoofd vertonen sporen van houtlak van de vloer op de plaats delict.'

'Ik heb mijn hoofd niet tegen de grond gestoten. Bespottelijk. Ik ben geduwd, en daardoor ben ik op mijn knieën gevallen...' Ik begin mijn broekspijp op te hijsen, maar ze kijken niet eens naar me. Ze zijn veel meer geïnteresseerd in foto's van mijn hoofd.

'Bovendien,' leest ze verder, 'was de aard van de verwonding voldoende aanleiding voor de behandelend arts om te stellen dat mevrouw Mack mogelijk ten prooi zal zijn aan verwarring en andere traumagebonden nawerkingen. Zijn aanbeveling luidt dat haar conditie scherp in de gaten wordt gehouden door een gekwalificeerd gezondheidswerker.'

'Ik neem dus maar aan,' – ze smijt haar pen neer – 'dat haar verhaal een vertekend beeld van de werkelijkheid geeft.'

'Onze aanbeveling is een diagnostische test op posttraumatische stressstoornis, plus behandeling,' zegt de adviseur met de overactieve blaas.

'Dus daarom kunnen jullie niet op zoek naar Trovic?' vraag ik. 'Omdat jullie denken dat het pure verzinsels zijn?'

'We kunnen niet op zoek omdat er geen bewijs is,' zegt de ander ongeduldig. 'Afgezien van de schaafwonden op uw knieën...'

De saaie stem werpt zijn nerveuze partner een kritische blik toe en zegt dan: 'Volgens ons rapport heeft agent Flagherty geen bewijs gevonden ter ondersteuning van uw bewering dat er nog iemand anders aanwezig was ten tijde van het incident.'

'Flagherty kan zijn eigen voeten nog niet eens vinden als hij schoenen aanheeft,' zeg ik. 'Je hebt een rechercheur nodig. Een onderzoek. Een verdachte. Net als op tv.'

De juriste slaakt een overdreven zucht om ons allen duidelijk te maken dat ze geen behoefte meer heeft aan mijn meningen. Ik weet dat MacInerny het met me eens is wat betreft Flagherty, en Jackowski misschien ook wel, maar het is zijn taak om diplomatiek te doen, dus informeert hij met een glimlach: 'Wanneer kan Samantha weer aan het werk?'

'Na dertig dagen vragen we om een medische en psychiatrische beoordeling,' zegt het mens, met sterke nadruk op het woord 'psychiatrische'. 'Tot die tijd dient ze een door de staat aangewezen professional te zien, zoals uw adviseurs hebben voorgesteld.' Ze richt zich tot mij: 'Uw superieuren zullen beslissen of en in welke hoedanigheid u weer aan het werk kunt,' zegt ze, 'wanneer de zaak gesloten is.'

'Dus ik moet naar een psychiater,' zeg ik, 'en terwijl jullie uitvogelen of ik al dan niet geschift ben, gaat de moordenaar ervandoor?'

De juriste kijkt Jackowski aan alsof een kind weet hoe zulke dingen nu eenmaal gaan.

'Nou, dat is volslagen bullshit,' zeg ik, en ik sta op. 'Ik ben niet bereid een maand lang bij iemand op de bank te gaan liggen terwijl jullie zitten te macrameeën. Als jullie niet op zoek gaan naar Trovic, dan doe ik het. Zet dat maar in je rapport.'

Niemand steekt een vinger uit om me tegen te houden, dus ram ik op weg naar buiten de deur achter me dicht.

Eenmaal in de gang grijp ik naar mijn hoofd. Binnen was ik zo pissig dat ik geen moment meer aan mijn hoofdpijn heb gedacht. Ik word een beetje misselijk, en net op het moment dat ik de toiletten binnen wil gaan, komt MacInerny aanhollen.

'Sam, wat is er in godsnaam met je? Ik zei toch dat je dit slim moest aanpakken? Je weet dat onze adviseurs alleen maar proberen die juriste naar de mond te praten.'

'Al die grafzeikers daarbinnen denken dat ik het gedaan heb. Die adviseurs? Wat een stel minkukels. En die moeten mij helpen? Ze deden alsof ik net uit een dwangbuis kwam. En Jackowski deed alsof hij me nog nooit gezien had. En jij ook.'

'We staan allemaal aan dezelfde kant, Smack,' zegt hij.

'Nee, dat is niet waar. De adviseurs doen niet eens mee aan de wedstrijd. Die zitten op de eerste rij getalletjes op te schrijven. En die juriste deed aan een volslagen andere tak van sport.'

MacInerny kijkt om zich heen voordat hij zich naar me overbuigt en met gedempte stem zegt: 'Je maakt er een toestand van, terwijl je die grote mond van je zou moeten gebruiken om god op je blote knieën te smeken dat ze dit als ongeluk zullen beschouwen. Weet jij wat er gebeurt als dit op het bureau van de commissaris belandt? Dan kom jij zwaar in de problemen.'

Ik voel geen enkele behoefte om mijn stem te dempen. Ik

verhef hem zelfs. 'O, dus jij bent het met dat stelletje eens? Jij vindt ook dat ik maar een tijdje vrij moet nemen om te wennen aan de gedachte dat ik gestoord ben?'

'Sorry, Sam,' zegt hij en hij legt een hand op mijn schouder. 'Je hebt geen keuze.'

Ik verwijder zijn hand.

'Ik denk niet dat jij gestoord bent,' zegt hij terwijl ik met uiterste zelfbeheersing wegloop zonder het allemaal nog erger te maken. 'Maar ik denk wel dat je je verdriet een plekje moet geven. Ga naar die psychiater, laat dit allemaal betijen; dan zorgen we dat jij je baan niet kwijtraakt.'

'Daarmee krijgen we Fred niet terug.'

'Die krijgen we ook niet terug met een onbekookte klopjacht op een of andere gozer van wie we niet eens kunnen bewijzen dat hij erbij was,' zegt hij. 'Ga naar huis, Smack. Neem een aspirientje. En laat het verder aan ons over.'

'Ik mag geen aspirientje,' zeg ik, en ik loop naar de hoofdingang.

6

Nu komt het deel met het zelfmedelijden. Waar ik 'mijn verdriet een plekje geef', zoals brigadier MacInerny het noemde.

Bij de slijter op de hoek koop ik een fles Jameson en een pakje Camel. Ik weet het: geen alcohol. Maar vertel dat maar eens aan een Ierse agent in de rouw.

Ik ga naar huis en zet de tv aan om niet helemaal alleen te zijn. Dan zet ik een radiozender op die geen droevige liedjes speelt en ik begin aan de taak van vergeten wat ik me sowieso niet herinner.

De eerste slok Jameson voelt vreemd aan: sterkedrank op klaarlichte dag. Meestal is mijn dienst pas in de kleine uurtjes afgelopen en ga ik nog even naar O'Shea voor de laatste ronde. Ik ben gewend aan het donker. Ik ben gewend aan werken.

Maar ik ben ook gewend aan een levende Fred. Mijn eerste glas drink ik leeg alsof het een hoestdrankje is.

Ik schenk nummer twee in en ga in mijn kleerkast op zoek naar iets behoorlijks om aan te trekken. Het lijkt me allemaal te zomers. Ik ga met mijn glas naar de badkamer en laat het bad vollopen. Met mijn tenen voel ik of het water de juiste temperatuur heeft; het water weerstaat mijn smerige voeten. Na weken verwaarlozing en lange uren in zwarte sokken kunnen die wel een stevige borstelbeurt gebruiken. In plaats daarvan zet ik de douche aan. Als ik die kilte van mijn huid maar kwijt kan raken, dan voel ik me vast beter; er kleeft iets aan mijn kippenvel dat om me heen hangt als de geur van de dood.

Ik blijf onder de douche staan tot ik verzadigd ben van water. Als ik eruit stap, voelt de damp in de badkamer aan als een kille mist. Ik veeg de spiegel schoon om naar mezelf te kunnen kijken. Foute zet.

Ik heb mezelf altijd beschouwd als aantrekkelijk, jaren jonger ogend dan ik ben. Misschien omdat ik laat volwassen ben geworden. Misschien omdat ik op mijn dertigste pas begon, de leeftijd waarop de meeste agenten hun recherchediploma halen en de meeste vrouwen al een man en kinderen hebben. Misschien omdat mijn collega's een stel mannen zijn die het andere geslacht beschouwen als een fascinerend, raadselachtig wezen, en dan met name een vrouw die vrijgezel is.

Maar als ik nu in de spiegel kijk, vrees ik dat mensen hun hoofd zouden afwenden uit angst voor oogcontact. Mijn blonde spoeling is rossig en mijn haar zit vol dode punten. Als ik het elastiek uit mijn paardenstaart haal, valt er een scheiding op de plek waar ze me kaalgeschoren hebben voor de hechtingen. Mijn lippen zijn gebarsten en één mondhoek is uitgescheurd. Mijn grijze ogen zijn omwald door gezwollen oogleden, van het huilen of van de hersenschudding of beide. En rimpels. Ik zie rimpels. Ik ben in één nacht oud geworden.

Ik droog me af, trek mijn flanellen badjas aan en pak mijn glas. Ditmaal voelt de whiskey soepeler aan, en voel ik me wat beter, maar schoon voel ik me nog steeds niet. Ik moet met iemand praten. Ik bel het nummer van Masons pieper. Als hij niet meteen terugbelt, weet ik dat dat nog wel even kan duren. Ik hoop dat hij aan het werk is. Met wie moet ik nu praten?

Ik begin te denken aan de begrafenis, morgen. Zal ik daarheen gaan? Het moet natuurlijk wel, maar ik durf niet. Als ik niet ga, zullen ze denken dat ik egocentrisch ben of dat het me niet raakt of dat ik me schaam. Of dat ik schuldig ben. Maar ik weet niet of ik het aankan. Misschien denk ik alleen maar dat ik moet gaan zodat ik me niet schuldig zal voelen als ik niet ga. Als ik niet ga krijg ik misschien spijt.

Ik ben de simpele waarheid aan het compliceren. Fred was mijn vriend. Ik moet erheen.

Maar stel dat ik daar aankom en me dan zorgen ga maken over wat de mensen zullen denken? Een paar zijdelingse blikken, een fluistering van de ene echtgenote tot de andere. Dan ben ik kapot. Nog kapotter dan nu.

Ik giet wat water bij mijn derde glas, want ik voel me lichtelijk aangeschoten en ik wil niet dat Mason dat merkt als hij straks belt. Ik moet fiducie hebben in wat er vandaag op het bureau is gebeurd, en ik moet erop vertrouwen dat hij er alles aan doet om mij te helpen. Hij mag niet denken dat ik aan hem twijfel. Of aan mezelf.

De zon is aan het ondergaan en de radio begint weer van voren af aan met dezelfde nummers. Ik doe alle lampen aan en zet de tv uit. Het nieuws zal zo wel komen. En ik zal er wel op zijn.

'Een dodelijk ongeval,' zal een verslaggever melden. Mijn kogel in Freds lichaam. Een duidelijke zaak.

Maar hoe kan dat? Fred dacht dat hij gewond was, maar ik kon niets vinden. Fred zei dat hij Trovic had neergeschoten. Ik hoorde twee schoten. Ik wist dat Trovic er was. Ik dacht dat ik hem had neergeschoten. Al die schoten, en maar één verkeerde kogel – het lijkt wel of de herinnering voor een lachspiegel staat, helemaal vervormd en onmogelijk.

Niet dat het ertoe doet, want Trovic is ervandoor. Ik zat vlak bij hem en toch heb ik op de een of andere manier kans gezien hem te missen. Hoe kon ik in godsnaam zo stom zijn.

Oké, op de een of andere manier, zeg ik – ik geef toe dat ik geen beste scherpschutter ben. Maar ik heb mijn pistool leeggeschoten en toch heeft Trovic kans gezien daar weg te komen.

Maar dat kán niet, niet meteen, want hij is achter mij langs gelopen om me tegen de vlakte te slaan. Hij moet achter míj gestaan hebben toen ik aan het vuren was. Zo ben ik aan die hersenschudding gekomen. En daarna moet hij Fred hebben doodgeschoten met mijn pistool. Maar dat was toch leeg? Iedereen die het maar interesseert, weet dat wij op ons bureau allemaal hetzelfde dienstwapen gebruiken – dat wordt geacht handiger te zijn als we ooit elkaars munitie nodig hebben. Trovic kan een van Freds kogels in mijn pistool hebben gestopt. O, god, leefde Fred toen nog, en heeft hij die psychopaat mijn pistool zien laden?

Of gun ik Trovic nu te veel eer? Het is een vreselijk iemand, maar is hij hier slim genoeg voor? En hoe is hij dan ontkomen? Weer neem ik de hele toestand door. De stukken passen aan elkaar zonder één beeld te vormen.

Tenzij er nog iemand was. Twee gozers. Marko Trovic en iemand anders.

Verdomme, waar zit Mason nou toch? Dit moet ik hem vertellen.

Mijn vierde glas wordt een dubbele, zonder water, om mijn hersenen trager te laten werken. Ik zet de radio uit omdat de nummers een soort morbide soundtrack bij mijn gedachten vormen. *Shiny happy people* die in een kring rond mijn dode partner dansen. En Marko Trovic die voorgaat in de *Locomotion*.

Met de radio uit is de stilte niet minder erg, want nu vindt alle herrie plaats in mijn hoofd. De whiskey helpt ook al niet. Kon ik maar ophouden met denken. Was er maar iets te doen. Was Mason maar hier.

Na uren, althans zo komt het me voor, gaat de telefoon. Als ik opsta om op te nemen, dringt tot me door dat ik mijn vijfde glas leeg heb, dus doe ik mijn uiterste best om nuchter over te komen.

'Waarom heb je niet eerder gebeld?' vraag ik Mason, wat natuurlijk geen best begin is.

'Ik kom net van de dodenwake. De bespreking is zeker goed gegaan?'

'Ze willen me met verlof sturen. MacInerny was het ermee eens.'

'Misschien is dat niet eens zo'n gek idee,' zegt hij. 'Wat zeiden ze over Trovic?'

'Niets,' antwoord ik. 'Ze houden me voor gek. Ze denken dat ik verward ben door de hersenschudding. Volgens mij gooien ze de hele toestand op mijn hoofd, omdat ze bang zijn dat justitie me zal vervolgen wegens voorbedachten rade.'

'Wat voor voorbedachten rade? En dan de rest van je leven achter tralies? Dat is toch te gek voor woorden, dat doen ze niet.'

'Daar ben ik niet zo zeker van.'

'Maak je maar geen zorgen om dat stelletje helden op sokken, Sam. Ik heb de hele dag buiten rondgekeken. Ik heb dat huis aan Jarvis Street binnenstebuiten gekeerd en ik heb genoeg gevonden om te bewijzen dat er iemand anders in huis geweest kan zijn, behalve Fred en jij. En ik heb Jackowski overgehaald om mij de zaak te geven. Ik heb niet veel armslag met die Trovic-toestand, maar volgens mij gaat het me lukken.'

'Eindelijk een goed bericht.' Ik overweeg om hem mijn nieuws te vertellen, dat er volgens mij behalve Trovic nóg iemand was, maar ik wil niet dat ook Mason gaat denken dat ik gestoord ben.

'De begrafenis is morgen om elf uur in Saint Matt,' zegt Mason. 'Daar moet je heen.'

'Ik weet niet of ik dat opbreng.' Ik breng het niet op.

'Dat neemt alle vragen weg over jouw voorbedachten rade.'

Ik zie in dat Mason positief wil doen, maar ik wil hem een beroerd gevoel bezorgen. Net zoals ik me beroerd voel.

'Is dat het enige wat jou momenteel bezighoudt?' vraag ik. 'Het onderzoek?'

'Kom op, Sam. Je weet dat dat niet zo is.'

Hij heeft gelijk, maar ik voel me in de verdediging gedrongen. En alleen.

'Kom je naar mij toe?' vraag ik.

'Kan niet. Ik ben op weg terug naar het bureau. Ik weet niet hoe lang ik daar bezig zal zijn. Bovendien ben ik in geen dagen thuis geweest.'

'Dus je gaat liever naar huis,' zeg ik, alsof dat een harteloze beslissing is.

'Waarom doe je zo bits? Je zou blij moeten zijn. Misschien krijg ik je uit de problemen.'

'En we kunnen elkaar niet zien, en we moeten maar steeds doen of we elkaar niet eens kennen...'

'Dat is toch niets nieuws?' vraagt hij.

'Dat is zo. Een normale relatie is te veel gevraagd.'

'Dit gesprek loopt helemaal fout,' zegt hij. 'Ik hang op.'

Ik zeg niets, want hij heeft gelijk. Ik steek een sigaret op.

'Niet gaan zitten drinken tijdens de begrafenis,' zegt hij. 'Fred zou willen dat je erbij was.'

'Ik hou van je,' zeg ik, in de wetenschap dat het gesprek ten einde is en in de hoop dat hij zoveel teleurstelling in mijn stem zal horen dat hij alsnog besluit om hierheen te komen.

'Niet expres', is zijn 'Ik ook van jou'. Hij hangt op.

Ik neem een lange trek van mijn sigaret. Ik weet niet waarom ik zo vervelend doe tegen Mason. Ik zou blij moeten zijn dat hij het onderzoek leidt. Waarschijnlijk komt het doordat ik hem niet het gevoel wil geven dat hij me in zijn macht heeft.

Vanaf het prille begin heb ik hem op afstand gehouden. Toen hij voor het eerst zei dat hij van me hield, kon ik dat niet eens beantwoorden. We hadden de nacht samen doorgebracht en hij moest de deur uit, toch al aan de late kant op weg naar een moordzaak. Hij zei het zo nonchalant dat ik me afvroeg of hij wist wat hij gezegd had, en of hij het überhaupt tegen mij gezegd had. Mijn intuïtieve reactie was: *waarom dan?*

Natuurlijk vroeg ik niets; ik zei zelfs helemaal niets. Maar hij moet mijn gedachten gelezen hebben, want die glimlach van hem verscheen, en hij bleef niet staan wachten op een reactie. De volgende dag stopte hij een briefje in mijn kast met een aantal redenen: niets bijzonders, gewoon een stel willekeurige, scherpe observaties, in zijn haastige handschrift neergekrabbeld. Een daarvan was: zoals je aan je haar frunnikt als je moe bent. Sinds die tijd is zijn 'Ik hou van je' een continue herinnering dat het zinloos is om logisch na te denken over wat je hart je ingeeft. We zijn niet expres verliefd geworden.

En nu, na deze toestand, vraag ik me af of hij het nog steeds vertederend vindt dat ik koude pizza als ontbijt eet. Misschien is mijn aantrekkingskracht danig afgenomen. Ik inhaleer: een zoveelste lange, eenzame trek.

De fles Jameson staart me vanaf de keukentafel aan. Er zit nog ijs in mijn glas. De telefoon zal echt niet opnieuw overgaan. Ik moet sterk zijn. Ik moet klaar zijn voor de begrafenis morgen. Ik moet alleen de nacht zien door te komen.

7

Als ik wakker word, heb ik geen idee hoe ik ooit in slaap gevallen kan zijn, en ook niet of ik daar bewust mijn best voor gedaan heb. Ik lig op de bank, en naast mijn lege borrelglas staat een flesje pijnstillers. Het is dus niet moeilijk te reconstrueren wat er gebeurd is. Als ik opsta, trap ik op een bijna lege zak chips aan het voeteneinde van de bank. Dat zal mijn middernachtelijk maal geweest zijn. Ik moet ver heen geweest zijn, want ik herinner me niet dat ik die gegeten heb. Maar goed, ik heb dan tenminste eindelijk geslapen.

De zon is op, maar nog niet door het laaghangende wolkendek heen gedrongen. De verlichting van het flatgebouw naast het mijne is helderder dan het daglicht. Het wordt een korte, grauwe dag. Hoe korter hoe beter.

Ik rook vier sigaretten voordat ik mijn eerste kop koffie op heb. Mijn hoofd doet pijn, maar ditmaal is het een vertrouwd soort pijn en weet ik dat het mijn eigen schuld is. Het enige wat ik wil is de rest van die pijnstillers innemen en pas volgende week wakker worden. Ik wil niet naar een begrafenis.

Ik kleed me aan. Mijn uniform voelt aan alsof het iets uit een verkleedpartij is. Het zit veel te warm en het past niet en ik weet dat ik zodra ik begin te zweten zal stinken als een distilleerderij. Ik knoop het overhemd net zo hoog dicht dat mijn badge recht hangt.

Ik ben klaar, ik kan de deur uit, maar ik ga niet. Ik neem nog een kop koffie en probeer niet op de klok te kijken. De wijzer kruipt steeds dichter naar de elf toe. Als ik niet opschiet, kom ik te laat.

Ik prent me in dat Mason het onderzoek leidt. Hopelijk is het allemaal snel voorbij, maar niet snel genoeg. Niet voordat ze Fred begraven.

Ik steek er nog een op en moet eraan denken wat een hekel Fred aan die verslaving had. Ik heb hem er nooit over gehoord tegen de mannen, dus ik heb geen idee waarom hij altijd zo tegen mij zat te zaniken. Het leek wel of hij voor mij aparte regels had. Misschien omdat ik zijn pupil was. Hopelijk omdat hij van me hield.

Ik zweer het: de enige reden waarom ik uiteindelijk het huis uitga, is omdat mijn sigaretten op zijn. Kun je nagaan.

Buiten is het minder koud dan het er vanuit mijn raam uitziet. De meeste sneeuw is gesmolten en de stoep ligt vol halfbevroren smurrie. Ik wou dat het weer ging sneeuwen, over het bruine gras heen. Alles ziet er dood uit.

Ik stap in de auto en rijd via Clark naar de Witte Hen. Binnen doet iedereen druk en gewoon, op weg naar betere oorden. Ik koop een pakje Camel en ga ervandoor.

Ik sta te wachten tot ik kan invoegen, maar er komt een enorme stroom verkeer langs. Ik denk aan alle mensen in al die auto's, mensen wier levens er vandaag precies zo uitzien als gisteren en de dag daarvoor. Al die mensen die hun partner niet hebben doodgeschoten.

Bij Devon sla ik links af. De kerk ligt een paar zijstraten verder. De toren priemt als een mes de lucht in. Ik probeer er niet naar te kijken.

Als ik bij de kerk aankom, minder ik vaart om te kijken wie er allemaal zijn. De vent achter me begint te toeteren en ik kan natuurlijk niet zomaar het parkeerterrein oprijden, dus schuif ik er pal voorbij. Ik steek een saf op en rijd door.

Hoe ver zou ik moeten reizen om dit alles achter me te laten? Waarschijnlijk kom ik nog niet eens voorbij de buitenwijken. Mijn geweten is net een ketting. Het lijkt wel of ik altijd ergens aan vastgebonden zit waardoor ik terug moet om me vrij te pleiten.

Ik kan op de vlucht voor mijn problemen, maar waar ik ook heen ga, uiteindelijk krijg ik altijd weer met nieuwe ellende te maken. Ik kan doorrijden tot de tank leeg is; dan stopt er iemand om me te helpen, maar diezelfde persoon jat mijn wieldoppen, mijn reserveband en mijn portemonnee terwijl hij net nog opperde dat wij op kosmisch niveau voorbestemd waren elkaar hier en in dit leven tegen het lijf te lopen, en of hij me nog eens bellen mag?

Dus maak ik rechtsomkeert. Daar is die kerktoren weer. Ik moet bijna lachen.

Als ik ditmaal bij de kerk aankom, minder ik vaart en zet mijn richtingaanwijzer uit. Ik gá gewoon, en iedereen mag er het zijne van denken. En dan zie ik de patrouillewagens, de agenten die buiten in een rij staan, en het spandoek met zijn naam: Frederick James Maloney. Ik houd het verkeer op en er toetert niemand, maar ik kan er niet heen. Ik breng het niet op.

Op dit vroege uur van de dag zit ik als enige aan de bar bij O'Shea. Marty, de barkeeper wiens broer eigenaar is van het gebouw, verdeelt zijn tijd tussen mij en een paar mensen die in de eetzaal zitten te lunchen. Ikzelf verdeel mijn tijd tussen een Jameson en een sigaret. Ik zit hier graag; het is zo donker dat je alleen weet hoe vroeg of hoe laat het is als er iemand binnenkomt of weggaat. De muren hangen vol lichtreclames voor de nieuwste alcoholische fruitdrankjes die waarschijnlijk alleen door eerstejaarsmeisjes in universiteitsbars worden ge- dronken. Foto's van de buurt in tijden dat dit nog een voor- namelijk Ierse wijk was, vallen onder de hinderlijke reclames weg tegen de muren, samen met oude reclameborden voor spullen die waarschijnlijk niet eens meer verkocht worden. Misschien niet eens meer gemaakt. Het is er gezellig. Veilig. Waarschijnlijk omdat er een massa wijkagenten komt; en dat betekent dat ik die hier vandaag dus niet zal zien.

Marty loopt met een paar lege borden de keuken in. Hij heeft pokdalige wangen en vroeger dacht ik dat het littekens waren van acne in zijn jonge jaren, maar nu ben ik er vrijwel zeker van dat het leven hem langzaam opvreet, stukje bij beet- je. Want zeg nou zelf, bij wie kan een oude, vrijgezelle bar- keeper zijn hart luchten?

'Wat is er mis met Vegas?' vraagt Marty als hij terugkomt.

'Niets, neem ik aan,' zeg ik, en ik rammel met mijn glas voor een tweede ronde. Ik was alweer vergeten dat we het weekend weg hadden zullen gaan. Mason en ik hadden afge- lopen maand een kort weekend geboekt, maar op het aller- laatste moment moest hij de stad uit vanwege een of ander onderzoek waar hij niet over wilde praten. Ik had in mijn een- tje kunnen gaan.

'Je moet iets eten,' adviseert Marty. 'Geen drank meer. Een lekker maaltijdsoepje?'

'Nee, laat maar,' zeg ik. Evenzogoed schuift hij een mandje crackers naar me toe. Hij zet de tv boven de bar aan voor het middagnieuws. Precies wat ik niet wil zien.

De buitendeur gaat open en er komt een man met krullend haar binnen. Hij schudt zijn paraplu uit. Kennelijk is de sneeuw overgegaan in regen. De voorkant van zijn overhemd is nat, waar zijn pens eruit steekt. Waarschijnlijk is hij zelf nog ronder dan zijn paraplu. Hij gaat aan de bar zitten en veegt zijn gezicht af met een servetje. Ik weet niet of hij naar mij kijkt of naar de tv.

Marty komt terug met een kom soep. Ik probeer hem te negeren en vraag: 'Waar zit die gozer naar te staren?'

Marty doet zijn best om niet te antwoorden. Het duurt even voordat tot me doordringt dat ik nog in uniform ben. Geweldig.

'Mag ik hier een biertje bij?' vraag ik. In de hoop dat Marty me terwille zal zijn pak ik een paar zoute crackers.

'Mag het geluid aan?' vraagt de krullenbol. Marty doet het, net op tijd om te horen: '... Collega's en de hele stad rouwen om het verlies van agent Frederick Maloney.' Het laatste waaraan ik behoefte heb is naar die tv kijken, maar ik kan er niets aan doen. De leuke jonge presentatrice kijkt opgetogen, alsof ze het over een feestelijke optocht heeft in plaats van over het einde van Freds leven. Was het míjn leven maar.

'Over naar onze verslaggever Jackie Davies bij de Saint-Matthewkerk met een exclusief verslag. Wat is het laatste nieuws, Jackie?'

Het beeld schakelt over naar een dik ingepakte verslaggeefster die voor de kerk staat. Ik loop de begrafenis dus uiteindelijk niet mis.

'Er heeft een verrassende ontwikkeling plaatsgevonden in de Rogers Park-zaak die afgelopen dinsdagavond een schokgolf door de politiemacht van Chicago deed gaan.' Ze laten een foto van Fred zien terwijl ze vervolgt: 'Vanochtend heb ik uit interne bronnen vernomen dat de dood van agent Maloney beschouwd wordt als een geval van eigen vuur.' Terwijl ik deze informatie verwerk, zie ik een foto van mezelf op het scherm.

Daar sta ik, in uniform, met een debiele grijns op mijn gezicht: echt iemand die haar collega's doodschiet.

Nu heeft die krullenkop dus écht een reden om te staren. Ik voel zijn blik neerkomen als de kogels in mijn droom.

'Agent Samantha Mack, hier afgebeeld, heeft een korte maar razendsnelle carrière achter de rug bij haar bureau. Afgelopen jaar heeft ze een insluiper gearresteerd bij Irving Park nadat ze was afgegaan op een melding maar een verkeerd adres noteerde. Ze had de huisnummers verwisseld en betrapte een dief op heterdaad. Die fout bombardeerde haar tot heldin; heeft haar recentste fout collega Maloney het leven gekost?'

Die nummers waren omgewisseld door de idioten van de centrale. Ik heb het gevoel dat ik dat moet uitleggen aan de gozer aan de bar en aan Marty en aan wie maar luisteren wil, maar ik krijg geen woord over mijn lippen als ik achter de verslaggever bij de kerk zes agenten zie die Freddy's doodskist de trap af dragen. Mijn partner, voorgoed weg. Hoe kan ik dat verklaren?

De verslaggeefster springt dwars voor de beelden en zegt: 'En ik citeer: "Maloney is overleden aan een schotwond." En dat schot kon wel eens gelost zijn door zijn partner.'

Ik krijg het gevoel dat ook zij me, door het scherm heen, aanstaart, dus dwing ik me langs de bar naar de man met de krullen te kijken. Zonder zijn blik af te wenden neemt hij een slok van zijn bier. Ik kan niet uitmaken of hij met me meevoelt of me veracht. Zonder zijn glas leeg te drinken beantwoordt hij mijn vraag door een briefje van vijf op de bar te laten vallen. Hij staat op en vertrekt. De zwaaiende deur geeft even een glimp van daglicht te zien.

Op tv heeft de verslaggeefster het nog steeds over de politie die niets loslaat en het onderzoek dat gaande is en nog wat van die non-informatie. Ze laten een close-up zien van de mannen die de kist dragen. Daar is Mason, in uniform. De regen miezert op zijn pet en zijn gezicht is nat, maar niet van de tranen. Hem hebben ze gekozen om zijn kracht.

Ik luister niet meer naar de rest van het verslag, maar ik kan mijn blik niet afwenden van de beelden van de lijkkist van mijn partner, die de rouwauto in gedragen wordt.

Mason had gelijk. Ik had erbij moeten zijn.

Marty zet een Budweiser Light voor me neer.

'Wat erg, Sam. Deze is van het huis.'

Ik knik, hoewel ik zijn bier niet wil. Ik voel de prikkeling van de alcohol niet meer. Ik voel sowieso niet veel meer. Ik heb geen idee wat ik met mezelf aan moet, of wat ik van de hele toestand moet denken.

Ik ben een buitenstaander, en ik maak pas weer kans om mee te mogen spelen als ik Trovic heb gevonden, want iemand anders moet de schuld krijgen van Freds dood, of het nu moord was of niet.

Wat zou Fred gedaan hebben? Waarschijnlijk had hij zijn vrouw om raad gevraagd. Niet dat die ook maar enig verstand van zaken had: dat mens weet zowat evenveel van recherchewerk als ik van schoonheidssalons. Waarschijnlijk zal ze niet eens met me willen praten, want het is mijn schuld dat ze vandaag een begrafenis bijwoont in plaats van een kookles.

Ik moet niet zo kattig doen. Ze vindt het vast en zeker vreselijk dat ze straks haar huis open moet stellen voor een stel agenten. Althans, als ze de receptie thuis houdt. Als iemand haar verteld heeft dat ze een receptie moet houden.

Ik neem aan dat de voltallige politiemacht aanwezig zal zijn. En dat iedereen intussen weet dat Trovic dit volgens mij op zijn geweten heeft. Misschien is er iemand, bijvoorbeeld iemand die ter plekke geweest is, of iemand die met Fred heeft samengewerkt, die het met me eens is.

Mason zei dat ik naar de begrafenis moest; zou het een vergissing zijn om naar de receptie te gaan? Als ík mijn gezicht niet laat zien en niet aan iedereen toon dat ik van plan ben dit tot op de bodem uit te zoeken, wie doet dat dan wel? Al wordt Trovic morgen gevonden en is daarmee mijn naam gezuiverd, dan nog ben en blijf ik degene die de moed niet opbracht om afscheid te nemen. En ik ben Fred zoveel meer schuldig dan een afscheid.

Als ik naar de receptie ga en de weduwe mijn medeleven betuig, dan bewijs ik in ieder geval één ding, namelijk dat ik het niet opgeef.

Ik heb gekkere ideeën gehad. Ik drink mijn glas leeg en loop de kille regen in.

8

Diezelfde kille regen is de reden waarom ik niet op tijd rem en regelrecht de achterkant van een bijzonder glanzende, bijzonder dure Jaguar ram. De achterklep frommelt als een papieren zak op richting achterruit. Mijn schuld, dat is duidelijk. En ik ben nog maar een paar minuten van de bar weg.

We staan op North Avenue en we kunnen onmogelijk langs de kant stoppen; North loopt door naar de snelweg en de weinige parkeerplekken hier zijn steevast bezet. De Jaguar sukkelt een eindje door en stopt dan op de rechterrijstrook. Ik stop achter hem, hoewel ik zeker weet dat we het verkeer zullen ophouden als straks bij Halsted Street het licht op groen springt.

De chauffeur springt naar buiten, zijn mobiele telefoon als een wapen vasthoudend.

'Sorry,' mompel ik terwijl hij op me afloopt. Ik zoek naar mijn verzekeringskaartje, maar kan het niet vinden. Als die gozer straks het alarmnummer belt, zit ik in de ellende. Zul je zien en beleven dat MacInerny dat telefoontje op zijn radio hoort. Dan weet hij meteen dat ik opgepakt ben wegens rijden onder invloed. Waarschijnlijk zegt hij dan tegen degene die me arresteert dat die me meteen maar moet ontslaan. Of me ter plekke doodschieten.

De man tikt met zijn telefoon tegen mijn ruit, en ik ben bereid de schuld volledig op me te nemen, maar zodra ik uitstap klapt hij zijn telefoon dicht en blijft bedremmeld staan.

'Ik zag niet dat het op rood sprong,' zegt hij, of iets in die richting. Ik luister niet echt, want ik kijk naar hem en hij kijkt met ogen op steeltjes naar mijn borst.

Naar mijn badge.

Ik trek mijn uniform recht. 'Mijn excuses, ik zat midden in een achtervolging,' leg ik de burger uit. Hij ziet eruit alsof hij hier misplaatst is, met een zongebruinde huid als iemand die net terug is van vakantie in Zuid-Amerika. Donker, ongeschoren gezichtshaar vormt een nonchalante omlijsting van zijn gezicht. Hij draagt een bleekgewassen spijkerbroek die waarschijnlijk gloednieuw is. Hij ruikt zelfs trendy.

Ik doe een stap achteruit, want zelf ruik ik waarschijnlijk als een brouwerij.

'Ik heb niet zo'n zin om de, ehm, de politie erbij te roepen.' Met een glimlach trekt hij zijn wenkbrauwen op. 'Er hoeven wat mij betreft geen gezaghebbende instanties aan te pas te komen.' Hij heeft niet direct de houding die ik van een Jaguar-eigenaar verwacht. Of van iemand die zo op de omslagfoto van een duur blad kan.

'Ach, zoveel gezag heb ik nu ook weer niet,' zeg ik. 'Maak je geen zorgen.' Ik hoop dat ik hier dankzij mijn vriendelijke opstelling zonder kleerscheuren afkom.

'Het zit namelijk zo,' zegt hij, 'ik heb eerlijk gezegd ook geen zin om de verzekering te bellen. Ik heb deze wagen nog maar net. De premie is al meer dan mijn complete hypotheek.' Hij klinkt bijna verontschuldigend, alsof hij mij geramd heeft. Als ik in een gloednieuwe Jaguar zat en iemand knalde erbovenop, dan zouden er geen verontschuldigingen nodig zijn. Maar wel kalmerende middelen...

Achter ons wordt geclaxonneerd: we staan het verkeer op te houden. Ik heb niet veel tijd meer om mijn vege lijf te redden.

'Ik heb een vriend die hier wel wat aan kan doen, bij een garage,' zeg ik, eerder als bevel dan als aanbod. Ik doe er een aanminnige glimlach bij. 'En natuurlijk betaal ik de kosten.'

'Dus we kunnen dit onder ons houden?' vraagt hij.

Ik knik bedeesd. Dan pak ik van mijn dashboard een notitieboekje met een pen in de spiraalband gestoken.

'Even de persoonsgegevens noteren,' zeg ik. 'Telefoonnummers.'

'Goed idee.' Met schuin gehouden hoofd kijkt hij me aan terwijl ik sta te schrijven. Hij weet dat dit mijn schuld was. Hij weet dat ik een fout nummer kan opschrijven. Vanwaar die grijns dus? Ruikt hij de alcohol? Staat hij te flirten?

Weer wordt er achter ons getoeterd, en de man geeft me zijn mobiele telefoon.

'Neem deze maar,' zegt hij. 'Ik bel.'

Hij rent terug naar zijn Jaguar en geeft gas. Ik stap in mijn Mustang en hoop dat dit niet de enige meevaller van vandaag is.

De rest van de rit naar Freds huis doe ik voorzichtiger, wat begrijpelijk is als je net iemands dure auto hebt getorpedeerd. Gelukkig had de vent in de Jaguar geen hekel aan politie. Of vond hij mij leuk. Of wat dan ook.

Via Elston Avenue koers ik naar Kedzie Avenue, want daar is het minder druk. Het is een beetje een omweg, maar het geeft me de kans nuchter te worden. Terwijl ik via Irving Park naar Freds huis rijd, begin ik me koortsig te voelen; ik heb geen idee of dat van de drank komt of van het ellendige weer of de stress. Ik rijd verder in de hoop dat dit geen seintje van mijn lichaam is dat ik rechtsomkeert moet maken.

Bij Fred aangekomen sta ik op de stoep voor de erker. Tussen zware wijnrode gordijnen door zie ik binnen een gewemel van agenten. Ik weet dat ik er niet uitzie. Mijn haar is doorweekt doordat ik na die aanrijding in de regen heb gestaan. Mijn make-up zit over mijn hele gezicht gesmeerd. Het lijkt wel of ik ben komen lopen. Van de andere kant van de stad.

MacInerny helpt net een ouder echtpaar de voordeur uit, Debs spekgladde treetjes af. Een passende entree.

Hij heeft van tevoren al bedacht wat hij tegen me zeggen zal – zijn bezorgde uitdrukking verandert niet terwijl hij de arm van de oude dame loslaat en de mijne pakt.

'Smack. Waar heb jij gezeten? We hebben Flanigan naar je flat gestuurd...'

'Ik was niet thuis,' zeg ik, en zodra hij dicht genoeg bij me staat, weet hij waar. Meteen verdwijnt de vriendelijke glimlach van zijn gezicht.

'Jezus. In uniform?' vraagt hij, maar het antwoord wil hij niet echt weten.

'Ik ben in de rouw,' zeg ik. 'Ik moet je spreken.' Ik wil hem mijn theorie over Trovic' handlanger vertellen.

'Nu?' vraagt hij, alsof ik nee zal antwoorden. 'Sam, ben je hier voor een condoleancebezoek of om een scène te trappen?'

'Ik ben hier voor Fred,' zeg ik. Die theorie houd ik nog maar even voor me.

Mijn antwoord is goed genoeg, en hij begeleidt me naar binnen. Terwijl hij me door de woonkamer voert, mijden de meeste collega's mijn blik. Waarschijnlijk kunnen ze haast niet geloven dat ik echt ben komen opdagen. Ik probeer mijn blik op MacInerny's rug gevestigd te houden en loop achter hem aan alsof hij me dat bevolen heeft. Hij neemt me mee naar een hoek. Hij probeert me uit de drukte weg te houden.

'Wanneer wou je me eigenlijk iets vertellen over het onderzoek?' fluister ik, omdat alle anderen ook fluisteren. 'Moet ik het allemáál op tv zien?'

'Er zijn bepaalde procedures, Sam,' meldt hij me, 'en dat

weet jij ook. Als je hier verder over wilt praten, dan kom je maar naar het bureau. Dit is niet het moment. Nu moet je Deborah steunen. Die heeft het niet meer.'

Aan de andere kant van de kamer zie ik Deborah staan flirten met Dave Blake, een agent met een terecht verbolgen ex-vrouw. Ja, Deb heeft het echt niet meer. Blake is zo weg van haar dat ik waarschijnlijk zijn wapen kan afpakken zonder dat hij het merkt. Wat ze ook in zijn oor staat te fluisteren, het moet vele malen interessanter zijn dan wat Fred ooit tegen hem gezegd heeft.

'Dapper dat je gekomen bent,' zegt MacInerny.

'Het is alleen dapper als ik verantwoordelijk ben. Luister, het kan me niet schelen wat je tegen de pers gezegd hebt. Ik wil antwoorden,' hoewel ik die volledig vergeet als ik Mason en Susan bij het buffet zie staan. Terwijl ze Mason een mini-saucijzenbroodje voert, fonkelt Susans diamanten ring.

'Sam. Het onderzoek is hier en nu geen onderwerp van gesprek. Zet dat dus uit je hoofd of maak onmiddellijk dat je wegkomt,' zegt MacInerny.

Waarschijnlijk is zijn advies over ophoepelen het slimste, maar ik zeg: 'Nee, je hebt gelijk. Dit moeten we op het bureau bespreken. Sorry.'

MacInerny kijkt opgelucht tot hij zich omdraait en ziet wat ik zie: Mason heeft Susan laten staan en is via een klapdeur op weg naar de keuken.

'Sorry,' zeg ik nogmaals, want ik kan onmogelijk een gesprek voeren terwijl Masons vrouw pal in mijn zicht staat.

'Samantha,' begint MacInerny, maar ik ben al op weg naar de keuken en hij kan me niet tegenhouden zonder de aandacht te trekken.

'Ik ga wat te drinken halen,' zeg ik over mijn schouder. Ik weet dat hij bang is dat ik de hoofdonderzoeker in de zaak tegen mij zal lastigvallen, dus moet ik snel te werk gaan. Straks staat mijn baas weer voor mijn neus.

In de keuken staat Mason een blikje bier uit de koelkast open te maken.

'Moet jij niet aan het werk?' vraag ik hem. Hij geeft me het blikje alsof hij dat al die tijd al van plan was geweest en kijkt me koel aan.

'Gaat het?' informeert hij. De klootzak.

'Geweldig,' riposteer ik. 'Geen vuiltje aan de lucht.'

Hij neemt zelf frisdrank. Hij lijkt nergens last van te hebben. Hoe doet hij dat?

'Maak het nou niet nóg erger, Sam,' zegt hij.

'Ik wil kennismaken met haar,' zeg ik.

Hij lacht. Hij lacht me uit, die kloothommel.

'Vind jij dat soms grappig?' vraag ik, en ik leg mijn hand op de deur om hem te laten weten dat ik haar nú de hele toestand ga vertellen. Meteen slaat hij een andere toon aan.

'Kom op, Sam, wat had je dan verwacht? Ik ben er echt niet op uit om jóu te kwetsen. Je weet met wie ik het liefst hier was.'

Ik geloof hem, maar dat kan me niet verdommen. 'Je moet me aan haar voorstellen,' zeg ik.

'Doe het zelf maar,' antwoordt hij. Dat meent hij niet, want hij doet een stap in mijn richting. Net op het moment dat hij zijn hand naar me uitsteekt, komt MacInerny de klapdeur door.

'Sam,' zegt hij met een afkeurende blik op het bier in mijn hand.

Ik geef het blikje aan Mason.

In de woonkamer zie ik Deborah behendig van het ene troostrijke gesprek naar het andere laveren – waarbij ze mij zogenaamd toevallig nét ontloopt. Uiteindelijk staat ze te praten met een vent die meer belangstelling heeft voor haar vleugel dan voor haar. Hij heeft een serieus mooi pak aan, dus hij kan onmogelijk bij de politie zitten. Hij steekt zijn hoofd onder de klep van de vleugel en controleert de snaren en hamers alsof hij een expert is. Dat moet John zijn, de jurist uit North-brook. Toen Fred het een keer over hem had, zei hij dat John 'wat bij schnabbelt als pianist in een jazzorkestje'. Woepie.

Ik kijk de kamer rond in de hoop iemand te zien die bereid is te erkennen dat ik hier sta. Helaas is Deb niet de enige die me uit de weg gaat. Alle gesprekskringen sloten zich toen ik de kamer weer binnenkwam. Mannen die elkaar amper ken-nen, staan nu schouder aan schouder. Ik had net zo goed op Trovic' familiereünie kunnen zijn. Had ik maar een witte vlag bij me om mee te zwaaien.

Zelfs de burgers willen niet met me praten. Een stel man-nen die elkaar lijken te kennen zitten zwijgend bijeen, in ge-bed. Een van hen kijkt me aan alsof ik een protestant ben. Het lijkt me niet raadzaam om daar even te gaan staan kletsen. Ik vraag me af of dat neven van Fred zijn, of misschien klasge-noten van hem. Ik neem aan dat ze weten wie ik ben.

Als alle politiemensen in de hele kamer met hun rug naar me toe staan, concludeer ik dat het een verloren zaak is. Waar-om heb ik mezelf overgehaald hierheen te komen? Net als ik op weg wil naar de deur kijkt Susan me aan. Voordat ik be-dacht heb hoe ik kan ontsnappen, loopt ze naar me toe en steekt haar hand uit.

'Ben jij Samantha?' vraagt ze.

'Ja.' Shit.

'Ik ben Susan,' zegt ze, en met haar beide handen omklemt ze mijn hand, net zoals politici doen. Ze heeft zachte, droge handen. Mijn palm is klam. Ik trek mijn hand terug als ik het metaal van haar trouwring op de rug van mijn hand voel.

Het valt niet te ontkennen: Susan is mooi. Van een na-tuurlijke schoonheid, met een ongekunstelde manier van doen, alsof niemand haar zal beoordelen. Haar ogen staan helder en zien in alles het beste, en haar glimlach is oprecht: ze gelooft in het goede. Ze geeft zowat licht, het kutwijf. 'Ik heb al zoveel over je gehoord,' zegt ze met een stem die warm klinkt als die van een moeder, of een kind. Haar haar is opgestoken en wanneer er een lok naar voren valt omdat ze haar hoofd schuin houdt, zie ik dat ze inderdaad van nature die diepbruine tint heeft. Waarom moest ik nou zo nodig het mijne verven?

'Ik hoor al die verhalen, althans, de verhalen die ik mág horen.' Ze heeft schijnbaar geen idee dat het merendeel van de verhalen die ze niet mag horen over mij gaan, zonder uniform aan. Ik krijg bijna medelijden met haar. Ik knik even en probeer geïnteresseerd te kijken wanneer ze vervolgt: 'Ik wilde graag met je kennismaken. Al zijn de omstandigheden natuurlijk dramatisch. Heel erg van je partner. Ik heb gehoord dat jullie goed bevriend waren.'

Ik kijk om me heen in de hoop dat iemand ons komt storen, want plotseling weet ik niets te zeggen. Ik zie Blake fluisteren met een andere gozer in uniform, twee blikken mijn kant uit. Ze hebben het over mij. Mijn wangen gloeien.

Waarom moet ze zo aardig doen? Ik was erop voorbereid een pesthekel aan haar te hebben, of in ieder geval een rechtvaardiging te vinden voor het feit dat ik het met haar man doe.

Susan komt een stap dichterbij. Op vertrouwelijke toon zegt ze: 'Ik wil alleen maar even zeggen dat onze harten naar je uitgaan. We weten allemaal dat het een ongeluk was. Deborah weet het ook; die heeft alleen nog even tijd nodig, denk ik.'

Tijd om een nieuwe vent te vinden die bereid is naar haar pijpen te dansen, denk ik. Aan de andere kant van de kamer toont Deborah iets van een glimlach terwijl Flagherty haar wijnglas bijschenkt. Waarschijnlijk trek ik een meesmuilend gezicht, want Susan legt haar hand op mijn arm om mijn aandacht weer te claimen. Typisch iets wat Mason ook zou doen, bedenk ik.

'Je hebt hier een geweldige praatgroep, en daar kun je Mason en mij ook toe rekenen,' zegt ze. Ik had gedacht dat ze wrokkig zou doen, net als Deb. Dat ze op zijn minst haar territorium zou willen afbakenen.

Mason komt de keuken uit en kijkt me vol aan. Mijn hartslag verdubbelt. Hij loopt op ons af, wendt zich tot Susan en geeft haar een kus op haar wang.

'Ben je zover?' vraagt hij.

'Als jij niet meer hoeft te blijven?' Ze pakt zijn arm, en samen staan ze tegenover me.

'Leuk dat ik je nu heb leren kennen,' roept ze enthousiast en zo oprecht dat ik geloof dat ik met een glimlach haar volgende woorden aanhoor: 'En als je ooit iets nodig hebt, weet je…'

'Dat weet ze.' Mason onderbreekt haar en laat me daarmee weten dat hij de strijd heeft gewonnen die ík niet wilde aangaan. Verbijsterd over zoveel brutaliteit heb ik geen woord gezegd.

'Pas goed op jezelf, Sam,' zegt Susan. Mason pakt haar hand en ze gaan afscheid nemen. Ik blijf staan en probeer van de klap te herstellen.

Ik heb geen idee waarom ik eigenlijk verwacht had hier iets van sympathie te zullen aantreffen, maar ik had zeker niet verwacht dat Masons vrouw de enige zou zijn die me niet met de nek aankijkt. Aan de andere kant van de kamer staat MacInerny bij de buffettafel. Hij ziet mijn reactie en schudt halverwege het eten van een wortel teleurgesteld zijn hoofd. Ik zou het liefst onzichtbaar worden. Of het raam uit springen. Ik wil hier weg.

'Mason, nog heel even…' zegt Deb en ze onderschept hem op weg naar de voordeur. Alle aanwezige mannen kijken hoe Deb in Masons richting loopt, alsof ze bezorgd om haar zijn. Zijn ze soms bang dat ze zal struikelen of zo? Ik zie Randy Stoddard, een van de vrijgezellen, haar nakijken terwijl ze Mason een aangrenzend vertrek in manoeuvreert. Zonder een spoortje aarzeling volgt Susan hen naar binnen.

Twee wijkagenten bij het buffet proberen MacInerny's aandacht te trekken, maar het buffet wint. Flagherty en een andere agent werpen discrete blikken op de tv om te kijken wat de stand van de baseballwedstrijd is. Blake en zijn maatje zitten nu op de bank mijn kant uit te kijken. Ofwel ze hebben het nog steeds over me, ofwel er hangt een klok boven mijn hoofd. Ik hoef die gesprekken niet eens te horen. Ik zie zo wel dat ik de enige ben die wil weten wat er echt met Fred gebeurd is. De anderen willen niets meer dan de lacunes opvullen en verder met hun leven.

Ik kijk er niet van op dat niemand 'Tot ziens' zegt als ik de voordeur uit loop. Ze wilden me hier niet eens hebben. Behalve Susan dan misschien, en dat is momenteel niet eens onlogischer dan de rest van mijn leven.

Maar goed, nu weet ik het tenminste: ik zal dit in mijn eentje moeten opknappen.

Wanneer ik op de stoep sta, kijk ik nog eens om naar het huis. Fred was dol op dat huis. Hij had het gekocht van een erfenis en hij had zich suf gewerkt om de plek waar een oude dame haar eenzame laatste levensjaren had doorgebracht nieuw leven in te blazen. De zomer dat hij en ik partners waren had hij bijna al zijn vrije tijd besteed aan verbouwingen, en de rest van de tijd had hij me daarover verteld. Hij had de erker zelf geplaatst, hoewel hij nog nooit van zijn leven iets getimmerd had. Toen ik vroeg waarom hij niet gewoon een vakman in de arm nam, zei hij: 'Je kunt zelf alles wat je wilt, als je maar volgens de instructies werkt.' Ik denk dat dat in zijn eigen ogen wijsgerig advies was van een ouwe rot aan een groentje. De volgende keer dat ik hem kwam ophalen, zat er een gapend gat in de aftimmering van een van de muren. Daar heb ik hem mee gepest tot hij uiteindelijk toegaf dat hij een rekenfout had gemaakt en een stel planken te kort afgezaagd had. Hij schaamde zich kapot en smeekte me om het niet tegen de collega's te zeggen. Dat heb ik ook niet gedaan, hoewel ik wel informeerde of in de instructies voor deze ingreep ook sprake was van isolatietape, aangezien hij daarmee een stuk plastic over het gat had dichtgeplakt. Als ik niet heel snel mijn mond hield, zei hij, zou hij zéker binnenkort aan de slag gaan met isolatietape.

Nu zie ik, door de ramen die Fred uiteindelijk keurig had

aangebracht, Deborah en Susan vol verrukking opkijken naar Mason.

Volgens mij ben ik nog niet helemaal klaar met rouwen.

9

Bij O'Shea is het intussen behoorlijk wat drukker geworden. Het is happy hour in de ruimste zin van het woord; de meeste vaste klanten hebben namelijk een permanente zorgenrimpel in hun voorhoofd. Marty is zo te zien opgelucht me levend en wel terug te zien, aangezien ik na de nieuwsuitzending niet meer op zijn kom soep had gewacht. Hij laat een stel gozers die al een tijdje op hun bestelling wachten nog wat langer wachten.

'Sam, wat kan ik voor je doen?' vraagt hij. Ik hoor aan zijn stem dat hij me liever geen drank meer serveert. Als ik aan de bar plaatsneem, zet hij een schone asbak voor mijn neus. 'Heb je al wat gegeten?'

Nee, ik heb nog niets gegeten. Mijn maag, uitgehold door de lege calorieën van de alcohol, rammelt bij de gedachte aan eten. Ik heb behoefte aan iets vets.

'Heb je toevallig frites?' vraag ik.

Zijn hele gezicht klaart op. 'Met kaas?'

'Ja.'

'En chili con carne?'

'Oké.' Dat is een van Marty's specialiteiten (zijn specialiteiten zijn alles wat hij in een enorme pan de hele dag kan laten pruttelen).

'Eén dieetmaaltijd voor mevrouw,' zegt hij, en hij gaat op weg naar de keuken.

'En een biertje van de tap,' roep ik, in de hoop dat hij dat eerst zal inschenken, maar hij doet of hij me niet hoort en verdwijnt de keuken in.

Ik duw de peuk van mijn sigaret in de asbak en zie dat aan de andere kant van de bar een kerel naar me zit te kijken. Zo te zien is hij zo'n beetje van mijn leeftijd en is het iemand die ik zou kunnen kennen of die ik vroeger gekend heb. Of misschien ken ik hem niet en lijkt hij alleen op iemand die ik ken. We maken oogcontact. Hij tovert een glimlach tevoorschijn en ik weet dat hij mijn kant uit gaat komen. Dit is geen versiercafé, dus ik ben niet verbaasd als hij mijn naam blijkt te weten.

'Samantha Mack?'

'Wat wou je, een handtekening soms?' vraag ik. Zijn pak en zijn tevreden manier van doen zijn voldoende, maar hij haalt zijn identificatie uit zijn binnenzak en noemt zijn naam.

'Alex O'Connor. Interne Zaken.'

'Fijn voor je.' Ik steek een nieuwe saf op. Hij gaat onuitgenodigd naast me zitten. Niet dat ik daarvan opkijk.

'Wil je wat drinken?' vraagt hij.

'Nee, ik wil met rust gelaten worden,' antwoord ik.

'Doe maar een Jameson,' zegt O'Connor als Marty voorbijloopt. Hij legt een briefje van twintig op de bar. Marty kijkt me aan om te zien of ik het ermee eens ben, maar daar ben ik nog niet helemaal uit en dus zeg ik niets en schenkt hij een glas in.

'Ik heb een paar vragen, meer niet,' zegt O'Connor.

'Je bent hier dus niet voor de gezelligheid,' zeg ik. Marty knipoogt; hij waardeert mijn sarcasme. Hij zet de Jameson voor O'Connor neer en pakt het geld.

'Nee, en ook niet voor jouw sarcastische opmerkingen,' zegt O'Connor. Hij heeft de intense blik van een agent die nooit geleerd heeft zich op straat een houding te geven. Ik wil wedden dat hij alleen zijn kantoor uit komt als hij iets te eten moet halen.

'Staat er een hoofdstuk over sarcasme in de verklaring van de rechten van de agent?' informeer ik.

Hij geeft geen antwoord. Hij weet dat hij me hier niet zomaar kan komen lastigvallen.

'Zou je je vragen niet liever wat officiëler stellen?' informeer ik. 'Dat je alles meteen kunt noteren? Op het bureau?'

Marty zet mijn bier neer. Ik wend me van O'Connor af en neem een slok, maar ik voel zijn ogen nog in mijn rug prikken. Hij schuift zijn glas over de bar rond zonder een slok te nemen.

'Oké, wat wil je nou eigenlijk?' vraag ik. 'Ik kan geen gedachten lezen en ik ben niet in de stemming.'

'Je moet me helpen,' zegt hij uiteindelijk, als Marty buiten gehoorsafstand is.

'Ik heb al een verklaring gegeven,' zeg ik. 'Heb je het proces-verbaal niet gelezen? Daar staat het allemaal in.'

'Maar er staat niets in waaruit blijkt dat jij je partner zou hebben doodgeschoten.'

'Dat is de consensus,' zeg ik. 'Zie jij soms geen nieuwsberichten?'

'Wil je dat we iets nuttigs doen met dit moment? Ik zou wel eens de enige kunnen zijn die jou kan helpen.'

'Jij bent van Interne Zaken, jij schuift dit in de schoenen van wie je maar wilt.'

'En kennelijk ben jij dat.'

'Ja. Ik heb mijn partner neergeschoten.'

'En je bent van plan de schuld op je te nemen, zodat mijn afdeling de zaak kan afblazen omdat het een ongeluk was.'

'Het wás een ongeluk,' zeg ik en ik probeer me flink te houden. Als ik dit al met iemand zou willen bespreken, dan beslist niet met iemand van IZ.

Marty komt terug met mijn frites. De afzonderlijke patatten die ik onder de overdreven oranje, met de hand geraspte kaas bespeur, glinsteren van de olie en ik ruik de pepers in de chili con carne. Het water loopt me in de mond, maar ik krijg het gevoel dat O'Connor me niet de kans zal geven ze op te eten. Ik krijg het gevoel dat de hele schotel uiteindelijk omgekeerd in zijn schoot zal belanden.

'Vanwaar die loyaliteit?' vraagt O'Connor. 'Geld? Je bureau

betaalt verklikkers nog meer dan ze jou betalen, neem ik aan. Of is het misschien die zwijgplicht waar wijkagenten het over hebben, alsof je tot een of andere geheime elitebroederschap behoort. Nee, als dat zo was dan hadden ze Trovic allang ergens in een kist, bezig aan zijn laatste dutje. Zit het je niet dwars dat er niemand naar hem op zoek is?'

Daar moet ik over nadenken, maar als mijn collega's al niet eens achter me staan, dan heb ik ook niets aan O'Connor. Die zal Trovic' naam wel van een van de juristen hebben, en nu slingert hij hem in het rond alsof hij weet waar hij het over heeft. Alsof hij enig idee heeft. Ik neem een slok van mijn bier. De alcohol maakt mijn keel nog droger. Mijn patat wordt koud. Maar ik doe geen mond open.

'Dus jij bent zo loyaal dat een moordenaar op vrije voeten blijft?'

Zijn blik speurt mijn gezicht af naar een reactie. Ik probeer in de plooi te blijven. Hij schuift zijn glas Jameson mijn kant uit. Voordat ik heb besloten of ik dat al dan niet zal aannemen, en wat het betekent als ik dat doe, komt Mason achter O'Connor aanlopen en slaat hem joviaal op de rug.

'Mason Imes. Lang niet gezien,' zegt O'Connor. Ze kijken elkaar lachend aan, maar ze menen er niets van.

'O'Connor. De man ligt amper in zijn graf.'

'Ik was toevallig in de buurt.'

'Ik dacht dat jij verhuisd was.'

'Ik ben terug.'

'Ik dacht dat jij ontslag genomen had.'

'Ik heb een betere baan gekregen.'

'Jij weet even goed als ik dat ze nu niet met je praten kan,' zegt Mason. Ze hebben het over mij, maar ze doen alsof ik niet eens aanwezig ben. Ik weet niet eens wie van de twee ik de eerste dreun zou willen verkopen.

'Ridderlijk als altijd,' merkt O'Connor op, waarop Mason met zijn gezicht vlak voor dat van O'Connor gaat staan, alsof ze ieder moment op de vuist kunnen gaan. Ik sla in één teug de Jameson achterover, zet het lege glas met een klap op de bar en sta op. Ik kan er niet meer tegen, al dat testosteron.

'Jullie vechten het verder samen maar uit,' zeg ik. 'Jullie zijn aan elkaar gewaagd.'

'Mocht je nog van gedachten veranderen…,' zegt O'Connor, en hij heft het lege glas naar me op als een laatste wanhopige poging.

'Mocht ik van gedachten veranderen, dan ga ik naar een psychiater,' zeg ik. Ik zorg dat Mason mijn boze blik ziet voordat ik naar buiten daver. Zíj betalen maar voor mijn frites. Tenslotte hebben zíj mijn eetlust bedorven.

10

Ik ga naar huis, want het enige waartoe ik nu nog in staat ben, is boos zijn.

In mijn keuken zit ik te wachten tot het knoflookbrood in de rooster warm is. Het is een mager alternatief voor die frites, maar ik heb het punt bereikt waarop ik alles eet. Maar wat ik ook eet, mijn misselijkheid zal er niet door verdwijnen. Door O'Connor is die alleen nog maar erger geworden. Ik heb geen idee waarom hij denkt dat hij me zo kan behandelen. En ik heb geen idee wat die scène tussen hem en Mason te betekenen had.

En ik heb ook geen idee wat er tussen Mason en mij gaande is. Geen wonder dat Susans vriendelijke woorden me van mijn stuk brachten. Ik had haar nog nooit gesproken. Voor vandaag had ik haar zelfs nog nooit gezien. Iedereen denkt altijd dat agenten zo'n hechte onderlinge band hebben en dat ze altijd maar alles samen doen. Dat is ook zo. Maar de echtgenotes niet. Althans, hier niet. De meeste echtgenotes hebben geen begrip voor vrouwelijke agenten, of vertrouwen ons niet. Dat laatste was het geval met Deb. Die had vast en zeker nooit gedacht dat ik hem op déze manier van haar af zou pakken. Wat een wrange grap.

Ik zat sowieso niet achter Fred aan; we waren gewoon bevriend. Ik probeerde te voorkomen dat hij genaaid werd, omdat zijn hart groter was dan zijn hoofd. Mason was daarentegen al getrouwd. Die werd al genaaid, en hij was op zoek naar zijn hart. En hij is nog steeds getrouwd. 'Alleen in naam,' zegt hij altijd. Ze liggen al ruim een jaar in scheiding, maar ze hebben het weer aangelegd toen hij dacht dat Susan in verwachting was. Het bleek loos alarm.

Toen hij bij haar het huis uitgegaan was, had hij overplaatsing aangevraagd naar mijn district, en daar werkte hij bij Diefstal. Dat was zo'n beetje rond de tijd dat ik genoeg had van de politieke spelletjes op het werk, tijdens wat MacInerny de 'herstructurering van patrouilles' had genoemd en wat ik 'genaaid worden' noemde, omdat Fred mijn partner niet meer was en dit niets met werk te maken had. Ik dacht er zelfs over om ontslag te nemen en dat leek niemand iets te kunnen schelen. Ik was gepikeerd. Ik had het gevoel dat ze zaten te wachten tot ik het opgaf.

En toen kwam Mason. Afgelopen zomer hebben we elkaar ontmoet, toen ik tijdelijk was toegewezen aan een team voor het eerste onderzoek dat hij zou leiden. Ik moest samen met hem patrouilleren. Een week lang reden we iedere nacht een parkeergarage binnen, deden alsof we weggingen, verstopten ons dan in de auto en wachtten tot we de dief in de kraag konden vatten. We hadden niets te doen, behalve de ingang in de gaten houden, en zo leerden we elkaar behoorlijk snel kennen. Ik voelde me net een puber, zoals we daar tot in de ochtenduren zaten te praten. Mason luisterde. Hij was begripvol. Het kon hem iets schelen. En hij gaf me het perspectief dat ik nodig had. Diezelfde rol vervulde ik voor hem, omdat hij net zijn eigen ellende had met de scheiding. We hadden beiden een gebroken hart en we putten troost uit de gedachte dat we niet de enigen waren. In die garage werden we verliefd.

Ook in professioneel opzicht voelden we elkaar aan, of eigenlijk zou ik moeten zeggen: in onze frustratie met het vak. Hoewel Mason jaren meer politie-ervaring had dan ik, had ik een even grote burn-out als hij. We wisten dat het opbergen van criminelen slechts een tijdelijke oplossing was. Net als nonnen op een strenge school wisten we dat de belhamels van de klas weer iets nieuws zouden verzinnen zodra we ze de rug toekeerden. En daar konden we niets aan doen. We konden ze hoogstens opnieuw arresteren als we ze weer te pakken kregen, en wachten tot ze weer door het systeem heen rolden. Mason werd er razend om; ik werd er moedeloos van.

Op een avond zaten we urenlang te praten over hoe we zouden ontsnappen. Gewoon een tas inpakken, op de eerste de beste vlucht stappen en opnieuw beginnen. Mason had het over Longboat Key, dat ligt in Florida en daar ging hij als kind met zijn ouders heen. Het enige in heel Florida dat mij aanstond was Margaritaville, mijlenver bij zijn voormalige vakantieoord vandaan. Ik opperde Arizona. Mijn ex-verloofde had een tante die daar ergens woonde, niet ver van de grens vandaan, ten zuiden van Tucson. Ik had nooit van mijn leven een vreedzamer landschap gezien; het stemt je nederig. Het enige wat Mason mooi vond aan Arizona waren de indiaanse casino's. Uiteindelijk werden we het eens over Californië, aangezien we daar geen van beiden ooit geweest waren. Hoe zouden we aan geld komen? Mason had er altijd van gedroomd golfpro te worden. Ik zei dat ik zou meedoen aan een reality-programma. Als een stel kinderen verzonnen we de rest erbij.

En ook onze relatie was een tijdlang kinderlijk onschuldig. Maar het was sterker dan wijzelf. Telkens wanneer we elkaar na het oplossen van de zaak spraken (hij betrapte de dief toen die zich voordeed als hotelbediende) wisten we dat er heel wat meer te zeggen viel. Onze gesprekken waren zo intens, zo belangrijk, dat de volgende stap onvermijdelijk was. Maar we moesten het stil houden, vooral op het werk, want Mason zat nog in zijn proefperiode en hij had geen zin om meteen al een ongunstige indruk te wekken. Mij maakte het niet uit, ik zweefde rond op een roze wolk.

De eerste maand van onze affaire veranderde me volkomen. Ik deed 's nachts geen oog dicht, maar ik was niet moe. Ik kreeg geen hap door mijn keel, maar ik had geen honger. De tijd lag als een soort wig tussen onze ontmoetingen in, maar verder tuimelde het leven voor het eerst in jaren op een prettige manier voorbij.

En van de ene op de andere dag was dat plotseling over. Op een dinsdag. Het was in de herfst en we zaten net midden in een koude periode. Ik had de verwarming aangezet en mijn dekbed laten reinigen. Voor het eerst die maand hadden Mason en ik dezelfde dag vrij, en we hadden een middag in bed gepland. Ik stond net schone lakens uit te vouwen toen ik de voordeur open hoorde gaan. Ik wist zeker dat we in bed zouden vallen voordat het opgemaakt was. Ik was vreselijk blij: het voelde echt alsof Mason thuiskwam. Ik weet nog dat ik bedacht dat ik volmaakt gelukkig was.

Maar dat zou niet lang meer duren. Mason kwam binnen en ging midden op het bed zitten terwijl ik probeerde het bovenlaken in te stoppen. Hij keek zo somber dat ik dacht dat hij me ging vertellen dat er iemand dood was. Ik zette me schrap voor het ergste. En dat was maar goed ook. Susan had hem gebeld: ze was zwanger.

Ik stond erop dat hij naar haar terugging. Een andere optie was er niet. Ik hield van hem, maar ik kon niet doen alsof ik belangrijker was dan zijn echte leven. Hij had geen idee waar het fout gelopen was met Susan; hij had geen idee waar die liefde gebleven was. Maar hij had zoveel in haar geïnvesteerd en hij had zich zo schuldig gevoeld dat hij dat huwelijk had laten mislukken, dat hij het een tweede kans moest geven. Dat was hij zichzelf verschuldigd. Dat was hij zijn kind verschuldigd.

Ik mocht niet tussenbeide komen in een leven waarin hij jaren van zijn leven had gestoken, hoe rot ik me daarover ook voelde. Ik maakte het uit. Hij ging terug naar zijn vrouw en ik raakte in een enorme depressie. Wekenlang begroef ik me onder het dekbed – datzelfde dekbed met die schone lakens die we hadden zullen delen. Onze affaire was voor ons allebei een veilig toevluchtsoord geweest, maar ik kon nergens heen terug.

Nog geen maand later dook Mason onverwachts op. Met Halloween. *'Trick or treat,'* zei hij. Ik had geen snoep in huis. Ik was nog bezig met het verwerken van de klap; ik was amper de deur uit geweest. Aan Masons gezicht zag ik dat hij me gemist had. Ik was bang dat ik hem zou moeten overtuigen dat dit de juiste beslissing was, want daar was ikzelf allang niet meer zeker van.

En toen kwam hij met een volgende klap: Susan was niet zwanger. Mason had gedacht dat hij het misschien zou redden als er een kind op komst was, en toen ze een miskraam kreeg, was hij vastbesloten om door te zetten. Maar het bleek dat ze tegen hem gelogen had. Ze was helemaal niet zwanger geweest. Ze had hem teruggelokt toen ze een keer een menstruatie had overgeslagen, want ze wilde dat hij terugkwam om het huwelijk te redden.

Ik geef toe: zelfs toen hij terugkwam, voelde ik me verraden. Hoe kon hij zo snel van gedachten zijn veranderd over onze relatie? Waarom was hij zo lang bij Susan gebleven, wat hád zij? Ik moest me wel afvragen van wie hij nu eigenlijk hield. Van mij? Van zichzelf?

Misschien had ik mezelf een rad voor ogen gedraaid, misschien had ik gedacht dat zijn gevoelens even sterk waren als de mijne. En na al die toestanden wist ik niet eens meer of ik wel echt iets met hem wilde. Maar hij had iets, of misschien had ik iets, waardoor ik bij hem wilde blijven.

En nu is het dus zes maanden later. Sinds Mason terug is, wil hij hier nog liever weg. En houdt hij nog koppiger vol dat hij en ik ooit samen zullen zijn, als de tijd ervoor rijp is. Ja, we houden het nog steeds stil. En inderdaad, ik weet dat ik er een eind aan zou moeten maken. Hoe oprecht houd je van iemand als je dat geheim moet houden? Nou, zoveel houd ik dus van hem, neem ik aan. Soms weet ik dat ik zoveel van hem houd. Op die momenten dat ik me die nachten in de parkeergarage herinner.

Maar ik stel me iets afstandelijker op dan vroeger, en dat heeft goed uitgepakt. We leven nu volgens mijn regels. Ik bepaal wanneer we elkaar zien. Althans, tot vandaag.

Ik had natuurlijk kunnen weten dat Susan op de receptie zou zijn. Ik was zonder erbij na te denken bij Fred naar binnen gedaverd. Maar Mason had me wel eens kunnen waarschuwen. Dat was toch wel het minste geweest.

Ik heb het knoflookbrood op en een laatste glas ingeschonken als ik de voordeur hoor opengaan. Aan Masons voorzichtige voetstappen kan ik nu al horen dat hij zijn verontschuldigingen gaat aanbieden, maar ik zal het hem niet gemakkelijk maken.

Hij staat in de deuropening. Ik blijf op de bank zitten.

'Sorry over Susan,' zegt hij.

'Jij zegt de laatste tijd wel heel vaak "sorry",' reageer ik. 'Jullie stonden elkaar hapjes te voeren – god nog aan toe, wat een walgelijke vertoning! En als ik dan probeer weg te komen, doe jij nog eens extra je best om me te kwetsen.'

'Sam, ik wilde je niet kwetsen. Je kwam daar plotseling opdagen en je drong me in een hoek. Wat had ik dan moeten doen?'

'Niks,' zeg ik. 'Laat maar.' Ik gebaar dat hij op de bank moet gaan zitten, maar maak mijn ongenoegen kenbaar door naar de andere kant op te schuiven, een sigaret op te steken en een diepe zucht te slaken. Twee diepe zuchten.

'Waar zit jij mee?'

'Waar ik mee zit? Iedereen denkt dat ik Fred heb vermoord, dáár zit ik mee! Jij wordt geacht het onderzoek te leiden en het enige wat ik hoor, is "eigen vuur".' Ik neem een grote slok om mijn woorden kracht bij te zetten.

'Denk je dat het met whiskey allemaal beter wordt?'

'Whiskey ís er tenminste.'

'En dan vraag jij je af waarom je zo eenzaam bent.'

Ik zit net een spitsvondige reactie te verzinnen, als er ergens een mobiele telefoon overgaat. Een elektronische versie van Prince' 'Little Red Corvette'. Mijn telefoon is het niet, en ik weet dat het ook niet die van Mason is.

'Ben jij dat?' vraagt Mason.

'Ja,' zeg ik en haastig ga ik op zoek naar dat kreng. Ik spring van de bank af en grijp mijn tas, die over een keukenstoel hangt. Ik gris de telefoon eruit en neem op.

'Met Sam.'

'Sam die net iets te traag remt?' vraagt de man van de Jaguar.

'Ja, kan ik later terugbellen?' vraag ik en ik onderdruk een zenuwachtig lachje.

'Hoe wou je dat doen?' informeert de man. 'Jij hebt mijn telefoon. Bel ik ongelegen?'

'Ja. Holst van de nacht,' antwoord ik. Ik kan Mason niet aankijken.

'Aha. Dan bel ik je morgen, oké?'

'Prima,' zeg ik.

'Mooi. Tot morgen dan maar.' Hij hangt op. Ik klap de telefoon dicht en probeer natuurlijk te doen.

Ik ga weer op de bank zitten, ditmaal niet meer zo heel ver van Mason vandaan.

'Wie was dat nou?' vraagt hij. Al zou ik willen, ik zou het hem niet kunnen zeggen. Ik weet nog steeds niet hoe die gozer heet. En al wist ik dat, dan zou Mason nog niet bepaald blij zijn met de gedachte dat ik rondliep met de mobiel van een of andere onbekende.

'Wade. Om te kijken of ik het een beetje trek,' lieg ik.

'Wade. Op dit uur van de nacht,' zegt hij en het is geen vraag. Hij gelooft me niet. Hij weet dat ik mijn mobiel alleen in noodgevallen gebruik, als ik er al aan gedacht heb hem op te laden en bij me te dragen, aan te zetten en op te nemen. Momenteel zit hij in mijn tas, maar hij doet het niet omdat ik de oplader niet kan vinden. Mason steekt de draak met mijn aversie tegen technologie; hij noemt het mijn 'verzet tegen bereikbaarheid'.

'Ik vond dat ik bereikbaar moest zijn,' zeg ik. Dan hijs ik mijn voeten op de bank, wriemel mijn tenen onder zijn zitvlak en verander van onderwerp. 'Luister, ik wil helemaal geen ruzie maken. Ik had Susan alleen niet verwacht. Ik was er niet op voorbereid.' Ik hoop dat hij zich ook schuldig zal voelen.

'Ik had niet gedacht dat je er vandaag zou zijn,' zegt hij, iets opschuivend om ruimte te maken voor mijn voeten.

'Waarom niet? Omdat iedereen een pesthekel aan me heeft?'

'Omdat ik je langs de kerk zag rijden. Kom op, Sam. Doe niet zo egocentrisch. Het ging vandaag niet om jou, en dit was niet gepland met de opzet jouw gevoelens te kwetsen.'

Ik weet dat hij gelijk heeft, maar toch voel ik me een buitenstaander.

'Ik was van plan naar de mis te gaan.'

'Maar je bent gaan zitten drinken.'

'Ik durfde niet.'

'Dus heb je je moed ingedronken met een stel dubbele whiskeys zodat je als een straathond bij Fred thuis kon opduiken?'

'Dacht je dat het voor mij gemakkelijk was? Ik moest op het nieuws horen...'

'Je hebt gehoord dat we het als een ongeluk beschouwen. Dat wist je al. Ik zei toch, de pers moest íéts horen. Ik ben op zoek naar Trovic. Jij vertrouwt me niet.'

'Ik vertrouw je wel. Echt waar.'

Ik steek mijn arm naar hem uit. Hij pakt mijn hand en trekt me naar zich toe. Me afzettend met mijn voeten onder zijn zitvlak hijs ik me overeind en ga schrijlings op zijn schoot zitten. Ik sla mijn armen om hem heen, voel de zijne om mij heen en ruik de bekende zeeplucht in zijn nek. Hij streelt mijn wang, neemt behoedzaam mijn gezicht in zijn handen en geeft me een lange kus. Als hij ophoudt, blijf ik met gesloten ogen zitten wachten op meer. Hij trekt me weer tegen zich aan en fluistert in mijn oor: 'Ik hou van je.'

Ik draai me om en geef hem een keiharde zoen om hem te laten weten dat ik ook van hem houd. We houden elkaar zo stevig vast dat mijn hoofd er pijn van doet, maar het is het waard. Er rollen tranen uit mijn ogen maar ik houd niet op, dit had ik nodig, met pijn en al. Zijn adem en zijn handen zijn overal, en ik wil niets liever.

Ik maak zijn gesp open en hij trekt aan mijn spijkerbroek en we kunnen niet eens wachten tot zijn kleren of mijn bloes uit zijn of ik voel hem al, en tot mijn opluchting kan ik eindelijk even weg uit mijn eigen getob. Hij doet ruw, maar lichamelijke pijn is vele malen beter dan verdriet. Ik ben dankbaar dat hij sterk genoeg is om ons beiden even weg te halen uit deze grimmige wereld. Bij iedere beweging van hemzelf stuurt hij mijn heupen, en ik laat het gebeuren; hier en nu voel ik hetzelfde wat hij moet voelen. Ik houd hem vast, mijn armen om zijn nek; ik druk me tegen hem aan alsof ik zo binnen in hem kan komen, alsof ik naar binnen kan kruipen en me verstoppen tot het allemaal weer goed is. Hij kust me en ik weet dat we verbonden zijn. Ik weet dat hij mijn ellende weg kan nemen. Ik moet ergens in geloven. En ik wil dit moment zo lang mogelijk laten duren.

11

Eindelijk ben ik tot rust gekomen. Mason ligt naast me in bed, ontspannen, niet ergens heen op weg. Ik voel hem dichtbij, mijn been en mijn arm om hem heen geslagen, mijn hoofd op zijn borst, zijn arm om me heen. Even beweegt hij schokkerig, in een poging de slaap te weren, want hij was uitgeput en toch hebben we urenlang gevrijd. De afgelopen paar dagen heeft hij niet veel geslapen. Hij is dag en nacht aan het werk geweest. De hoofdinspecteur heeft hem vandaag naar huis gestúúrd. En hij is hierheen gekomen.

Enerzijds wil ik hem laten slapen, maar anderzijds is dit te belangrijk. Hij en ik hebben niet veel tijd samen en ik wil een rein geweten hebben.

'Volgens mij had ik Freds leven kunnen redden.'

Hij draait zich naar me om, verwerkt wat ik daarnet zei, en probeert wakker te kijken. Hij knippert met zijn ogen en knijpt ze even stijf dicht. Ze zijn bloeddoorlopen doordat hij zo lang aan één stuk wakker is geweest.

'Ik heb er eindeloos over lopen malen,' zegt hij. 'Als ik jou teruggebeld had op het moment dat je dat verwachtte, dan had je die nacht Wades dienst niet hoeven overnemen. Dan zat je nu niet in de stront.'

'Maar jij kon niet weten dat er iets zou gebeuren.'

'Wist jij dan wat er ging gebeuren?'

Eerlijk gezegd niet. 'Nee.'

'Als je op versterking had gewacht, of als je die trap sneller was opgegaan, of als je ook maar een seconde eerder had geschoten, had Fred dan nu nog geleefd, denk je?'

'Misschien.'

'En als je dat allemaal gedaan had en Fred toch dood was geweest?'

'Geen idee. Ik wou alleen dat het me allemaal een beetje duidelijk werd.'

'Ik ook.' Hij gaapt. Zijn peinzende blik doet me denken aan mijn broer, die als kind altijd boos werd op de hele wereld als hij zijn zin niet kreeg.

Hij trekt me weer dicht tegen zich aan, mijn hoofd tegen zijn borst. Volgens mij doet hij dat alleen omdat hij dan met goed fatsoen zijn ogen kan dichtdoen. Mij maakt het niet uit; ik weet dat hij luistert.

'Ik weet waarom ik me verantwoordelijk voel, Mason. Fred

zei dat hij Trovic doodgeschoten had. Ik geloofde hem, en daarom was ik niet meer alert.'

'Maar dat was Freds schuld. Híj had zich vergist. Jij hebt alles gedaan wat in je macht lag.'

'En als Trovic nou getroffen was?'

'Ik heb alle mogelijkheden doorgenomen, Sam...'

'Maar ik heb geschoten tot mijn kogels op waren. Ik had hem kunnen raken.'

'Je had ook Fred kunnen raken.'

Die mogelijkheid overweeg ik even. Bijna een seconde lang.

Ik probeer me los te trekken, maar hij houdt me stevig vast. Ik spartel uit alle macht tegen, ik ram mijn knie tegen zijn benen, maar hij laat niet los.

'Het was Trovic. Het was die klootzak van een Trovic, en nu geloof jíj me ook al niet meer!'

'Sam, hou op. Hou op!'

Ik probeer nog een keer om me te bevrijden, ditmaal met een kungfugreep: met de zijkant van mijn hand geef ik hem een klap in zijn nek die hem de adem had moeten benemen. Als hij mijn slag niet halverwege geweerd had.

'Sam, als je zwarte band had, zou ik dit serieus nemen. Hou nu op!'

Het heeft geen zin, hij heeft me in een worstelgreep. Ik slaak een kreet, alsof hij me pijn doet, maar hij weet dat hij alleen mijn gevoelens kwetst.

'En nu even luisteren,' zegt hij. 'Ik sta aan jouw kant. Ik doe mijn uiterste best om Trovic hier middenin te plaatsen. Ik weet niet wat ik verder nog zeggen kan. Ik probeer dit goed te doen. Je moet me vertrouwen.'

Ik hijg. Ik ben buiten adem en ik lig te wachten op een volgende kans om me los te vechten. Hij verroert geen vin. Zijn armen lijken wel een bankschroef.

'Het maakt mij niet uit of je Fred expres hebt neergeschoten. Het maakt mij niet uit of je de hele toestand in koelen bloede had gepland. Het enige wat mij iets uitmaakt is dat ik je onschuld bewijs, en als ik daarvoor Trovic moet vinden, dan doe ik dat. Ik begrijp niet waarom je zo moeilijk doet. Ik kan mijn baan kwijtraken, mijn geld, alles waar we altijd naartoe gewerkt hebben, en jij doet alsof ik je aan alle kanten naai.'

'Hoe moet ik nou weten waar jij uithangt? Hier ben je in elk geval niet.'

'Verdomme, Sam, met die stekelige opmerkingen over het verleden komen we nergens en ik ben niet van plan om iedere stap die ik doe te verantwoorden. Wil je dat ik het onderzoek afrond of wil je dat ik een scheiding aanvraag? Kies maar waarover je wilt ruziën!'

Ik wilde helemaal geen ruzie maken. Ik had mijn mond dicht moeten houden.

'Wat moet ik dan?' vraag ik. Ik laat mijn hoofd zakken om aan te geven dat ik uitgeruzied ben. 'Zeg jij dan wat ik doen moet.'

'Je luistert niet naar je baas, je luistert niet naar mij. Je bent gekwetst, emotioneel... je bent een puinhoop. Je hebt hulp nodig.'

Hij laat me los uit zijn wurggreep, want hij weet dat ik gekalmeerd ben. De ruzie is even snel voorbij als hij begonnen is.

'Je gaat me toch hopelijk niet zeggen dat ik naar een psychiater moet?'

'Je weet best dat ik dat een stelletje achterlijke ambtenaren vind.'

'Wat stel jij dan voor?'

Ik steek mijn hand uit en pak mijn sigaretten. Hij trekt aan mijn been, inspecteert de schaafwonden op mijn knie en knijpt even in mijn dij.

'Misschien moet je eens met Deborah gaan praten over Fred,' zegt hij. 'Waarschijnlijk hebben jullie meer gemeen dan je denkt.'

Ik hoop dat dit een poging tot een grap is. 'Wat kunnen zij en ik in godsnaam gemeen hebben? Had zij hem soms het graf ingejaagd als ik dat niet gedaan had?'

'Ik denk gewoon dat je je beter zult voelen als je haar vertelt wat je mij verteld hebt. Over die nacht.'

'Dan ga ik nog liever naar een zielenknijper.' Ik steek een sigaret tussen mijn lippen.

'Oké, stoere tante. Ik weet dat je geen psychologische hulp nodig hebt.' Mason pakt mijn aansteker van het nachtkastje. Hij rookt niet. Terwijl hij de vlam bij de tabak houdt, kijkt hij in mijn ogen en laat me zo weten dat hij accepteert wat ik maar beslis, goed of slecht.

'Als je hier binnen blijft zitten, word je gek,' zegt hij. 'Waarom probeer je niet een tijdje weg te komen? Ga bij Nikki logeren, lekker de stad uit.'

Als ik mezelf ergens al níét zie zitten, dan is het bij mijn schoolvriendin en haar kinderen. Zij is na school de stad uit verhuisd. Ergens tussen hier en de glooiende hellingen is ze de fonkeling in haar ogen kwijtgeraakt. Ze is getrouwd met een best aardige man; haar kinderen zijn gepland. Alle vier. De jongste, Isabella, barst in tranen uit zodra ze me ziet. Keer op keer. De oudste, Frank Junior, vindt mij cool omdat hij later ook agent wordt. Hij is acht en houdt geen moment zijn snater. Als ik al niet de hele avond stompzinnige vragen over patrouillewagens beantwoord, word ik wel door Nikki uitgehoord over mijn 'liaison' met een getrouwde man. Met Bella die overal dwars doorheen krijst.

'Ik wil hier blijven,' zeg ik. 'Ik hou me gedeisd, dat beloof ik. Als jij me maar vertelt dat je vorderingen maakt.'

'Ik ben ergens mee bezig,' zegt hij, terwijl hij subtiel achteroverleunt om de rook van mijn sigaret niet in te ademen. 'Nu Interne Zaken erbij betrokken is, wil Jackowski niets liever dan de boel zo snel mogelijk afronden. En als hij dat doet, kan ik niet eens op zoek naar Trovic. Maar ik heb een connectie die me nog iets schuldig is, en die zit bij het openbaar ministerie. Als hij iets kan verzinnen waarop we een arrestatiebevel voor Trovic kunnen lospeuteren, dan vallen we daarmee buiten het gezag van Interne Zaken.'

'Maak je je zorgen om O'Connor?'

Bij het horen van die naam verstijft Mason even. 'O'Connor is bezig zich omhoog te werken. Hij zou jou maar al te graag gebruiken als trede op zijn ladder. En mij ook. Zodra jij de bar uit was, begon hij mij uit te horen over jou. Met de onuitgesproken suggestie dat ik meer weet dan ik laat doorschemeren. Dat jij en ik een relatie hebben. Als hij dat kan bewijzen blaast hij de hele zaak open. Dit is meer dan waarop hij had durven hopen. Blijf bij hem uit de buurt. Wat er ook gebeurt.'

'Ik was niet van plan om O'Connor wat dan ook te vertellen, Mason.' Ik maak mijn sigaret uit en kruip weer tegen hem aan. Hij reageert niet; door mijn opmerkingen is hij weer in rechercheursmodus beland.

'We moeten uitermate voorzichtig doen, Sam. Deze relatie is riskant. Ik kan natuurlijk zeggen dat het gewoon bij het onderzoek hoort, maar O'Connor heeft argwaan. Misschien staat hij nu wel buiten, in de hoop dat ik zo stom ben om gewoon de voordeur uit te lopen.'

'Vind je dan dat we elkaar niet meer moeten zien?' Ik wil een oplossing aanbieden. Ik wil iets zeggen om hem te kalmeren. Ik wil niet dat hij mijn bed verlaat.

'Ik kan de zaak natuurlijk uit handen geven,' zegt hij. 'Dat een van mijn mannetjes het overneemt. Ik kan zeggen dat ik te zeer met Fred bevriend was.'

Onderzoek duurt tegenwoordig zowat even lang als het misdrijf zelf, en deze zaak blijft alleen open als Mason daarvoor zorgt. Gezien het bewijsmateriaal zou een ander de zaak waarschijnlijk allang afgesloten hebben.

'Jij bent de enige die me kan helpen.' Ik klamp me aan Mason vast in de hoop dat ik zijn ophanden zijnde vertrek uit mijn hoofd kan zetten.

'Het valt niet mee, Sam, dat weet ik. Ik weet dat je je flink wilt houden.'

'Ik wil niet flink zijn,' zeg ik. 'Ik wil Fred terug.'

Mason trekt me tegen zich aan en streelt mijn haar. Bij de hechtingen doet hij heel voorzichtig. Zwijgend en roerloos blijft hij bij me liggen. We luisteren naar elkaars ademhaling.

Terwijl we daar zo liggen, wil ik het liefst doorpraten, want ik weet niet wanneer ik hem weer zal zien. Ik weet dat hij het onderzoek niet zal laten schieten, maar ik ben bang dat dat betekent dat hij míj zal laten schieten. Ik wil dat hij me geruststelt, dat hij zegt dat alles goed komt, dat we elkaar weer zullen zien als dit allemaal voorbij is. Tot ik bedenk dat dit moment van stilzwijgen die geruststelling ís, en dat woorden nergens voor nodig zijn.

Terwijl ik in slaap val, lijkt het wel of ik hem hoor zeggen dat hij bij Susan weggaat. Maar misschien zei hij gewoon dat hij wegging.

12

Als ik wakker word, is Mason verdwenen. Ik heb nog steeds hoofdpijn, hoewel ik nuchter ben gaan slapen. Nuchter, maar in een onnatuurlijke houding. Mijn arm slaapt en als ik naar mijn hoofd tast, kan ik mijn vingers amper voelen. Mijn hoofd voel ik maar al te goed: de hechtingen zijn pijnlijk. Ik moet er vreselijk uitzien.

De zon tuurt voor het eerst in dagen tussen de gordijnen door, als aanmoediging om op te staan en in actie te komen, maar ik blijf nog even lekker in bed liggen, onder het warme dekbed. Bij wijze van uitzondering bedenk ik dat ik het allemaal aan Mason kan overlaten.

Hij had gelijk toen hij zei dat ik mijn emoties over zijn huwelijk en over het onderzoek met elkaar verwarde. Met beide heeft hij zoveel te maken dat daardoor waarschijnlijk al mijn onzekerheden naar de oppervlakte zijn gekomen.

Eerlijk gezegd wil ik hem niet de indruk geven dat ik zwak

ben. Daarom heb ik hem die eerste keer naar Susan terug laten gaan; daarom heb ik hem op afstand gehouden toen hij terugkwam. Ik zal nooit iemand laten denken dat ze me mogen kwetsen, enkel en alleen omdat ze zeggen van me te houden. Daar heb je familie voor. En ik zal Mason ook niet de indruk geven dat ik hem nodig heb. Ik redde me prima voordat ik hem kende, en als het nodig is, ga ik daar gewoon weer mee verder.

Maar sinds Freds dood heb ik spijt dat ik zo op mijn tellen gepast heb. Op het werk leren we onze emoties te onderdrukken. Daarom hebben veel overtreders die we oppakken zo'n hekel aan ons: ze denken dat het ons niet raakt. Datzelfde heb ik met Fred gedaan. Ik heb mijn gevoelens erbuiten gelaten, althans voor zover mogelijk. Maar buiten het werk heet zoiets trots. En buiten het werk was ik gewoon iemand die door een vriend was gekwetst.

Ik had het met Fred moeten uitpraten toen ik de kans had, maar ik was te stijfkoppig om toe te geven. Met Mason wil ik niet diezelfde fout maken. Ik wil niet doen alsof het mij niet uitmaakt. Ik ben kapot van Freds dood. Ik houd van Mason. Trots doet me geen goed.

De avond van Freds dood hadden Mason en ik afgesproken. Afgaand op zijn woorden kreeg ik de indruk dat hij groot nieuws had. Ik dacht dat hij me ging vertellen dat hij de scheiding had aangevraagd. Eerlijk gezegd was ik daar niet klaar voor. Ik was er niet aan toe om mijn vizier op te slaan. Ik was er niet aan toe om het risico te nemen.

En nu heb ik geen keuze.

De volgende keer dat ik wakker word, komt dat door de tonen van de Prince-song. Ik rol uit bed en graai de telefoon uit mijn tas.

'Hallo.'

'Ha, Sam, komt het nu beter uit?'

'Hoe laat is het?' vraag ik.

'Bijna halfzes.'

Ongelooflijk: dan heb ik dus de hele dag geslapen. Dat zal ik dan wel nodig hebben om weer beter te worden.

'Heb je morgenavond wat te doen?' vraagt de vent met de Jaguar.

Ik weet niet wat ik zeggen moet.

'Ik vraag het alleen maar,' beantwoordt hij mijn stilzwijgende vraag, 'omdat ik hoopte dat je me het nummer voor die plaatwerker kon geven.'

'Dat kan ik je nu ook geven,' zeg ik, want zijn opmerking slaat nergens op.

'En omdat ik hoopte dat we dit vreedzaam konden oplossen. Bij een etentje.'

O-oh. Uit eten.

'Ik moet je één ding zeggen,' zeg ik. 'Ik heb een vriend.'

'Ik moet jou één ding zeggen,' riposteert hij. 'Die is niet uitgenodigd.'

Oké. Wat zeg ik nu?

'Als ik het eens zo stel,' begint hij in de stilte. 'Je hebt mijn auto geramd. Je bent me wat schuldig. Ik wil best onderhandelen, maar op bepaalde voorwaarden.'

'Afgezien van eten?'

'Te beginnen met eten.'

'Ik moet even in mijn agenda kijken,' zeg ik. 'Bel morgen maar terug.'

'Doe ik. Fijne avond nog.'

Hij hangt op voordat ik eraan gedacht heb zijn naam te vragen. Ik stop zijn telefoon in mijn tas en besluit daar verder over na te denken als hij terugbelt.

Volgens de klok van het koffiezetapparaat is het kwart voor zes. Buiten begint het donker te worden. Ik rammel, dus ik zet een pot koffie en spit door de koelkast op zoek naar iets eetbaars. Mosterd, sojasaus, chocoladestroop; twee flesjes Budweiser uit een sixpack. Alles wat je nodig hebt voor een afhaalmaaltijd. Ik neem een stapel menu's door en bestel loempia's en een pizza Hawaï van Ming Choy.

'Won awaa,' zegt Ming, of misschien is het Choy.

Ik drink een kop koffie, rook een saf en spring onder de douche.

Ik scheer mijn benen en mijn oksels. Met een ruwe spons boen ik de winterhuid weg. Mijn haar kan ik nog niet wassen vanwege de hechtingen, maar de stoom helpt wel. Geurend als een carambola, of wat volgens de fles carambola moet zijn, stap ik de cabine uit. Ik voel me schoon.

Ik trek een katoenen broekje en een beha aan, en een spijkerbroek. Ik trek mijn haar naar achteren om de hechtingen te kunnen bekijken. Ze zien er niet meer zo heel naar uit, en mijn hoofd voelt beter aan, helderder. Ik smeer dagcrème op mijn gezicht, breng wat mascara aan en trek dikke sokken aan en mijn lievelingstrui, oeroud en met kabels. Volgens mij doe ik het prima.

Ik kan niet ontkennen dat ik het best spannend vind dat zo'n mooie man met me uit wil. Niet dat ik er op in zal gaan, of dat ik ook maar een greintje belangstelling heb. Wat ik volgens mij het spannendst vind is de kans dat Mason jaloers zal zijn. Dat is natuurlijk geen wedstrijd, eerder een herinnering. Fred noemde dat 'iemand op zijn tenen houden'.

Ik houd van Mason, maar als Mason zijn vrouw verlaat, vervalt daarmee de noodzaak om bij mij op zijn tenen te lopen.

Onderweg naar buiten zie ik aan de overkant van de straat een onopvallende auto staan. Mason had gelijk: Alex O'Connor houdt me in de gaten. Dan moet hij dus absoluut niets beters te doen hebben. Zo te zien is hij niet van plan me te schaduwen, maar voor de zekerheid neem ik toch maar een paar steegjes op weg naar State Street.

Met ferme pas loop ik verder, misschien omdat ik energie heb opgedaan na een hele dag slapen, maar voornamelijk omdat ik het niet fijn vind als iemand anders me op mijn schreden volgt.

Ik haal mijn eten op en neem een taxi terug naar huis. Ik

ruik de bacon en het pizzadeeg en ik moet me tot het uiterste beheersen om niet meteen in de taxi al een loempia te verorberen.

Als ik terugkom, zit O'Connor nog steeds in zijn auto. Ik geef de chauffeur een fooi, steek de straat over en open met mijn pizza in de hand het portier van O'Connors auto.

'Wat wil jij?' vraag ik.

'Leuk woon je hier,' zegt hij.

'Wat had je dan verwacht, sociale woningbouw soms?'

'Hoe breng je die huur op, van je politiesalaris?'

'Ik doe in mijn vrije tijd aan babysitten,' laat ik hem weten. Waarom ben ik in godsnaam met hem gaan praten? Mijn maag rammelt van protest.

'Wordt die luxe flat soms betaald in het kader van een zekere liaison?' vraagt O'Connor op suggestieve toon.

'Als jij een dode oma een zekere liaison noemt, dan wel, ja,' antwoord ik. Inderdaad, mijn grootmoeder had baar geld in haar flatje aan West Side liggen, en dat is allemaal naar mij toe gegaan omdat mijn broer niet kwam opdagen. Maar het doet er niet toe hoe ik eraan gekomen ben; dat gaat O'Connor niets aan.

'Typisch dat je niet iets verder naar het noorden hebt genomen,' zegt hij. Aan zijn toon te horen werkt hij naar een of andere theorie over Mason toe, maar ik heb al genoeg raadsels in mijn leven, dus ik zeg: 'Luister, ik verga van de honger. Wat wil je?'

'Doe dat portier dicht,' zegt hij, met een gebaar dat ik moet instappen. 'Het is koud.'

Ik doe het portier inderdaad dicht en ga op weg naar huis. De warmte van de pizzadoos voelt heerlijk aan mijn handen en ik popel om eraan te beginnen.

O'Connor stapt uit en steekt vlak na mij de straat over.

'Wacht,' zegt hij. 'We kunnen elkaar helpen.'

'Dat is zo,' zeg ik, en hij kijkt hoopvol. Dan zeg ik: 'Het is inderdaad koud.'

'Vertel me wat er gebeurd is,' zegt hij op dringende toon. 'Je moest helemaal niet werken, die nacht dat Maloney overleed. Waarom had je William Wades dienst overgenomen?' Hij probeert voor me te gaan lopen, alsof dat me tot spreken zal bewegen.

'Ik heb jou niets te vertellen. Ik ken mijn rechten.' Ik loop gewoon door, hoewel hij me afschermt alsof we aan het basketballen zijn.

'Er zitten lacunes in het verslag,' zegt hij, 'en daar ben ik naar op zoek. Ik hélp jou.'

'En daarom hou je de wacht voor mijn huis?'

'Ik kom heel wat te weten, zo voor jouw huis gezeten.'

'Misschien moest je eens wat meer ondernemen.'

'Stel dat ik op het bureau ging rondhangen. Dat ik naar de geruchten ging luisteren. Stukjes en beetjes van gesprekken over de nacht waarop Maloney is overleden. Over jouw relatie met hem.' Het woord 'relatie' spreekt hij net zo langzaam uit dat het me irriteert.

'Jezus, je lijkt zijn vrouw wel. Ik ben geen moment verliefd geweest op Fred; ik werkte met hem samen. Als jij ook maar een dág op straat had doorgebracht, dan begreep je dat.'

'En je houding, dan? De veronachtzaming van je plicht?'

'Ik was niet onachtzaam,' zei ik. 'Het was een ongeluk.'

'O. Aha. Maar zullen de geruchten gunstig uitpakken voor jou? Of gaan mensen zich afvragen, zal jouw nieuwe partner je vragen, hoe je per ongeluk iemand kunt doodschieten die een kogelvrij vest aanheeft? Misschien niet. Misschien zal niemand daarover beginnen. Misschien wordt het onderzoek gestaakt voordat er ook maar iemand een wenkbrauw heeft opgetrokken.'

Ik wil hem niet de indruk geven dat hij eventueel een stap op me voor ligt, maar misschien is dat wel zo. Tijd om op te stappen.

'Gewoon laten kletsen,' zeg ik terwijl ik de hal van het gebouw binnenstap. Omar houdt de deur voor me open en

O'Connor roept me na: 'Het is makkelijker om niks te horen, nietwaar? Alsof het je niet raakt. Als je je mond maar houdt, dan raak je niet gekwetst; dacht je dat soms? Heeft je dat ook maar iets opgeleverd met je vader?'

Die opmerking was nergens voor nodig. Ik draai me om en werp hem een kille blik toe.

'Ik heb je dossier gelezen,' zegt hij.

'Dan weet je dat er een grens is die je niet moet overschrijden. Zie je dit?' Ik trek een denkbeeldige lijn op de grond tussen ons in. Ik heb zin hem die pizza naar zijn kop te smijten.

'Wil je weten wat er met Fred gebeurd is, of niet?' vraagt hij.

'Ik wéét wat er met Fred gebeurd is,' laat ik hem weten.

'Dan weet je ook waarom er niemand naar jóú luistert.'

'Waaronder jijzelf.' Ik draai me weer om naar Omar, die nog steeds de deur openhoudt.

O'Connor zegt: 'Ik geloof inderdaad dat er nog iemand anders aanwezig was, Samantha. Ik geloof dat iemand anders Fred Maloney heeft vermoord, en ik geloof dat jij weet wie dat was.'

Ik kijk hem sprakeloos aan. Ik weet dat hij hoopt op een reactie, maar wat moet ik nu zeggen? *Kom op, dan zoeken we Trovic?* Ik zou willen dat ik mijn gezicht even goed in de plooi kon houden als Omar.

'Als jij en ik niet samenwerken, dan wordt het onderzoek gesloten en blijft er een moordenaar vrij rondlopen,' zegt O'Connor.

'Ik heb jouw hulp niet nodig.' Zonder me om te draaien loop ik naar binnen. Omar doet de deur achter me dicht en ik bid vurig dat O'Connor niet achter me aan komt. Ik kan dit gesprek niet voortzetten. Ik ben agent, geen verrader.

Ik trek de koelkast open en ruil mijn avondeten in voor een van de blikjes Budweiser. Ik ben te opgefokt om van mijn maal te genieten. Ik rook de ene sigaret na de andere en probeer te kalmeren.

O'Connor denkt dat ik weet wie Fred doodgeschoten heeft. Natuurlijk weet ik dat. Maar waarom wil hij me in de val lokken?

Wat een gotspe om over mijn vader te beginnen. *Uit de verslagen blijkt,* had ik moeten zeggen, *dat ik bij mijn weten geen deel heb gehad aan een misdrijf.* Ik had geen idee dat mijn eigen vader me gebruikte.

In het politieverslag had iets moeten staan als: na vier jaar zonder zelfs maar een ansichtkaartje stond mijn vader plotseling bij me op de stoep, alsof hij gewoon even sigaretten was wezen kopen. Voor het eerst in mijn leven begreep ik precies wat mijn moeder doorgemaakt moest hebben.

Ik gaf hem vijf minuten de tijd om uit te leggen wat er aan de hand was. Na twee minuten was ik al om. Hij was veranderd en hij kwam terug bij zijn gezin. En dat betekende, bij mij. Het betekende ook mijn broer, en de tweede vrouw van mijn vader, Linda, plus hun kinderen. Hij vroeg me niet hem te vertrouwen; ditmaal vroeg hij helemaal niets. Hij omhelsde me en gaf me de sleutels voor een fonkelnieuwe Ford Mustang, en eer ik het wist had ik een uitnodiging te pakken om de zondag daarop bij hem thuis te komen eten. Ik wist dat de auto zijn manier was om zijn verontschuldigingen aan te bieden. Ik wist niet dat hij het ding met andermans geld had gekocht. Ik had geen idee hoeveel spijt ik nog zou krijgen dat ik hem had aangenomen.

Ik had de auto nog geen week toen ze bij me op de stoep stond: Helen Harper, mijn onvrijwillige weldoenster. Naast haar stond de privédetective die de Mustang had opgespoord. Ze kwamen van ver, uit Georgia te horen aan haar zuidelijke accent. De detective was een plattelander met een stropdas, die me niet moest. Hij deed alsof mijn vader en ik samen van plan waren de complete Fordfabrieken ten val te brengen, in plaats van dat we één miezerige Mustang hadden gejat.

Mijn vader was altijd een enorme charmeur geweest. Ook Helen was als een blok voor hem gevallen. Ze was van een droevig soort schoonheid, met de verflenste trekken van een ouder wordende ster. Ze had geld, maar de zelf gekochte verzameling sieraden die aan haar vingers fonkelden waren niet belangrijker voor haar dan de doosjes waarin ze geleverd waren. Ze wilde meer: ze wilde mijn vader.

Wist ik waar mijn vader was? Ja. Werd ik er ook maar iets beter van als ik hun dat vertelde? Dat leek me niet. Helen wilde mijn vader; ik ook. Dus loog ik. Ik zei dat hij de stad uit was.

Helens warmte veranderde in vuur. Ze dreigde de politie erbij te halen. Ik bood haar de Mustang aan, maar de detective zei dat ik een hele vloot auto's nodig zou hebben om te compenseren wat mijn vader allemaal had afgenomen van Helen. Ik wist niet of hij dat letterlijk bedoelde. Ik hield me dom, in de overtuiging dat één gesprekje met mijn vader dit allemaal zou ophelderen. Als hij haar geld had afgetroggeld, dan kon hij haar toch gewoon terugbetalen?

Die volgende zondag belde ik al vroeg aan, maar het beloofde etentje vond niet plaats. Linda had van die vermoeide tranen in haar ogen, net als mijn moeder vroeger, en ik wist dat mijn vader er weer vandoor was.

Hij was verdwenen en volgens de politie met hem zowat een half miljoen dollar. Het enige wat Linda nog had, was een diamanten ring die ze moest teruggeven. Wel heb ik het gevoel dat er iets van cash geweest moet zijn, waar ze het niet over had.

Ik heb nooit meer van mijn vader gehoord. Helen Harper kennelijk ook niet, want ze zette de afbetaling van de auto over op mijn naam. Toen mijn vader overleed, nam een notaris in Nashville contact op met Linda. Hij had daar samengewoond met een vrouw, en die wist niet waar ze hem moest begraven. Dat was zowat drie jaar geleden.

Afgelopen juli was de auto dan eindelijk afbetaald.

Ik dwing mezelf een loempia te eten en die spoel ik net met

het laatste blikje bier weg als de telefoon gaat. Ik weet dat het Mason is. Ik steek mijn hand uit.

'Sam, liefje... hoe gaat het?'

Ik wil het hem vertellen. Maar dat doe ik niet.

'Ik heb net wat te eten gehaald.'

'Hoe voel je je?'

'Beter,' zeg ik. 'Ik heb geslapen.'

'Mooi zo. Luister. Een klein probleempje. Geen paniek. Jackowski heeft me een ander onderzoek gegeven.'

Wat een hufter. O'Connor had gelijk.

'Dus mijn zaak is afgesloten?'

'Niet echt. Maar zoals ik al dacht, Jackowski wil de hele toestand in de doofpot stoppen. Hij zei dat Interne Zaken het over veronachtzaming had en hij wilde de zaak afsluiten, met het stempel bedrijfsongeval, voordat de hoofdcommissaris zich ermee gaat bemoeien.'

Ik vraag me af of er iemand is die weet dat O'Connor iets anders denkt. Maar dat kan ik Mason niet vertellen.

'Ik geef dit niet zomaar op, Sam,' zegt Mason. 'Ik heb dat contact bij justitie nog. Ik blijf vanavond laat op kantoor om te zien of ik iets kan vinden dat in ons voordeel is, maar momenteel ben ik op weg naar een andere moordzaak. Een of andere belangrijke Tsjechische nationalist. Voordat ik me hier weer aan kan wijden, moet ik een paar brandjes blussen.'

'En Trovic dan?' vraag ik.

'Ik ben vanavond zowat overal geweest en ik ben niets wijzer geworden. Dat betekent niet dat er niets te vinden valt. Geduld, liefje. Zorg dat je wat slaapt en ik bel zo gauw ik kan.'

Slapen. Na dit soort berichten.

'Ik moet ophangen. Ik hou van je.'

Ik breng het bijna niet op om te zeggen dat ik ook van hem houd. Maar ik krijg het over mijn lippen.

Zodra we hebben opgehangen, schenk ik mezelf een stevige borrel in en kies een nummer.

'Inlichtingen, lokaal, graag.'

Als ik dit tot op de bodem wil uitzoeken, zal ik Trovic echt zelf moeten vinden.

'Chicago, Illinois. Achternaam Trovic. T-R-O-V-I-C. Ook het adres, graag.' Daar ga ik morgenochtend meteen heen.

13

IJskoude regen ranselt tegen mijn voorruit. Weer zo'n schitterende voorjaarsdag, al even stralend als mijn humeur. Ik rijd over Grand Avenue, weg van de wolkenkrabbers die de wacht houden over de stad, een Italiaanse buurt in. Dit is iets heel anders dan Michigan Avenue. Hier worden de etalageruiten beschermd door metalen rolluiken. Hier valt niets te zien, en de paar mensen die op straat lopen weten precies waar ze heen moeten, net als de metro's die over hun spoor het station ver laten.

Voordat ik hierheen koers zette, heb ik koffie gehaald bij Caribou op Wells Avenue, maar de cafeïne lijkt weinig uit te halen. Ik heb niet goed geslapen en ik ben boos op mezelf om mijn gedrag van gisteravond. Ik heb overwogen om Mason terug te bellen en hem over O'Connor te vertellen. In plaats daarvan heb ik het op een zuipen gezet. Ook vanochtend heb ik met de gedachte gespeeld om hem te bellen. Maar in plaats daarvan heb ik in de keuken al mijn flessen leeggegoten, een handjevol pijnstillers genomen en mezelf voorgenomen nooit meer te drinken. Mijn hoofd doet pijn van de drank en mijn gedachten draaien alleen nog maar in kringetjes rond.

In gedachten maak ik een lijst van wat ik weet. Eén: Mason is nog steeds op zoek naar Trovic en wil niet dat ik hem help. Twee: O'Connor probeert me te intimideren, want hij wil juist wél dat ik hem help. En drie: geen van beiden kan echt iets doen voor mij. Ze zullen zeker niet samenwerken. En daarom moet ik, vier: zelf op pad.

Zodra ik de spaarzame bebouwing tussen de snelwegen voorbij ben, loopt Grand Avenue naar het noordwesten en besef ik dat mijn gedachten niet het enige zijn wat in kringetjes ronddraait. Weer steek ik Chicago Avenue over, en Division Street. Naarmate ik verder op onbekend terrein kom, vraag ik me af of ze me bij Inlichtingen wel het juiste adres hebben gegeven: in deze buurt zou Trovic behoorlijk opvallen. Als ik langs Homan Avenue rijd, weet ik dat ik hier als blanke vrouw beslist niet onopgemerkt blijf. Ik ben de enige die voor het stoplicht wacht, en geloof me, dat doe ik niet uit vrije wil. Wanneer ik in de buurt van Pulaski Avenue kom, beland ik weer in een blankere buurt en weet ik dat het niet ver meer kan zijn.

Ik parkeer aan de overkant van het opgegeven adres. Het huis ziet eruit alsof de eigenaar al tijden geleden alle hoop heeft laten varen. Het is een ouderwets gebouw met drie verdiepingen, van de straatrand gescheiden door een verwaarloosde tuin vol hardnekkig onkruid. In de ramen zit van dat rare, bobbelige vensterglas zoals je in de jaren vijftig zag. Waar mijn ouders woonden hadden ze zulke ramen. Urenlang zat mijn moeder daardoorheen naar buiten te staren.

Het is een drukke weg; niet dat het straatbeeld daarvan vriendelijker wordt. Twee kleine kinderen staken een spelletje stoepbal om te kijken hoe ik hun speelplein oversteek, hoewel voorbijrijdende auto's niet diezelfde aandacht krijgen. Een derde jongetje neemt me van hoofd tot voeten op en loopt met me mee over de hobbelige stoep. Ik houd mijn kin hoog maar kijk hem niet aan. Ik heb geen behoefte aan nog meer problemen.

Ik loop de treden op naar de deur en druk op zoemer nummer drie. Geen reactie. Ik neem aan dat Trovic op de derde verdieping woont, maar voor de zekerheid loer ik toch maar even naar binnen door de ramen van de begane grond. Ik zie een overvolle kamer met een stel enorme, witte banken, het plastic er nog overheen. Een spiegelkabinet met goedkope kristallen figuurtjes. Witte vloerbedekking waar zo te zien niemand ooit overheen gelopen heeft – totdat er een kleine, gezette vrouw met Oost-Europees uiterlijk door de gang komt aanlopen met een stofzuiger. Ze kijkt naar me met een harde blik die zegt dat zij niet de schoonmaakster is. Zij is de vrouw des huizes en ik sta bij haar naar binnen te kijken.

Ik doe een stap achteruit om te kijken of er boven al enig teken van leven is. Ik druk nog eens op de zoemer. Geen reactie. Ik hoor de kinderen van straat dichterbij komen doordat een van hen met een bal loopt te stuiteren, en ik hoor hun stemmen. Dat is geen Engels wat ze daar spreken. Ze klinken veel ouder dan ze er al spelend uitzagen.

Ik houd de knop van de intercom ingedrukt en roep: 'Hallo? Mevrouw Trovic?'

'Ga weg,' klinkt een vrouwenstem met een zwaar accent vanuit het kastje aan de muur.

'Ik moet u even spreken; ik ben op zoek naar Marko Trovic,' vervolg ik. Er landt iets zachts op mijn achterhoofd. Ik durf geen onverwachte bewegingen te maken, dus draai ik me langzaam om en kijk zo neutraal mogelijk uit mijn ogen. Onder aan de treden naar de voordeur staat een groepje van vijf, zes jongens. Jongens, zeg ik, maar waarschijnlijk zijn ze oud genoeg om er al een gevangenisstraf op te hebben zitten. En plotseling komen overal vandaan meer van die knapen aanzetten, allemaal met zwartleren jacks, alsof het een bende is, te cool om nog kleuren te dragen. Rond de hoek komt er nog een aanlopen. Hij maakt een of ander handgebaar naar zijn vrienden en kijkt me brutaal aan. Gezien de reacties die ik hier losmaak, had ik evengoed mijn uniform kunnen dragen.

'Ik praat niet met politie,' zegt de stem vanuit de intercom.

'Politie?' vraagt een van de jongens. 'Een vrouw die bij de politie is?'

'Kennen jullie Marko Trovic misschien? Het is belangrijk.' Ik hoop dat ze respect zullen hebben voor mijn eerlijke toon, al hebben ze dat dan niet voor mijn vak of mijn geslacht.

'Wij niet praten met jou politie,' zegt een magere puber met een groot gouden medaillon dat me aan dat van Trovic doet denken. Het hele groepje barst in lachen uit en er wordt wat gepraat in het Servisch. Ik ken maar één woord Servisch en dat is schuttingtaal. Dit woord valt herhaalde malen.

Dan hoor ik een afgrijselijk, schrapend geluid, en als ik opkijk zie ik een opgeschoten jongen aan de overkant van de straat voor mijn auto staan. Zijn lange, sliertige zwarte haar is nat, of misschien zit er te veel gel in. Zijn zwartleren jack is iets langer dan die van de anderen. Hij valt alleen om zijn brede schouders en hangt verder open, met bungelende riem. Zijn buik steekt naar buiten. Kennelijk heeft hij het niet koud; misschien heeft hij het warm van de inspiratie. Het verkeer rijdt hem als een briesje voorbij. Met een sluwe grijns stopt hij een sleutelbos terug in zijn zak.

De rest van het stel barst uit in druk Servisch geratel. Ze wensen elkaar geluk alsof ze zojuist een regime omver hebben geworpen. Ze komen te dichtbij naar mijn smaak. Ik draai me weer om naar de intercom voor een laatste poging: 'Mevrouw, kan ik dan misschien even met u spreken, ik heb informatie over...'

Maar ik val stil als de voordeur opengaat en Marko Trovic voor mijn neus staat, met een peutermeisje in zijn armen.

Ik deins achteruit en weet me nog net staande te houden voordat ik de treden af tuimel. Ik had niet gedacht dat het zó gemakkelijk zou zijn. Mijn mond hangt open en ik probeer mijn verbazing te maskeren met een opmerking. Maar er komt niets verstaanbaars mijn mond uit. Heb ik echt naar adem gehapt?

Trovic kijkt tevreden bij mijn reactie en zijn wangen bollen op in een glimlach die zijn ogen tot spleetjes knijpt. Hij ziet er heel anders uit dan ik me herinner; niet als het monster waartoe ik hem in gedachten heb verheven. Eigenlijk is hij niets meer dan een opgeblazen misdadigertje met een uitdagende glimlach die in feite zielig is. Ik zie geen haat in zijn blik; ik zie helemaal niets in zijn blik. En hij is kleiner dan ik. Dat wist ik niet meer.

'Wat moet je?' informeert hij. Meteen weet ik waarom ik niet bang voor hem ben: dit is misschien een Trovic, maar Marko is het niet. Marko's taalgebruik is vulgair en onduidelijk. Hij spreekt met dubbele tong. En als dit Marko was, dan wist hij maar al te goed wat ik wilde.

Ik zet mijn voeten iets uiteen om steviger te staan en sla mijn armen over elkaar heen. 'Marko Trovic?' vraag ik voor de zekerheid.

'Marko is er niet. Waar wou je hem over spreken?' Dit is dus niet Marko; wel is hij Marko's evenbeeld, tien jaar jonger, vijftien kilo zwaarder en met meer kennis van de Engelse taal. Het moet een familielid zijn. Het kind spartelt in zijn armen.

'Papa,' zegt ze.

'Papa is niet thuis.' Hij zet haar neer. 'Wat wil je?' Ze huppelt langs me heen en springt in de armen van een van de jongens op de stoep. 'Wat wil je,' herhaalt hij, en ik besef dat hij het tegen mij heeft. Achter me begint iemand met een basketbal te stuiteren. Iedere keer dat de bal de grond raakt, schrik ik.

Maar ik houd vol, want als ik me door die jongens laat wegjagen, krijg ik Trovic nooit te pakken. 'Weet u misschien waar Marko is?' vraag ik.

'Ik heb al tegen de politie gezegd: wij kunnen niets zeggen. We spreken niet dezelfde taal. Misschien spreekt mijn broer jullie taal tegen een zekere prijs, maar ik zeg niets voor hem.'

'Bent u zijn broer?' vraag ik.

'Wij hebben een hechte familieband,' antwoordt hij. 'Kom je aan de een, dan kom je aan allen.'

Dat is niet direct het antwoord waarnaar ik op zoek ben, maar dan maakt de jongen met het medaillon een opmerking in het Servisch, waar alle anderen op ingaan. Te horen aan de manier waarop ze door elkaar heen praten, hebben ze ruzie.

Marko's broer doet niet mee, die staat me alleen maar zwijgend op te nemen.

Misschien kan ik beter ophouden, maar ik vraag: 'Wat zeggen ze?'

'Onze taal heeft veel meer schuttingtaal dan die van jullie,' zegt hij, 'hoewel het meestal op hetzelfde neerkomt.'

Ik blijf niet staan wachten op een vertaling.

Gelukkig wijken de jongens uiteen zodat ik erdoor kan, hoewel ze me het hele stuk naar mijn auto naroepen. Ik glip naar binnen, vergrendel de portieren en start de motor. In de buitenspiegel zie ik de lange kras die de jongen met het lange haar op het rechterportier heeft gemaakt, maar daar ga ik nu niet naar staan kijken. Ik maak dat ik wegkom en hoop dat Trovic' hechte familie niet veel verder reikt dan dat stel gozers op de stoep.

Zodra ik een eind uit de buurt ben, veeg ik het zweet van mijn voorhoofd en kam met mijn vingers door mijn haar. Daarbij vind ik het stuk kauwgum dat een van hen naar mijn hoofd gegooid heeft.

Ik had moeten weten dat ze me niet zouden vertellen waar Trovic uithangt, maar misschien ben ik via Marko's broer meer te weten gekomen dan als Marko er zelf geweest was. Ik denk niet dat Marko's broer weet waar hij zit, en volgens mij wil hij dat ook niet weten. Hij zei dat Marko onze taal sprak 'tegen een prijs', alsof Marko als verklikker werkte.

Als Marko inderdaad voor de politie werkte, dan wist Fred daar niets van, anders had hij hem niet zo graag opgepakt. Verklikkers hebben misschien geen sterk gevoel van loyaliteit, maar agenten wel, en als een collega Trovic aan het praten had gekregen, had Fred dat gerespecteerd.

En Freds eigen verklikker dan? Als die bereid was Trovic er eenmaal bij te lappen, dan zou hij dat nog een keer doen. Hoe heette die vent ook weer? Hij zat in de problemen en daar wilde hij uit. Hij liep op een vreemde manier. Ehm... ik zie hem zó voor me, maar zijn naam weet ik niet meer.

Toen we hem bij de metrohalte zagen, zei Fred dat de verklikker hem had opgepiept, dus moest hij eerder die avond
met hem getelefoneerd hebben. Dan moet er dus ergens een
telefoonnummer zijn. Misschien in Freds kastje op het bureau? Of bij hem thuis. Of op zijn telefoonrekening.

De zaken beginnen me duidelijk te worden. Ik rijd North
Avenue op, sla rechts af en zet koers naar het bureau om te
kijken wat ik daar te weten kan komen.

14

Ik worstel me tussen de kerkgangers en een massa zondags-
rijders door en arriveer kort na twaalven bij het bureau. Er
hangt een koufront boven het meer en het begint weer te
sneeuwen. Meestal is hier in het weekend geen sterveling te
bekennen, maar vandaag krioelt het parkeerterrein van de auto's. Waarschijnlijk mensen die op hun vrije dag verhaal komen halen wegens politiegeweld of onterechte bonnen. Ik zet
de Mustang op een groot niet-parkerenkruis op de grond en
ga naar binnen.

Ik loop langs de balie en de rij ervoor. Goed dat ze het druk
hebben: nu hoef ik niet te blijven staan om tekst en uitleg te
geven over mijn aanwezigheid. Ik bereik de kleedkamer zonder iemand tegen het lijf te lopen, maar op weg naar het ar-
chief zie ik William Wade door het raam van de kantine. Die
heb ik vóór het ongeluk voor het laatst gezien. Ik had niet verwacht dat ik hem hier met een grijns op zijn gezicht zou aantreffen, laat staan dat hij zou staan bulderen van het lachen.
Paul Flanigan, de nieuwkomer die vorige keer nog in zijn on-
derbroek stond, staat bij het koffieapparaat iets te debiteren
dat kennelijk volslagen hilarisch is. Normaal gesproken zou ik
deze kans op een gezellig gesprekje voorbij laten gaan, zeker
omdat Paul me telkens wanneer hij me ziet mee uitvraagt,

maar ditmaal komt me dat goed uit. Ik ga naar binnen. Paul is te jong voor me, maar hij is de ideale kandidaat om me die dossiers te bezorgen. En wie weet? Misschien is het een goede grap.

Als Wade me in de deuropening ziet staan, bevriest de lach op zijn gezicht. Paul schiet overeind alsof ik de baas ben. Ik vraag me af of die grap soms over mij ging.

'Hallo lieverd,' zegt Wade, zijn stem van onder uit zijn keel, als een blueszanger. Hij is verreweg de meest volumineuze agent van ons bureau, maar hij is niet dik of gespierd of fors. Hij heeft enorme, pijnlijke botten die vroeger veel ontzag inboezemden. De laatste tijd maken ze hem alleen maar traag. Vandaag ziet hij er nog vermoeider uit dan anders. Hij lijkt wel een oud mannetje. Maar waarschijnlijk ziet hij er altijd nog beter uit dan ik.

'Bedankt dat je het die nacht voor me overgenomen hebt, Smack,' zegt Wade, alsof er die nacht geen vuiltje aan de lucht was. Dat kan hij niet menen.

'Geen probleem,' zeg ik. 'Je was ziek.'

'Ik had er moeten zijn,' zegt Wade.

'Tja, maar je was er niet; en ik had gezegd dat ik je dienst zou overnemen. Hou er dus maar over op.' Wade heeft de naam zijn geweten te gebruiken als een doktersbriefje. Alsof hij zich schuldig mag voelen en daarmee zijn handen in onschuld wast. Ik moet toegeven, sinds hij mijn collega is geworden, ben ik hem meer gaan waarderen, maar vandaag ben ik niet in de stemming voor dit soort gezever.

'Ik kon niet naar de begrafenis,' vervolgt hij. 'Fred was mijn vriend.'

'Fred was mijn partner,' antwoord ik onmiddellijk. Dat zelfmedelijden van hem, daar doe ik niet aan mee.

Wade drukt op zijn maag alsof hij rondtast op zoek naar een bepaalde pijn. Het verbaast me dat hij zijn pols niet voelt.

'Sorry, ik ben nog niet helemaal in orde,' zegt hij, en daarmee duikt hij de kantine uit.

'Je gaat maar,' zeg ik. Ik had niet op een beter moment kunnen opduiken. Ik richt me tot Paul.

'Hoe gaat het?' informeer ik.

'Ach, het gaat wel. En jij, ehm, red jij je een beetje?' Hij probeert beleefd niet naar mijn hoofd te kijken.

'Het ziet er erger uit dan het is,' antwoord ik, hoewel ik niet zeker weet of dat waar is.

De hechtingen jeuken als de pest en de blauwe plek heeft zich over mijn hele rechteroog verspreid en kleurt mijn wang mosterdgeel. Ik kan me niet voorstellen dat ik voordelig uitkom in het tl-licht hier.

Paul kijkt op zijn horloge. Hij weet niet wat hij verder nog zeggen moet en ik wil niet dat hij ervandoor gaat, dus ik kom meteen ter zake. 'Paul, ik heb een verzoek aan jou. Ik heb Freds telefoonrekening nodig.'

'Daar heb je toch een huiszoekingsbevel voor nodig?'

'Inderdaad, Paul. Daarom is het ook een verzoek.' Ik doe een stap in zijn richting, klaar om de zaak verder uiteen te zetten; hij deinst achteruit alsof ik hem vraag even mijn tarantula vast te houden.

'O, ik, ehm, maar... moet ik die dan voor je stélen?'

Wat een genie. 'Nee, niet echt. Je weet toch hoe het kopieerapparaat werkt?'

Blake loopt langs het raam en ik vrees dat hij aan onze gezichten zal zien dat er iets loos is. Ik probeer ontspannen te doen, maar Paul snapt dat het niet helemaal koosjer is als ik over mijn schouder kijk of Blake echt doorgelopen is.

'Jij mag hier helemaal niet komen, neem ik aan?' Paul grijnst en volgens mij vindt hij het fijn in deze situatie mijn meerdere te zijn.

'Slim gezien,' prijs ik hem. 'Jij wordt nog wel eens rechercheur.'

Zijn onderlip trilt heel even. Heb ik zijn gevoelens gekwetst? Misschien heb ik die grijns van daarnet verkeerd geïnterpreteerd; misschien was die omdat ik eindelijk een keer aandacht aan hem besteedde. Misschien heb ik dit helemaal verkeerd aangepakt.

'Sorry,' zeg ik. 'Ik verkeer nogal onder...' Ik kijk nog eens over mijn schouder en zie Wade achter het vensterglas, dus ik raffel mijn zin af: 'Ik ben een secreet. Maar denk je dat dat gaat lukken? Voor Fred?'

Paul geeft geen antwoord. Ik houd mijn blik op hem gevestigd. Wade komt weer binnen, met een fles maagzuurremmer.

'De koffie is klaar,' zegt Wade. Hij schenkt zich een mok in.

'Is koffie niet slecht voor je ingewanden?' vraag ik.

'Alles is slecht voor mijn ingewanden,' antwoordt hij. 'Dus ik doe wat me het minst schadelijk lijkt.'

Ik blijf Paul aankijken om te zien of hij zal toegeven. Hij heeft geen idee wat hij met al die aandacht aan moet.

'Koffie, Smack?' vraagt Wade terwijl hij in zijn mok roert, waar hij net melk bij gedaan heeft. 'Paul, geef dat mens een mok, zo te zien heeft ze in geen week geslapen. Gaat het een beetje?'

Wade weet dat ik geen antwoord geef op voor de hand liggende vragen. Hij trekt een stoel bij en gebaart dat ik moet gaan zitten, terwijl Paul me een mok aangeeft. Hoewel ik in geen van beide zin heb, neem ik zowel de stoel als de koffie aan.

'Melk?' vraagt Paul.

'Zwart is prima,' zeg ik met een glimlach. Wade kijkt naar Paul, die met de suikerzakjes staat te hannesen.

'Zwart, Flanigan,' zegt Wade terwijl hij de zakjes van Paul afneemt en teruggooit op de balie. Dan komt hij naar me toe en gaat op de rand van de tafel zitten, met zijn rug naar Paul toe alsof die een kind is en hij een volwassen gesprek wil voeren.

'Serieus. Hoe is het?'

'Doe normaal, Wade,' zeg ik. Hém wilde ik niet spreken, en ik heb geen behoefte aan vriendelijke vragen.

'Nee, echt, Sam. Ik moet je iets zeggen.' Hij leunt naar me

over om de indruk van oprechtheid te wekken, maar hij kijkt naar mijn mond in plaats van mijn ogen. Ik heb er geen prettig gevoel bij. Hij is te dichtbij. 'Ik voel me verantwoordelijk,' zegt hij. 'Ik voel me afgrijselijk.'

'Zit niet zo over me heen te hijgen,' zeg ik. 'En hou op met dat schuldgevoel.'

'Laat me dan tenminste zeggen dat het me spijt.' Hij legt zijn hand op mijn schouder. Ik haal hem meteen weg.

'Dat is dan nu gebeurd,' zeg ik. Dit soort sentimenteel gedoe is niets voor mij. De hele bespreking verloopt niet volgens plan. Ik sta op, zodat ik Paul kan zien, en zeg: 'Bedankt voor de koffie.' Ik loop naar de deur.

'Heb je al aan therapie gedacht?'

Bijna had ik me niet omgedraaid, want ik heb geen idee dat Wade het tegen mij heeft. Maar ik draai me wel om en Wade heeft het inderdaad tegen mij. Ik blijf even staan, zodat hij kan zeggen dat het een grap was. Dat doet hij niet.

'Is iedereen hier helemaal gek geworden?' vraag ik.

'Het was maar een idee.' Dat hij hardop uitgesproken heeft om indruk te maken op een groentje.

'Ik heb geen behoefte aan jouw ideeën, Wade. Jij draait geen diensten als je dénkt dat je je niet helemaal lekker voelt en dan heb je het tegenover míj over een psychiater? Vind jij dat ik mijn tijd moet verdoen met gezever in bijzijn van een of andere geitenwollensokkensul die nog nooit een pistool heeft vastgehouden? Zou jij dat zelf soms doen? Of zou jij de straat op gaan om de gozer te vinden die de hele klotezooi op zijn geweten heeft?'

Als reactie neemt Wade een slok van zijn fles Pepto.

'Brigadier MacInerny...' begint Paul, maar ik kap hem af.

'Brigadier MacInerny. Hou je er dan zelf geen mening op na? Of loop je gewoon achter alle anderen aan, in de hoop dat jij straks Freds plek mag innemen?' Ik probeer rustig te praten, maar hij zal me beslist niet helpen en aan zijn mening heb ik dus helemaal niets.

Paul kijkt naar Wade, die daar maar staat te staren, met een overdreven, onechte blik van afgrijzen op zijn gelaat en nog steeds die fles Pepto in zijn hand. Geen van beiden zeggen ze een woord. Ze doen alsof ik ze op heterdaad heb betrapt.

Of alsof brigadier MacInerny vlak achter me staat.

'Naar kantoor,' zegt MacInerny.

Ik heb nooit geweten wanneer ik mijn mond moest houden.

'Doe die deur dicht,' zegt MacInerny. Ik voel me alsof ik bij de rector op het matje ben geroepen. 'Waar denk jij dat je mee bezig bent, Smack?' informeert hij.

Ik heb geen humoristisch antwoord klaar. Daar zou hij sowieso dwars doorheen kijken.

Ik ga zitten en hij parkeert zijn reet op het bureau in die bekende onder-vier-ogenhouding van hem. Hij is niet zichtbaar boos, of anderszins geëmotioneerd, en daaraan kun je zien dat we dit soort gesprekken al vele malen hebben gevoerd. Hij bladert door een stapeltje papieren. Ik weet niet of hij me een minuut de tijd gunt om te reageren of dat hij me een ongemakkelijk gevoel wil bezorgen.

'Ik zeg niet dat ik weet hoe jij je verdriet moet verwerken,' begint hij na een tijdje, 'en ik hoef ook niet van jou te weten hoe je dat aanpakt. Maar je moet niet vanuit een soort doodsverlangen gaan handelen.'

'Ik heb geen doodsverlangen.' Nee, toch?

'Er stond een mannetje bij Trovic voor de deur te posten, en die heeft jou gezien.' Oeps. Hij gooit zijn papieren op het bureau alsof ze alleen maar extra ellende opleveren. 'Wíj zijn naar hem op zoek, Sam. Jíj hebt verlof. Ik zei al, als je wilt weten hoe het onderzoek verloopt, dan vraag je dat aan mij. Je neemt de zaak niet in eigen handen. Het is allemaal toch al één grote puinzooi. De hoofdinspecteur wil dat ik ermee ophoud. Die lulhannes van een hoofdonderzoeker verkloot zijn tijd en ons belastinggeld met vragen of jij wel goed bij je hoofd bent, in plaats van de gozer die volgens jou verant-woordelijk is voor…'

'Mason Imes? Ik dacht dat die wilde helpen. Vanwege Fred,' verduidelijk ik.

'Sam, volgens mij heeft Imes evenveel behoefte aan dit onderzoek als ik aan een colonoscopie.' MacInerny laat zich van het bureau af glijden en haalt een bonnenboekje uit zijn achterzak. 'En waar ik al helemáál geen behoefte aan heb, dat is dat jij rondjakkert als een alcoholistische versie van Jessica Fletcher.'

Hij opent het boekje, scheurt er een bon uit en geeft die aan mij: een parkeerbon, godsamme.

'Dat meen je niet?' Ik geloof mijn ogen niet. Dit kan niet waar zijn.

'En wat er met je voorbumper is gebeurd, wil ik niet eens weten,' zegt hij. 'Of je rechterportier.'

Ik kijk naar de bon. Dit onderhoud is zojuist veranderd in een honderdvijftigdollargesprek.

'Ik had aangenomen dat je wist hoe het werkt,' vervolgt hij. 'Maar aangezien je je daar kennelijk geen reet van aantrekt, zal ik er geen doekjes om winden. Ik kan jou niet toestaan derden de wet op te leggen en ik kan ook niet toestaan dat je die zelf overtreedt. Ofwel je doet wat de adviseurs zeggen en je maakt een afspraak met dr. Atkin op het hoofdbureau om je hoofd eens goed te laten nakijken, ofwel je gaat thuis zitten nadenken over je volgende baan. Hoe dan ook, ik wil je hier niet meer zien tot je de zaken op een rijtje hebt. Ik pak nog liever je badge af dan dat ik je de boel hier in de wijk laat verprutsen.'

Hier kan ik niets tegen inbrengen, want hij geeft me gewoonweg de kans niet. Waarschijnlijk heeft hij wel genoeg van mij gehoord.

'Oké,' is het snuggerste wat ik kan verzinnen. Ik wacht tot hij me laat gaan. Hij knikt met een teleurgesteld gezicht en keurig in de plooi verlaat ik het bureau.

Maar zodra ik buiten sta, heb ik spijt dat ik niet feller heb geprotesteerd. Je dacht toch zeker niet dat MacInerny zelf naar een therapeut zou gaan als hij in mijn schoenen stond? Dat zou geen enkele politieman of -vrouw doen. Ik heb zin om te spugen naar de patrouillewagen die naast mijn auto op de niet-parkerenplek staat. Ik scheur de parkeerbon aan snippers.

Mason heeft heel wat uit te leggen. Waarom vertelt hij mijn baas dat ik volgens hem geschift ben? Dat moet hij expres gedaan hebben, want hij is als de dood dat iemand erachter komt dat hij en ik iets hebben. God, wat een kutdag is dit. Ik ben aan een hete douche en een stevige borrel toe. Ik had niet al mijn drank moeten wegspoelen.

Ik stap in, start de motor en zet de verwarming aan. Net als ik het terrein af wil rijden, tikt Paul op mijn raampje. Ik had moeten weten dat ik hier niet weg zou komen zonder zijn gebruikelijke uitnodiging om ergens te gaan eten. Het maakt kennelijk geen indruk wat ik net nog tegen hem gezegd heb. Sommige mensen begrijpen echt helemaal niets. Ik rol mijn raampje omlaag.

'Waar ga je heen?' vraagt hij.

'Ik zat zelf te denken aan een hoog dak.'

'Zullen we wat gaan drinken?' vraagt hij. Hij moet wel haast bevriezen. Hij krijgt amper een woord uit zijn strot, zo klapperen zijn tanden.

'Paul, ik heb je allang gezegd: ik heb een vriend.'

'Ik vraag toch niet of ík je vriend mag zijn.'

'Het kan niet.'

'Kan het niet, of wíl je niet?' vraagt hij. Normaal gesproken was ik allang weggereden, maar er is iets met de manier waarop hij daar staat, onrustig, volhardend. In zeker opzicht lijkt hij plotseling veel meer zelfvertrouwen te hebben.

'Ik ben van de drank af,' zeg ik. 'Al was het alleen maar omdat ik de zaken helder op een rijtje moet krijgen.'

'Oké,' zegt Paul. 'Dat vat ik dan maar op als excuus.' Dan

legt hij zijn handen op de rand van mijn portierraam en leunt naar binnen.

Ik deins achteruit, onzeker van zijn bedoeling. Ik hoop dat hij mijn reactie niet heeft opgevat als uitnodiging voor een alcoholvrij biertje. Hij ziet er plotseling helemaal niet cool of zelfverzekerd meer uit, zoals hij daar maar blijft staan, met die vreemde, verwachtingsvolle blik in zijn ogen. Ik neem aan dat hij wacht tot ik iets zal zeggen, maar ik ben bang dat hij me via het portierraam zal proberen te versieren. Ik voel mijn mond iets openhangen, al helemaal klaar om 'Nee' te gaan zeggen. Hopelijk denkt hij niet dat ik op een kus zit te wachten.

'Je moet me niet onderschatten,' zegt hij. Hij leunt nog iets verder naar binnen en ik moet hem tegenhouden.

'Niet…'

Dan zie ik plotseling een stel papieren uit de mouw van zijn jas steken en op dat moment besef ik dat dit geen versierpoging is.

'Ik kan met een kopieerapparaat omgaan.' Hij laat de papieren op mijn schoot vallen.

Ik prop ze tussen de zitting en de middenconsole en bereid me voor op een onbehaaglijk moment, maar Paul lost het keurig op.

'Dan ga ik maar eens kijken of Wade toe is aan een biertje,' zegt hij en hij wrijft zich in de handen.

Ik kijk om me heen om zijn blik te ontwijken. Hij snapt mijn bedoeling.

'Nou, succes dan maar.' Hij gaat op weg naar het bureau.

'Paul?' roep ik hem na.

Hij blijft staan en kijkt om, redelijk cool dankzij de ijzige wind.

'Bedankt. Ik ben je wat schuldig.'

'Volgende keer, als je weer drinkt,' antwoordt hij, en na een knipoog holt hij terug naar binnen. Misschien is hij toch niet zó heel jong.

Pas als ik thuis ben kijk ik naar de lijst gebelde nummers. De meeste zijn bekend: van en naar huis. Even Deborah bellen. Getver.

Ook een stel andere nummers herken ik: het bureau, Wade, Mason, MacInerny. Een paar zijn er van buiten de stad en er zijn een stel anonieme nummers met netnummers uit de buurt.

Mijn vinger komt tot stilstand bij twee uitgaande gesprekken naar het zelfde nummer, op de avond van Freds dood. Ik pak de telefoon en kies het nummer.

Een akelige vrouwenstem antwoordt. 'Fireside.' Ze is bijna niet te horen boven het achtergrondgeluid uit. Het lijkt wel of ik backstage heb gebeld bij een popconcert. 'Hallo, Fireside,' herhaalt ze. Terwijl ze ophangt, bedenk ik dat we daar de verklikker hebben ontmoet: dat was tegenover een kroeg, en die heette de Fireside Tap. Die kroeg heb ik zojuist gebeld. Ik noteer het nummer.

Ik zie nog een nummer dat een paar maal voorkomt, maar niet op de nacht in kwestie. Ik bel het nummer toch maar en krijg een bandje te horen waarop staat dat de lijn wordt gecontroleerd in verband met problemen. Dat is een beleefde manier om te zeggen dat de rekening niet betaald is. Als dit de verklikker is, betwijfel ik of een te laat betaalde telefoonrekening momenteel een hoge prioriteit heeft.

Als ik zijn naam nou nog maar wist. Wat had Fred ook weer gezegd? Iets als Tweety. Buddy? Verdomme. Ik zie zijn gezicht, ik haal hem er zo uit als ze een rijtje voor mijn neus zetten, maar die naam, daar kom ik niet op. Met geen mogelijkheid.

Ik bel het telefoonbedrijf.

'Hallo, ik wil mijn rekening graag betalen.'

'Wat is het nummer?' vraagt een vrouwenstem.

'773–929–4013.' Ik hoor haar het nummer typen.

'En de rekening staat op naam van…?' vraagt ze. Ze klinkt alsof ze dit vanavond al minstens honderdmaal heeft gedaan en of ze op het punt staat ofwel in slaap te vallen ofwel in een door verveling veroorzaakt coma te geraken. Ik hoop dat ze niet te moeilijk gaat doen.

'Ehm, dat weet ik niet eens zeker,' zeg ik. 'Volgens mij op naam van mijn man, maar misschien is het ook mijn naam, o... ik weet het niet meer. Kan ik niet gewoon mijn creditcardnummer geven?'

Stilte aan de andere kant: volgens mij gaapt ze.

'Hallo?' vraag ik. Ik hoor haar typen.

'Mevrouw Burdsell?' vraagt ze vervolgens.

'Ja.'

Birdie. Dat was het!

'Hij staat op naam van uw man, Edward. Geef me het creditcardnummer maar...'

Jammer dat ik haar moet onderbreken, maar iedere seconde telt. Ik hang op en ga op zoek naar warmere sokken.

Dan spit ik mijn oude .22 van achter de kapstok vandaan en stop hem veilig in mijn laars. Ik zet oorwarmers op en loop op een drafje de sneeuw weer in, op zoek naar Birdie.

15

Van buitenaf ziet de Fireside Tap er zowaar gezellig uit. De ruiten zijn beslagen van de warmte, het uithangbord en de lichten daaromheen zijn overdekt met een donzig laagje sneeuw.

Binnen blijkt meteen dat het gezelligste aspect van de hele kroeg zijn naam is. Geen haard te bekennen. En warmte al helemaal niet. De koude lucht die ik mee naar binnen breng stuit op kille blikken van de vaste klanten. Een vrachtwagenchauffeur zou het hier nog niet naar zijn zin hebben.

'Ik ben op zoek naar ene Burdsell. Is die hier vanavond nog geweest?' vraag ik aan de blonde barvrouw, en ik probeer te klinken alsof ik weet waar ik het over heb. Ze ziet eruit alsof ze me net zo lief een klap voor mijn kanis zou verkopen als een biertje, althans als ze niet zo bang was dat ze dan uit haar laag uitgesneden bloesje zou vallen. Ze lijkt niet blij me te zien; misschien omdat ze weet dat ik uit mijn nek leuter, of misschien omdat ze een hekel heeft aan vrouwen.

'Die ken ik niet,' zegt ze. Ik vang de blik op van een gezette kerel aan de bar, en ik weet dat zíj uit haar nek leutert.

'Misschien is hij er nog niet.' Ik kijk om me heen alsof ik een gezellig plekje zoek. 'Wat heb je van de tap?' Ik grijp een kruk en steek een sigaret op.

'Je bent net te laat voor de laatste ronde,' zegt ze, terwijl ze een grote verscheidenheid aan drank in een glas schenkt voor een cocktail. Het is tien over tien en zo te zien beginnen ze hier net. Een stel mannen in de hoek deelt aan een kan bier tijdens een spelletje darts. Twee serieuze drinkers hebben een recordaantal lege whiskeyglazen op de bar staan en er ligt geld om die weer vol te laten schenken. Een eindje verderop staat een volle kan Millerbier van de tap.

'Weet je zeker dat ik er niet nog snel een kan krijgen? Als ik toch moet wachten?'

Ze wijst naar een bord boven de bovenste plank met drank, waarop staat: WIJ BEHOUDEN ONS HET RECHT VOOR BEPAALDE KLANTEN TE WEIGEREN. Ik neem aan dat ik die bepaalde klant ben.

'Dan wacht ik wel gewoon,' zeg ik minzaam.

Mijn besluit irriteert haar. Ze pakt mijn sigaret uit de asbak waarin ik hem heb neergelegd en drukt hem uit.

'We gaan sluiten,' zegt ze. 'We gaan vanavond vroeger dicht.'

'En die Long Island dan?' informeer ik, want dat lijkt me sterk.

Ze steekt een rietje in het glas en slurpt bijna de hele inhoud in één keer naar binnen.

'Aha,' zeg ik. Ik laat me van de kruk glijden. Het heeft geen zin ruzie te maken met de verkeerde hufters. Ik bijt op mijn lip om een bedankje binnen te houden voor haar hoffelijke en vriendelijke hulp en neem me voor haar de indruk te gunnen dat ik geïntimideerd ben.

Onderweg naar de voordeur zie ik in een beschilderde Heineken-spiegel dat ze me nakijkt.

En ook zie ik iemand zijn hoofd van onder een tafeltje achter in het café steken, en ik vraag me af of dat zijn bier was dat daar op de bar stond.

Ik loop gewoon door, maar weggaan doe ik beslist niet. Volgens mij heb ik zojuist mijn verklikker gevonden.

Als ik buiten ben en een eindje gelopen heb, sla ik de hoek om naar het eerste steegje en steek een sigaret op. Het sneeuwt niet meer, maar het is nog steeds vreselijk koud en ik heb helemaal geen zin in spelletjes spelen. Dat barmens had de pest aan me. Ongelooflijk dat de laatste vrouw die geen pesthekel aan me had, de echtgenote van mijn vriend was.

Ik leun tegen de achtermuur van de bar. Ik sta in de schaduw, dus de verklikker kan me niet zien als hij de achterdeur opent.

'Bedankt,' roept hij achterom.

'Sukkel,' zegt de barvrouw en ze trekt hem nog even terug naar de drempel voor een kus. Ik kan me de akelige details niet voorstellen, laat staan de verzengende achtergrond van deze affaire. Ik heb de sigaret nog niet op en ik heb geen zin in een achtervolging, dus wacht ik tot ze uitgezoend zijn en hij mijn kant op komt.

De barvrouw doet de deur dicht en de verklikker loopt de straat op. Met die vreemde passen van hem loopt hij me pal voorbij; onvoorstelbaar dat hij me niet ziet. Ik kan zó mijn voet uitsteken om hem te laten struikelen. Ik wil wedden dat hij niet bar snugger is.

'Hé, sukkel,' zeg ik en ik grijp hem bij zijn jasje. Hij stribbelt niet erg tegen, dus ik kan hem probleemloos naar de overkant sleuren.'

'Au! Wat moet jij nou?' klaagt hij.

'Heet jij Burdsell?'

'Wat?'

'Je hoort me best,' zeg ik. Ik ram hem tegen een schutting aan om duidelijk te maken dat het menens is.

'Wie wil dat weten?'

'Dat wil de politie weten.'

'Ik ken jou, en ik zeg niks.'

'Zeg jij maar liever wel wat. Je hebt al genoeg gezegd om een agent te laten doodschieten.'

'Niet waar,' zegt hij. Hij heeft zijn verzet gestaakt, dus laat ik hem los.

'Jij hebt Fred Maloney en mij op het spoor gezet van Marko Trovic. Fred is dood. Marko is in geen velden of wegen te bekennen. Wou je me vertellen dat je de complete politiemacht tegen je in het harnas jaagt om een pedofiel te laten oppakken? Hier zit meer achter en dat kun je maar beter ophoesten.'

'Waarom zou ik?'

'Omdat iedereen weet dat jij ons ingeseind hebt, ook Trovic. Dus wat is slimmer: met mij praten, of de zaak opnemen met Trovic, die denkt dat jij hem verraden wilde?'

'Het maakt mij niet uit wat jullie allemaal menen te weten. Mij maak je niet bang,' zegt hij, en hij begint weg te krabbelen om te zien of ik hem laat gaan.

'Voor wie hou je je dan schuil?' vraag ik. 'Denk je dat Marko Trovic zal willen horen wat je te zeggen hebt als hij je vindt?'

'Marko vindt mij niet en ik zegt niks,' antwoordt hij, en hij loopt de steeg in alsof ik hem niets kan maken. Ik trek mijn pistool uit mijn laars en ga achter hem aan. Ik druk de loop van het wapen in zijn nek, hard genoeg om hem van gedachten te doen veranderen. En om hem aan het praten te krijgen. Hij draait zich om. Het pistool is nu op zijn gezicht gericht.

'Marko Trovic komt niet achter me aan. Ik werk voor hem,' meldt hij plotseling ongevraagd. Zo'n wapen werkt altijd.

'Waarom heb je ons dan achter hem aan gestuurd?' vraag ik.

'Dat moest van hem.'

'Dus dit was een valstrik?' Ik laat mijn pistool heel even zakken, terwijl ik dit nieuws verwerk. Ik ben dus niet voorbereid als de blondine de steeg in komt denderen en me tegen de vlakte mept. Voordat ik een verdedigende houding kan aannemen, heeft Birdie het pistool uit mijn hand gegrist. Hij slaat me plat op de grond en richt het wapen op mijn hoofd.

'Bedankt,' zegt hij tegen de barvrouw. Tegen mij zegt hij: 'En jij denkt dat je stoer bent, dat je met de grote jongens mag meedoen. Jij bent alleen maar lastig, en als je niet uitkijkt is Maloney straks niet de enige die dood is.'

Ik kijk in de loop van mijn eigen pistool en het enige wat ik kan zeggen is: 'Ik wil weten wat er met Fred is gebeurd.'

'Dat weet je toch zeker wel,' antwoordt hij.

'Val dood,' zeg ik. Het kan me niet schelen wat hij op me richt. Ik heb zin om overeind te komen en hem helemaal tot gort te slaan, maar hij heft zijn arm en slaat me met de achterkant van het pistool op mijn oog.

Als mijn hoofd het asfalt raakt, wordt alles zwart. Het duurt even voor ik besef hoe vreselijk de pijn is, en dan graai ik naar mijn gezicht en probeer door de pijn heen te ademen. Ik moet mijn uiterste best doen om het niet uit te schreeuwen.

Ik hoor de lach van de barvrouw door de steeg echoën terwijl ik wegrol van de plek waar ik denk dat Birdie staat. Ik raak de schutting en hijs me overeind, klaar om te trappen, blindelings indien nodig, naar wie er maar binnen bereik is.

Met mijn vrije hand scherm ik mijn bovenlijf af en ik open mijn goede oog. Birdie is weg. De barvrouw ook. Mijn pistool ook. Kennelijk is die verklikker niet zo dom als ik dacht.

Ik blijf even in de steeg zitten om op adem te komen. Mijn oog bloedt niet, dus doe ik er wat sneeuw op. Mijn andere oog knijp ik dicht om een traan tegen te houden. Dat had ik nog net nodig, een nieuwe klap op mijn kop. Verdomme, ik ga hier niet zitten janken om mijn eigen stommiteit. Eindeloos op kungfu-les gezeten en dan laat ik me in elkaar tremmen door iemand die Birdie heet.

Zodra ik weer een beetje kan zien, laat ik de schutting los, wankel het steegje uit en loop naar de bar. De voordeur van de Fireside Tap zit op slot. Net als ik echt aan een borrel toe ben.

Onvoorstelbaar dat het een hinderlaag was. Ik wist dat Fred Trovic maar al te graag wilde grijpen; ik wist niet dat dat gevoel wederzijds was. En ik weet niet of Trovic mij na mijn gedrag van de afgelopen uren misschien ook zal willen grijpen.

Ik probeer mijn volgende zet te verzinnen, maar ik heb geen idee wat ik moet. Ik heb een flinke kuil voor mezelf gegraven om deze toestand tot op de bodem te kunnen uitzoeken, en ik begin te vrezen dat er iemand van plan is om die kuil boven mijn hoofd dicht te gooien.

16

Ik kijk in de badkamerspiegel. Wat een aanblik: een enorm blauw oog en een gezicht vol schrammen. Ik zie eruit alsof ik op de grond ben gesmeten en een klap met een pistool heb gekregen.

Net als ik probeer een sportband over het verband op mijn oog heen te plaatsen, verschijnt Mason op de drempel.

'Wat is er met jou gebeurd?' vraagt hij. Ik had hem niet verwacht. Ik weet nog niet of ik hem zal vertellen wat ik gedaan heb en of ik wil weten of hij iets gedaan heeft. Ja, ik weet het: geschift.

'Ik ben gevallen,' zeg ik zo rustig mogelijk.

'Waarop?' wil hij weten.

Ik tover een boze blik op mijn van pijn vertrokken gezicht. 'Heb jij je ronde nog gemaakt?'

'Ja,' zegt hij. 'Maar ik miste jou.' Ik neem aan dat hij mijn stemming niet aanvoelt, want als ik de badkamer uit wil, grijpt hij me bij mijn middel alsof hij heel wat van plan is.

Ik kan er niet tegen. Ik duw hem opzij en loop naar de slaapkamer.

'Wat heb ik nu weer misdaan?' vraagt hij, alsof we al jaren getrouwd zijn.

'Helemaal niets.' Ziezo. Dat is eruit.

'Oké, Sam,' zegt hij, en het klinkt kleinerend. 'Vanwaar die onvriendelijke houding?'

'Je komt hier aanzetten na een shitterig, afstandelijk telefoontje meer dan een etmaal geleden, en dan wil je weten waarom ik onvriendelijk doe? Dacht je dat ik de hele dag braaf thuis ging zitten wachten tot jij andermans zaak oplost, bij je vrouw gaat slapen, tegen mijn baas zegt dat ik niet goed bij mijn hoofd ben, en dat ik dan dankbaar doe als jij even langskomt voor een partijtje seks?'

'Ga je alleen maar zitten zeiken of wil je nog weten wat er allemaal gebeurd is?' vraagt hij.

'Ik zeik omdat ik niet weet wat er gebeurt,' zeg ik. Ik weet dat mijn conclusies voorbarig zijn, omdat ik geen antwoorden heb. Ik zeik omdat ik mijn ene kans met Birdie verknald heb. En ik vrees dat dit te groot voor mij is.

Mason gaat op de rand van het bed zitten en klopt uitnodigend op de plek naast zich. Als ik zit, neemt hij de rol plakband om me te helpen met het verband.

'Heb je MacInerny gesproken?' vraagt hij.

Ik knik, en meteen zit de tape aan mijn wenkbrauw. Voorzichtig maakt Mason hem los en plakt hem op de goede plek vast.

'Hij zei dat ik volgens jou gestoord ben en dat het onderzoek pure tijdverspilling is,' vertel ik hem recht in zijn gezicht.

'Wat moest ik dan zeggen? Dat ik verliefd ben op jou en

dat ik degene die je dit heeft aangedaan met mijn blote handen wil wurgen?'

Ik schokschouder; dat lijkt me nou ook weer geen goede aanpak.

Hij scheurt de tape af en slaat het uiteinde om, klaar met mijn hoofd. 'Wil je weten wat ik MacInerny verteld heb? Ik heb gezegd: "Samantha Mack heeft zojuist de vent verloren die haar mentor was toen ze net aankwam. Ze is behoorlijk overstuur. Als het een ongeluk was, dan zij het zo, maar als we dat niet uitzoeken dan zijn we straks twee goede politiemensen kwijt in plaats van één." En hoe hij dat dan weer naar jou toe vertaalt, daar heb ik geen greep op.'

Het klinkt aannemelijk dat MacInerny Masons woorden een draai gegeven zou hebben, maar dat is het hem nou juist: zoiets zou Mason nooit zeggen. Hij zou nooit zeggen dat ik goed ben. Als hij dat deed, zou MacInerny meteen weten dat hij uit zijn nek lult, want wat MacInerny betreft heeft Mason niets te maken met mij of de hele toestand. Mason zit een van ons te beduvelen.

'Dus wat nu?' vraag ik, in de hoop dat ik hem kan betrappen op iets concreters.

'De zaak wordt gesloten.'

Wel verdomme! Heeft Mason zojuist een schep vol zand in mijn zelf gegraven gat gegooid?

'Luister,' zegt hij, want hij ziet dat ik iets ga zeggen dat niet bepaald fijnbesnaard is. 'Mijn mannetje bij justitie zorgt voor het huiszoekingsbevel. Daar kan Interne Zaken niets tegen ondernemen. Als ik Trovic kan oppakken op een andere beschuldiging, dan ram ik het wit van zijn ogen dwars door z'n reet tot hij smeekt of hij de moord op Fred mag bekennen. Sam, ik heb alle mogelijkheden overwogen. Dit is echt het beste. Geen intern onderzoek, geen druk van hogerhand, geen pers, geen verband tussen jou en mij… en dan ben je vrijgesproken.'

Hij glimlacht naar me en draait de rol plakband om zijn

vinger, trots op zichzelf en zijn plan. En heel even denk ik dat hij misschien geen zand over mijn hoofd staat te scheppen. Misschien is hij aan het meegraven.

Maar dan kijkt hij me aan. En in zijn blik zie ik een flikkering van triomf. Alsof hem iets spannends gelukt is. Alsof hij staat te liegen.

Ik vraag me af of zijn vrouw die blik ooit ziet. Ik vraag me af of ik hem in het verleden over het hoofd gezien heb. Want op de een of andere manier krijgt Mason altijd zijn zin.

'En als je Trovic niet te pakken krijgt?' vraag ik. 'Dan is er geen onderzoek, geen vragen, en geen link tussen jou en mij. Zo te horen word jíj dan vrijgepleit en kan ik net zo goed meteen mijn badge inleveren.' En daar kan ik dan geen fuck aan doen.

'Wat wil je dán dat ik doe?' Met de nonchalante onverschilligheid van iemand die weet dat hij in het voordeel is, mikt hij de tape op het bed.

'Ik wil dat je ophoudt met zeggen wat ik horen wil. Ik wil de waarheid.'

Mason staat op. Hij heeft er genoeg van.

'Moet je horen wie het hier over waarheid heeft,' zegt hij. Hij begint te ijsberen. 'Jíj staat te flirten met groentjes en met homo's in Jaguars. Jíj zuipt je helemaal te pletter. Straks ga je me nog vertellen dat je tegen iemands vuist aan gestruikeld bent. Geen wonder dat je geschorst bent. Niet begrepen. Eenzaam. Moet je nou eens naar jezelf kijken.'

'Je helpt niet echt,' zeg ik, 'als je mij in de gaten houdt in plaats van Trovic.'

Hij blijft staan om me aan te kijken. Even denk ik: als hij ooit een vrouw zou slaan, dan was het hier en nu. Maar hij haalt beheerst adem en begint weer te ijsberen. Misschien omdat dezelfde gedachte bij hem opkwam.

'Ik help niet?' vraagt hij rustig, en met aanzienlijk zachtere stem. 'Ik ben de enige die jouw zaak probeert op te lossen. Jíj saboteert iedere stap die ik zet. Ik krijg geen van die Joego's in Trovic' buurt aan het praten omdat ze zo geïrriteerd zijn over jou. Ik kom helemaal niets te weten over mensen die met hem te maken hebben, want na die uitbarsting van jou bij de hoorzitting is alles ingenomen als bewijsmateriaal. En al dat bewijsmateriaal wijst in jouw richting. Ik heb geen enkel juridisch recht om achter Trovic aan te gaan en jij maakt het er niet makkelijker op door op eigen houtje te gaan rondsluipen.'

Zijn stem is allengs luider geworden, en dus houdt hij op, blijft staan en houdt zijn woede in bedwang. Dan kijkt hij me aan en verschijnt die glimlach weer. Hij kan er niets aan doen, hij moet om zijn eigen woorden lachen alsof de toestand belachelijk is en deze hele uitleg volslagen zinloos was.

'En dan wou jij het over óns hebben?' vraagt hij alsof dat de allergekste vraag van alles is. 'Die hufter van een O'Connor zit in mijn nek te hijgen omdat hij zo'n klein piemeltje heeft dat hij meent iedereen te moeten naaien. Mijn baas vraagt waarom ik zo'n belangstelling heb voor een doodsimpele zaak en ik moet hem duidelijk maken hoe belangrijk het volgens mij is om "onze eigen mensen te verdedigen". Ik heb een verdachte die waarschijnlijk net op zijn tropische vakantiebestemming is aangekomen, en alsof dat nog niet genoeg is zit ik hier met mijn eigen broze halvegare, die meer vragen stelt dan een vijfjarige. Nee, je hebt gelijk: ik help absoluut niet.'

Mason wacht tot ik iets zeg, maar ik bevind me op glad ijs en zeg dus liever niets. Ik heb al een blauw oog.

We houden beiden stand: ik blijf zwijgen en hij blijft staan wachten op mijn verontschuldiging. Hij kijkt me niet aan, en ik weet niet eens wat ik zeggen moet, want ik voel me alsof ik zojuist mijn eigen getuige ben afgevallen. Ik kan hem niet met goed fatsoen vertellen dat een verklikker en een gozer van Interne Zaken me op ideeën hebben gebracht. Ik kan niet zeggen dat ik aan hem twijfel. Maar ik kan hem ook niet zeggen dat ik hem geloof: zijn bewering dat ik een goede politievrouw was, klonk even overtuigend als de bewering dat ik niet goed bij mijn hoofd was.

Na een tijdje wint de stilte en keert hij zich om om weg te gaan. Bij de deur kijkt hij nog even naar me om, en op dat moment zie ik tranen in zijn ogen. Ik heb hem nog nooit zien huilen.

'Mason, niet weggaan.' Ik moet me echt laten nakijken als ik hem nu weg laat gaan. 'Je hebt gelijk,' zeg ik. 'Sorry, ik weet dat ik niet helemaal spoor.'

'Je hebt een enorme dreun voor je kop gehad, liefje,' zegt hij, op de vertrouwde, redelijke toon. 'Ik probeer alleen te redden wat er te redden valt.' Met zijn hand op de deurknop blijft hij staan wachten, en ik probeer iets te verzinnen.

Ik wil zeggen dat iemand anders me op mijn kop gemept heeft, dat Birdie me met mijn eigen pistool een blauw oog geslagen heeft. Dat Fred en ik in een hinderlaag gelopen zijn, en dat Birdie denkt dat ik weet waarom. Ik wil hem vertellen dat ook O'Connor denkt dat iemand anders Fred vermoord heeft, en dat hij mij om hulp heeft gevraagd. En dat ik geen idee heb wat ik doen moet.

Ik wil dat Mason me antwoorden geeft die me de juiste weg wijzen. Details over het onderzoek. Over zijn huwelijk. Alles wat maar helpt om mijn twijfels weg te nemen.

Hij zegt niets. In plaats daarvan reageert hij op een manier die onmogelijk ingestudeerd kan zijn, met een blik die ik alleen kan verklaren door zijn effect: ik voel hem in mijn hart. Het is de simpele waarheid. Hij gelooft in me. Mijn twijfel ligt aan mezelf.

Ik ben net halverwege de kamer door om mijn armen om hem heen te slaan en hem alles te vertellen. Ik weet dat we dit aankunnen. Als ik maar eerlijk ben.

En op dat moment klinkt die elektronische versie van Prince' 'Little Red Corvette' weer vanuit mijn tas en word ik opnieuw betrapt.

'Grappig,' zegt Mason terwijl hij de deur opent. De tranen blijven binnen. 'Ik dacht dat jij een hekel had aan Prince.'

Met een klap slaat hij de deur dicht.

Ik heb geen idee wat ik moet zeggen als ik hem inhaal, maar ik trek haastig mijn jas aan en grijp onderweg naar de deur mijn schoenen. Ik hol de gang door en sta seconden later bij de lift, maar net één seconde te laat. Ik ga met de trap.

Zestien verdiepingen later ren ik door de gang, de hoofdingang uit. Net op tijd om Mason te zien wegrijden in een patrouillewagen.

Ook Omar staat buiten, net bezig iemand in een taxi te helpen. Hij fluit om een tweede taxi te roepen als hij me ziet. Met een begin van een glimlach kijkt hij hoe ik de taxi in spring, en bijna voel ik me beledigd. Tot ik besef dat ik mijn schoenen nog in mijn hand heb. Ik hou ze voor het raam omhoog om toe te geven dat hij gelijk heeft, en we rijden weg.

'Achter die auto aan,' zeg ik tegen de chauffeur.

'Die politieauto?' vraagt hij.

'Ja. Die politieauto.'

17

'Kunnen ze me hiervoor arresteren?' vraagt de taxichauffeur terwijl hij me in de binnenspiegel opneemt.

Ik steek mijn hoofd door de opening in het glazen tussenschot.

'Nee. Schiet op, hij slaat links af,' zeg ik.

'Kutpolitie. Ze houden zichzelf aan geen enkele wet, en dan krijg ik straks een bon,' zegt de chauffeur.

'Dat is mijn vriend.' Ik onderbreek hem om te voorkomen dat hij een tirade tegen de politie aanheft, hoewel ik het momenteel behoorlijk met hem eens ben. Ik leun achterover en trek mijn schoenen aan.

Ik vraag me af waarom Mason in een patrouillewagen rijdt. Normaal gesproken weigert hij een neutrale auto te nemen omdat die volgens hem evenzeer opvallen als een patrouillewagen, en hij wil niet dat iemand de indruk krijgt dat hij zich verstopt (snap dat maar eens). Maar meestal rijdt hij in zijn eigen auto. We rijden over Clark Avenue en ik hoop maar dat Mason niet op weg is naar het bureau, want daar kan ik niet met hem praten.

Dan passeren we Addison Avenue en rijden we over Irving Park verder, en die route ken ik ook. Ik krijg een steeds akeliger en helaas bekender gevoel in mijn maagstreek. De verwarming blaast bedompte lucht in mijn gezicht en het zweet breekt me uit. Ik hoop echt dat we niet naar Freds huis op weg zijn.

Maar dat zijn we wel.

'Kutpolitie,' zeg ik.

De chauffeur knikt, alsof hij me dat al tijden geleden had kunnen vertellen.

'Stop hier maar, en doe je lichten uit,' zeg ik een eind voor Freds huis. De chauffeur voegt uit, zet zijn koplampen uit en drukt op de meter. Ik blijf roerloos zitten. Mason parkeert de patrouillewagen en rent naar Freds voordeur.

'Ga je eruit?' informeert de chauffeur. Het licht op Freds veranda gaat aan. Ik wacht.

Deborah doet open in een badmantel. En niet van het soort dat je van een bedroefde weduwe zou verwachten.

Ze slaat haar armen om Mason heen. Vanaf de achterbank van de taxi valt moeilijk te zien of het een hartstochtelijk soort omhelzing is, maar de chauffeur heeft waarschijnlijk beter zicht, want hij zet de meter op nul.

'Sorry,' zegt hij met een vraagteken erachter. 'Zal ik wachten?'

Deborah voert Mason mee naar binnen en doet de deur dicht. Ik voel me stom, en net als ik de chauffeur wil zeggen dat hij maar gewoon verder moet rijden, trekt Deborah die donkerrode draperieën van haar voor de ramen en overweeg ik om hem te zeggen dat hij dwars over de stoep door die verdomde erker heen naar binnen moet stormen. Ik haal een briefje van twintig uit mijn zak en blijf glimlachen.

'Niks aan de hand,' zeg ik. 'Het is niet wat het lijkt.'

'Bedankt,' zegt hij tegen het geld. Gelukkig stelt hij geen vragen, maar toch heb ik het gevoel dat ik over een evenwichtsbalk van de taxi naar Freds voordeur moet lopen. Als ik uitstap en langzaam over de stoep loop, neemt de chauffeur uitgebreid de tijd om mijn briefje van twintig te bestuderen. Ik weet dat hij wil zien hoe het verdergaat.

Publiek op straat is gênant. Ik kan niet zomaar gaan staan aankloppen. Ik kan waarschijnlijk nog het best doen alsof ik weet waar ik mee bezig ben, dus loop ik het paadje achterom in, want ik heb geen idee.

De grill in het achtertuintje van postzegelformaat herinnert me even aan een barbecue op een zomeravond; zo'n toestand waar ik nooit heen gegaan was als ik beter had geweten. We hadden het allemaal enorm naar ons zin tot Deborah het op haar heupen kreeg. Fred zei dat het kwam door zijn manier van steaks braden, maar ik kreeg het gevoel dat het eerder kwam doordat zíj niet in het middelpunt van de belangstelling stond. We zaten allemaal stoere verhalen over het werk te vertellen en ik merkte dat ze jaloers aan het worden was. Ik zei tegen Fred dat iemand die jaloers wordt op mensen die patrouille lopen, toch echt een probleem heeft. Hij hield vast aan zijn verhaal over steaks.

Later merkte ik dat Deb boos was geworden omdat Fred een oude Walther had laten zien die hij op een tentoonstelling had gekocht. Niet dat ze het erg vond om wapens in huis te hebben; ze was boos dat hij zo'n bedrag had uitgegeven. Ze zat altijd te zeveren over geld.

Die geldkwestie was niet het enige wat wrijving opleverde in hun relatie. Een kind kon zien dat ze elkaars tegenpolen waren. Zij is wuft, denkt alleen maar aan waar je de beste pedicurebehandeling krijgt en wat voor kaas je moet serveren. Fred was een echte vent. Hij was al met zichzelf tevreden als hij het gras had gemaaid. Hij vond kaasknabbels zeer geschikt als borrelhap.

Maar Fred kwam altijd zijn beloftes na en hij had Deb beloofd dat hij alles zou doen wat nodig was om het huwelijk te laten slagen. Hij verkocht de Walther aan een collega in een andere wijk. Hij ging over op nachtdiensten. En hij ging niet meer met mij om. Hij zal wel verliefd geweest zijn. Ik hoorde niet bij wat het ook was.

De lampionnetjes die Deb op de achterveranda had gehangen zijn weg, en de barbecue ziet er niet uit of hij sinds die avond ooit schoongemaakt is. Er is niet genoeg maanlicht om op de laatste restjes sneeuw te weerkaatsen, dus het is stikdonker in de tuin. Als ik hiervandaan via de glazen schuifpui het huis in kijk, is het net of ik naar een enorm televisiescherm zit te kijken. Wat ik daar zie is net een soap; ik wilde dat ik hem uit kon zetten.

Deb en Mason zitten op de bank. Met haar mooie handjes graait ze naar hem. Hij maakt haar aan het lachen, door haar tranen heen. Ze opent haar badmantel. Mason slaat hem weer dicht. Troost haar. Ze kust hem. Hij houdt haar tegen.

Ik zit me net af te vragen of ik de verandatreden op zal rennen en op het raam zal bonzen, als er in de steeg achter de garage iets ritselt. Intuïtief tast ik naar een van mijn wapens en besef dan dat ik die geen van beide bij me heb, wat waarschijnlijk maar beter is ook, aangezien ik hier een insluiper ben en met liefde een van de twee aanwezigen in het huis zou vermoorden. Als er vanuit de steeg licht flitst, kijk ik wanhopig om me heen, op zoek naar een schuilplaats.

Ik hurk achter een paar struiken langs de schutting die naar de steeg loopt en ik kan zweren dat ik voetstappen hoor, dus blijf ik een hele tijd zitten luisteren. Als het een tijdje rustig blijft, kom ik overeind. En dan, wanneer ik tussen de garage en de schutting door sluip, hoor ik een motor. Ik kijk om de hoek heen de steeg in en zie een gele Chevroletpick-up net wegrijden.

Ik wacht tot ik op adem ben en houd mezelf voor dat het niets was. Waar moeten mensen dan parkeren, die steeg is toch zeker de enige mogelijkheid? Mijn beenspieren voelen strak aan – zo snel ben ik niet meer weggedoken sinds de nacht dat Fred overleed, en ik voel me misselijk van de adrenaline-stoot. Langzaam loop ik langs de schutting de tuin weer in.

Natuurlijk zitten de gordijnen voor de schuifpui dicht als ik daar weer aankom, zodat ik blijf zitten met een half verhaal. Als gebruikelijk.

Ik loop weer naar de voorkant van het huis, maar ik zie geen ramen meer waardoor ik naar binnen kan kijken. Dus dwing ik mezelf om rustig te blijven zitten tot Mason naar buiten komt. Ik heb geen zin mezelf gek te maken met gedachten over wat daarbinnen misschien wel of misschien niet aan het gebeuren is.

Ik heb geen horloge. Volgens mij heb ik hier zo'n beetje een uur gezeten. Aangezien mijn hersenen op volle toeren draai-en, moet ik daar iets aftrekken, maar in ieder geval heeft het wel zo lang geduurd dat mijn tenen en vingers bevroren drei-gen te raken. Ik herinner me een winter dat Fred en ik iemand hadden opgepakt die dronken en wel bij iemand in de tuin lag. Zijn kleren waren nat van de urine en hij zat letterlijk aan het gras vast. Het was een dakloze, hij was te vies om aan te pakken en stonk een uur in de wind, en hij was zo dronken dat hij niet eens doorhad dat hij aan het doodvriezen was. Honderden van die lieden hadden we gezien, maar om de een of andere reden wilde ik deze gozer helpen. Fred wist dat. Ik wist dat we nog maar tien minuten hoefden, dan was een lan-ge dienst ten einde, en Fred wilde naar huis. De volgende ploeg moest zich maar over die dronkenlap ontfermen. 'Maar het is zo koud, Fred,' zei ik. Ten antwoord keek Fred op zijn horloge. Ik trok mijn handschoenen uit en deed ze aan de han-den van de dakloze. Fred reageerde met een vermoeide zucht. Toen gaf hij mij zijn handschoenen, hees de dronkenman uit het gras en arresteerde hem. Hij handelde de hele zaak af, tot en met het proces-verbaal, met een aanklacht die voldoende was om hem voor die nacht op te sluiten. Zonder zich te beklagen, zonder er ook maar een woord aan vuil te maken, bleef Fred twee uur langer op het bureau. Die nacht hielp hij een onbekende, omdat hij mij altijd te hulp schoot.

Kwam hij me nu maar helpen.

Ik zit onzichtbaar naast de treden naar de voordeur, als eindelijk het licht op de veranda aangaat. Ik vraag me af wat ik doen moet. Wat zouden Deb en Mason zeggen als ze mij zagen staan zodra ze de deur opendoen? Misschien sta ik wel op en plaats een beschuldigende opmerking. Of misschien spring ik overeind en jaag ze de stuipen op het lijf met een eenvoudig: 'Aha!' Of misschien doe ik niets en vraag Mason gewoon om een lift.

Als de voordeur opengaat, doe ik helemaal niets. Om de een of andere reden ben ik plotseling als de dood, alsof ik degene ben die hier op heterdaad betrapt wordt. Ik zit als verstijfd en ik kan alleen maar luisteren.

'Mason?' vraagt Deborah.

Ik houd mijn adem in als Mason blijft staan. Ik zie zijn voeten; ik heb geen idee of hij de mijne ook ziet.

'Ja, Debbie?'

Er begint een zacht geluid achter in haar keel, dat zich ontwikkelt tot een... een gekreun? Huilt ze? Lacht ze? Masons voeten verdwijnen weer uit beeld en ik verdraai mijn nek om te kunnen zien wat ze doen. Ze staan elkaar te omhelzen, maar ik kan niet zien wat voor soort omhelzing het is.

Ik zit daar nog, als een idioot, als Mason haar loslaat en de treden afrent. Hij ziet me niet. Als de voordeur dichtgaat en het licht uitgeknipt wordt, zie ik Mason in de patrouillewagen stappen.

Ik kan onmogelijk doorgronden wat daar nou precies gebeurd is, maar volgens mij had het weinig met politiewerk te maken.

Ik vraag me af of ik naar de auto zal rennen en op de ruit tikken voordat Mason ervandoor gaat, maar ik weet dat hij een volkomen redelijke verklaring zal hebben als ik hem er nu naar vraag. En als hij het idee krijgt dat ik hem gevolgd ben, dan zal hij pas echt denken dat ik doorgedraaid ben.

Ik zal moeten wachten en er bij ons volgende gesprek over beginnen. Vragen hoe het met Deborah is. Beleefd doen, informeren: redt ze het een beetje? Als hij dan zegt dat hij daar geen idee van heeft, dan weet ik dat hij liegt.

Als ik niets zeg, als ik gewoon wacht tot het overwaait, dan wordt Mason misschien meegezogen in Debs kielzog vol vrouwelijke listen, net als Fred. Ik begin te huiveren. En volgens mij niet van de kou.

Wat had Mason hier te zoeken? Moest hij Deb troosten? Ze moet zich wel heel eenzaam voelen als ze achter mijn vriendje aan gaat.

Ik denk terug aan de vorige keer dat ik hier was, na Freds begrafenis. Zoals Mason Susan en mij manipuleerde, en zoals hij achter Deb aan liep. Ik denk aan die blik in zijn ogen, eerder vanavond, die blik alsof hij iets wist wat ik niet wist.

Heb ik me willens en wetens in de luren laten leggen? Ken ik Mason eigenlijk wel?

Het enige wat ik momenteel weet is dat ik die taxichauffeur mijn laatste geld heb gegeven. Ik heb een lange wandeling voor de boeg.

18

Zonder te betalen sluip ik bij Irving Park de metro in en bespaar mezelf daarmee de eindeloze wandeltocht. Het heeft zo zijn voordelen om het systeem te kennen. En wie zal mij nu arresteren?

Mijn maag keert bijna om als we Addison Avenue voorbijrijden. Al zijn de lichten uit, ik zie het Wrigley-gebouw. Vlak

daarachter ligt het bureau. Zou Mason daar zitten, vraag ik
me af.

De metro hobbelt over het spoor en schommelt van links
naar rechts. Drie studentes stappen uit bij Fullerton Avenue,
giechelend en aangeschoten. Hun gesprekken gaan over waar
je burrito's kunt eten en of ze nog naar een college van half-
negen zullen gaan. Een zwarte man met een oude jas aan kijkt
ze na en vraagt zich waarschijnlijk af hoe ze kans hebben gezien niet beroofd te worden. Hij graaft in een plastic zak, haalt
een sinaasappel tevoorschijn en begint die schoon te maken.
De schillen doet hij terug in de zak. De geur van citrus doet
me denken aan Longboat Key. Hoe zou het daar zijn? Ik vraag
me af of ik daar ooit achter zal komen.

De metro duikt de grond onder, intussen snel en zeker op
zijn rails. Ik stap uit op de hoek van Clark Avenue en Division.

In Division Street passeer ik een tiental kroegen. De helft
daarvan zit er al jaren; dat zijn van die tradities voor manne-
lijke forensen. De andere helft, de nieuwere, lijkt binnen enkele maanden op te komen en weer te verdwijnen. Die zijn
gericht op een jonger, rijker jetsetpubliek dat kennelijk snel
ergens genoeg van krijgt. Had ik maar wat geld op zak. Ik heb
behoefte aan een borrel.

Ik kom bij mijn flat aan en er is een andere conciërge aan-
getreden: een jonge, blanke man met iets olijfkleurigs in zijn
huid. Het zal wel een Griek zijn, besluit ik. Ik heb hem al eerder gezien, maar ik heb me nog niet aan hem voorgesteld. En
daar heb ik nu ook geen zin in. Hij laat me binnen en knikt
me toe. Ik knik een bedankje.

Bij mij thuis is het licht nog aan, en even hoop ik dat Mason
er is, hoewel ik weet dat dat niet kan. Ik bedenk dat ik naar
de slijterij om de hoek ga, want waarschijnlijk doe ik zonder
stevige neut geen oog dicht.

Ik pak mijn tas, en op dat moment piept mijn antwoord-
apparaat eenmaal, als teken dat er één bericht is. Moet ik dat

nu afluisteren? Of zal ik eerst een fles drank halen en mezelf moed indrinken voordat ik luister wat Mason te zeggen heeft?

Ik druk op PLAY.

'Sam, ik ben het. Ben je thuis? Neem even op.' Een stilte. Zit hij een verhaal te verzinnen? 'Ehm, het spijt me dat ik weggegaan ben. De hele toestand begint uit de hand te lopen. We moeten elkaar vertrouwen.'

Nou, daar is nog wel iets meer voor nodig.

'Na mijn vertrek,' zegt hij, 'ben ik naar Fred gegaan. Er is daar continu iemand aanwezig en vanavond had Flagherty zullen gaan, maar die zit met een ziek kind. Dus ben ik erheen gegaan. Ik dacht dat ik dan misschien meteen wat meer te weten kon komen. Deb is er slecht aan toe. Kennelijk was er een of andere vent van de verzekering geweest en die had een stel vragen gesteld alsof ze de bank beroofd had. Ik probeerde haar te troosten maar wat denk je, ze begint me te zoenen. Zo wanhopig was ze. Echt triest. En plotseling bedacht ik, stel dat jij het met iemand anders deed. Daar zou ik niet tegen kunnen. Ben je daar, Sam? Hoor je me?'

Ik hoor hem. Ik hang aan zijn lippen.

'Hopelijk weet je dat we dit samen aankunnen. Geef me de tijd. En schenk me je vertrouwen.'

Niets liever.

'Vanavond ga ik naar huis,' vervolgt hij. 'Daar loopt ook niet alles op rolletjes. Dat snap je hopelijk. Ik wou dat ik bij jou kon zijn.'

Ik ook.

'Ik bel je.' Hij hangt op. En waarom ook niet? Ik heb alles gehoord wat ik weten moest.

Ik zit weer te trillen. Ik ben tot op het merg verkleumd sinds ik bij Fred in de tuin heb zitten wachten. Ik vraag me af of Mason de waarheid spreekt.

En daar zit ik dus weer, in mijn eentje. Ik heb een affaire met een getrouwde man. Wanneer ga ík me nu eens bedrogen voelen?

Ik ga niet op pad om drank te kopen en me een stuk in de kraag te hijsen en in zelfmedelijden te zwelgen. Nee, ik trek mijn pyjama aan, kruip in bed, trek het dekbed over mijn hoofd en huil mezelf in slaap.

19

Ik word wakker als de telefoon tweemaal overgaat. Dat is de conciërge. Ik kijk op de klok: kort na acht uur. Ik hoop dat er geen bezoek is.

'Hallo,' zeg ik in de telefoon.

'Goedemorgen, mevrouw Mack. Er is zojuist iets voor u afgeleverd,' zegt de Griekse jongeling.

'Kun je het boven brengen?'

'Ik kom eraan.'

Met verbazing kijk ik in de halspiegel. Mijn ogen zijn nu allebei zo opgezwollen, na die huilbui van gisteravond, dat ik eruitzie als een gehavende geisha. Ik maak een kompres van een bak ijsklontjes in een plastic zakje en druk dat tegen een oog tot er aan de deur geklopt wordt.

De Griekse jongen overhandigt me een vaas, met papier eromheen om de onzichtbare inhoud te beschermen.

'Bedankt,' zeg ik en ik geef hem een paar dollar. Na een onbehaaglijke stilte knikt hij naar me, en hij vertrekt. Als ik de bloemen op het aanrecht zet, besef ik dat ik geen beha aanheb onder mijn roomwitte pyjamahemd, en volgens mij heeft de knaap meer gezien dan ik gepland had.

Ik scheur het papier van een dozijn langstelige rozen af. Geen kaartje. Daaraan herken ik dat ze van Mason zijn; rozen zijn zijn manier om sorry te zeggen. Ze zijn schitterend, de stelen zo lang en de bloembladen zo rood dat ze bijna nep lijken. Maar die parallel wil ik niet trekken.

Ik voer de bloemen hun zakje voedsel en haal voor mezelf

145

een stuk koude pizza uit de koelkast. Na drie happen gaat de telefoon weer, ditmaal een buitenlijn.

Even vraag ik me af of ik me zal verstoppen, dit stuk pizza en de rest van de doos opeten, mijn zelfmedelijden koesteren en wachten tot er redding komt. Maar ik neem toch maar op.

'Smack, met Wade. Hoe gaat het?'

'Ik heb wel eens betere katers gehad.'

'Zin in ontbijt?'

'Niet echt.' Ik leg het half opgegeten stuk pizza terug in de doos.

'Ik zit bij Granville,' zegt hij, 'voor het geval je je bedenkt.'

'Lijkt me niet,' zeg ik.

'Kom op, Sam. Hijs je overeind en kom praten met een vriend. We moeten hier samen doorheen.'

'Goed dan,' zeg ik. 'Geef me een halfuur.'

Ik hang op en trek een spijkerbroek aan. Een donkergrijze coltrui vestigt waarschijnlijk de minste aandacht op de blauwe plekken in mijn gezicht, maar valt moeilijk over mijn beurs geslagen hoofd te trekken. De ijspakking heeft niet veel uitgehaald voor mijn gezwollen ogen en op mijn voorhoofd zit een buil ter grootte van een perzikpit waar Birdie me heeft geraakt. Ik zal een zonnebril op moeten. Ik grijp een pak sigaretten en mijn nep-Ray-Ban en trek de deur achter me dicht. Perfect.

In de kroeg zit Wade aan zijn gebruikelijke tafeltje melk in zijn koffie te gieten. De tafeltjes staan dicht bij elkaar en het is er bomvol. Ik houd mijn zonnebril op en navigeer om de bezoekers heen. Het stinkt er naar vet; de geur doet me aan Wade denken. Hij komt hier zo vaak dat hij die lucht niet meer uit zijn kleren krijgt. Er is maar één dienster, dezelfde als altijd, en die doet het rustig aan. De vaste klanten zitten daar niet mee. In heel Rogers Park vind je geen beter ontbijt, zeggen ze. Een ei is een ei, lijkt mij, en mij gaat het hier te traag.

Wade kijkt me aan alsof hij weet wat er onder die zonnebril zit. Hij schuift zijn bord opzij als ik ga zitten en ik zet de bril af zodat hij me in volle glorie kan aanschouwen.

'Ik ben je vader niet, Sam,' zegt hij als ik ga zitten.

'Weet ik.' En ik weet ook dat er nu een preek volgt alsof hij dat wél is.

'Daarom vraag ik niets.'

'Oké, dan zeg ik ook niets.'

'Ik vraag niets,' herhaalt hij, 'maar het lijkt me beter voor je om op te houden met die nonsens.'

'Doe ik.'

Hij is niet overtuigd.

'Doe ik,' zeg ik nogmaals, nu met wat meer kracht.

'Wanneer dan? Als je in je graf ligt?' Wade roert in zijn koffie alsof hij er zojuist buskruit in gegooid heeft, alsof er iets zal ontploffen als hij niet uitkijkt. Volgens mij ontploft hij zelf als hij niet uitkijkt.

'Je ziet er niet meer zo beroerd uit,' zeg ik, in een poging een scène te omzeilen.

'En jij ziet eruit alsof ze je olie ververst hebben zonder auto,' zegt hij tegen de complete kroeg. Niet dat er iemand op ons let, maar het liefst zou ik mijn zonnebril weer opzetten.

'Ik snap het niet, Sam. Je hebt het liefste koppie van het hele bureau, je ziet overal dwars doorheen en je zou zó aan de top staan, als je het maar gewoon liet gebeuren. Maar nee, jij laat je leiden door je gevoelens. En nu ben je op zoek naar die Marko Trovic. Waarom? Omwille van de rechtvaardigheid?' Wade haalt de lepel uit zijn mok en wijst er dreigend mee naar mij. 'Jij wilt geen rechtvaardigheid. Jij wilt een pistool tegen die rotkop van hem zetten.'

Wade legt de lepel weg en trekt zijn mouw omhoog om me het litteken te laten zien van een kogelwond op zijn schouder. Dat heb ik al honderd keer gezien. Het lijkt me echter beter om het verhaal nogmaals aan te horen en de wond opnieuw te inspecteren.

'Ik ken dat gevoel, Smack. Soms ben ik nog steeds op zoek naar de vent die mij heeft neergeschoten. Maar weet je wat het is? Al zetten ze vijftien man op jouw zaak, die houden het niet lang vol. Er gaat te veel tijd overheen, soms is een week al te lang. Een onderzoek loopt gauw dood. En de jongens moeten nieuwe misdrijven oplossen. Jij bent niet zo belangrijk, zeker niet zolang je nog leeft. Er worden hier dagelijks vier, vijf moorden gepleegd en die moeten allemaal verklaard worden. Dacht jij dat je iets bijzonders was? Je leeft. Met jou hoeven ze geen medelijden te hebben.'

'Ik hoef helemaal geen medelijden, van wie dan ook.'

Wade schudt zijn hoofd, alsof hij me alleen gelooft omdat hij hetzelfde heeft doorgemaakt.

'Zes jaar geleden, en nog steeds denk ik soms dat ik hem zie lopen. En jou zal het niet anders vergaan. Stel dat ze hem oppakken? Dan mag je van geluk spreken als hij geen maas vindt in het politiek correcte, lelieblanke net van de huidige wet. "Agent die-en-die deed niet lief tegen me. Ik voelde me beledigd." En hup, daar gaat weer een pedofiel de straat op omdat iemand hem een verkeerde vraag heeft gesteld, of nog beter, omdat een of andere agent hem eindelijk geeft wat hem toekomt. Eén klap voor zijn bek en hij loopt weer vrij rond, op zoek naar tieners die hem willen pijpen.'

'Maar zo gaat het niet altijd, Wade.' Sinds hij die kogel in zijn arm kreeg is hij ontzettend verbitterd over de gang van zaken, althans de juridische gang van zaken.

'Ja, soms wordt er recht gedaan. En wat dan nog? Stel dat alles volgens plan gaat, en dat ze je mannetje pakken en kans zien hem achter de tralies te krijgen. Dan ben je iedere dag dat hij vastzit, als de dood voor de dag van zijn vrijlating.'

Wade gebaart naar de dienster. Hij is misschien wel de enige aanwezige die bij de eerste poging succes heeft.

'Geloof me,' zegt hij. 'Iedereen vindt het erg, maar het maakt niemand wat uit. Je moet met jezelf in het reine komen.'

De dienster komt eraan en neemt Wades bord mee, hoewel hij niet veel gegeten heeft. 'Zat er genoeg kaas op, Bill?'

'Jazeker. Bedankt,' zegt Wade, en ik vraag me af wie hem verder nog Bill noemt.

'Wou jij iets bestellen?' vraagt ze mij.

'Om te beginnen alleen koffie.'

'Met melk?'

'Nee, doe maar zwart.'

'Kleurt leuk bij haar stemming,' zegt Wade. 'Bill' heeft een geweldig gevoel voor humor.

De dienster knipoogt naar hem, en ik neem aan dat ze elke ochtend op die manier met elkaar omgaan. Ze loopt weg; haar forse onderlijf dwingt haar heupen bij iedere stap van links naar rechts. Ze is oud genoeg om kleinkinderen te hebben; de favoriete schoot van een kind ergens in de stad.

'Sorry, je zei…?' vraagt Wade.

'Nee, jíj zei,' corrigeer ik hem.

Hij leunt naar me over en zijn adem ruikt alsof hij in ieder geval wel zijn complete worst heeft opgegeten. 'Jij bent goed in je werk, Sam. Dat wist ik meteen al. Het zit je in het bloed. Weet je nog van je eerste week? Dat je niet eens naar de voorgeleiding van je broer ging omdat je mij wilde helpen met een brandstichter op een metroperron.'

'Die vent stak ménsen in brand. Je had hulp nodig.'

'Je broer ook.'

'Die kon ik niet helpen.' Mijn broer was gearresteerd wegens winkeldiefstal in een winkelcentrum in Dundee. 'Ik wist dat hij schuldig was.' Wat ik niet wist, was dat hij nooit meer tegen me zou praten.'

'Geef toe: het Werk had voorrang.'

'Ik was nog maar een groentje,' zeg ik. 'Ik wist nog niet wat belangrijk was.'

'Jawel, dat wist je best.'

Wade zit te wachten tot ik tegenspreek. Hij kijkt me aan alsof hij de wijsheid in pacht heeft.

'Waar wil je naartoe?' vraag ik.

'Dit zul je niet graag horen.'

'Zeg toch maar.'

'Je zult niet luisteren.'

'Probeer het gewoon.'

Hij wacht terwijl de dienster mijn koffie brengt en zijn mok bijschenkt. Hij neemt een slok, voorzichtig om zijn tong niet te branden, en wacht zo lang mogelijk met zijn antwoord, alsof hij me deelgenoot maakt van een diepe, wijsgerige waarheid. Uiteindelijk zegt hij: 'Laat het los.'

'Ik ga Fred niet zomaar laten doodschieten. Ik ben het hem verschuldigd achter de waarheid te komen.'

'Fred is dood, schat. Het is niet anders. Wanneer ga je nou eens ophouden met dat politiegedoe en zijn dood aanvaarden? Je verbergt je achter je badge en daar krijg je spijt van. Net als met je broer. Soms moet je de dingen loslaten, Sam. Geloof me, iemand anders beschuldigen brengt geen vrede. Als je vergiffenis wilt, dan moet je het doen met wat je overhebt.'

Wat is er dan over, vraag ik me af. Er valt niet veel te antwoorden.

'Kom op, Sam, je bent nog jong. Je hebt nog een kans. Je kunt veranderen. Maak iets van je leven. Maak dat je wegkomt uit deze rotbaan. Ga het onderwijs in, of de hulpverlening...'

'En net zei je nog dat ik goed in mijn werk was.'

'Een week geleden zat je nog niet midden in deze ellende.'

'Ik neem geen ontslag.'

Wade haalt een sigaret uit zijn borstzakje en houdt die tussen zijn tanden.

'Je tegenspelers zijn veel te sterk, Sam. MacInerny, Jackowski, Interne Zaken...' Zijn stem sterft weg alsof ik het met hem eens moet zijn.

'Ja, nou en?' vraag ik.

'Het is een verloren strijd. Interne Zaken wil maar één ding, en dat is de zaak netjes opbergen zodat ze zelf hun handen niet vuilmaken. Zij lossen geen zaken op, zij maken advertentiecampagnes. Ik neem aan dat dat eigen vuur waar ze het op het nieuws steeds maar over hadden, uit hun koker komt.'

'Maar er is een politieman vermoord,' zeg ik, in de hoop dat hij zich niet beledigd zal voelen.

'Nee, er is een politieman gestorven. Door een schot uit het wapen van een andere politiewerknemer. Jammer, maar daar valt verder niets aan te onderzoeken.'

'Zo simpel liggen de zaken niet,' zeg ik. Ik leun voorover en kijk hem strak aan zodat hij zich tenminste beroerd zal voelen bij die leugens van hem, en ik vraag: 'Wist jij dat Trovic met ons meedeed?'

Wade produceert iets wat op een grijns lijkt en ik merk dat hij verbaasd is over mijn naïviteit, niet over dit stukje informatie. 'Nou en,' zegt hij. 'Wil je wereldkundig maken dat Fred zich ophield met een crimineel? Wil je dat hij zo in de herinnering voortleeft?'

Trovic speelde onder een hoedje met Fréd? Wade ziet mijn blik van verbijstering, hoewel ik probeer te veinzen alsof ik dat allang wist.

'Geloof me, Sam, dat gespeur van jou maakt het alleen maar erger. Je kunt je naam niet schoonwassen door stront op te rakelen. Wil je dat het met jou net zo afloopt als met mij?' Wades blik wordt zacht en gepijnigd. 'Laat het los, Smack.'

Ja, hoor.

'Maar stel dat ik dat doe,' zeg ik. 'Dan blijven die lui van Interne Zaken met vragen komen. Alex O'Connor zal me echt niet met rust laten.'

'Paul Flanigan ook niet, voor zover ik kan bekijken,' zegt hij, overstappend op een volslagen ander onderwerp. Ofwel hij heeft te veel koffie op, ofwel hij vindt het geweldig dat ik zou uitgaan met een groentje, want nu zit hij die lepel door de lucht te zwaaien als een toverstokje.

'Hou daar maar over op,' zeg ik.

'Als ik jouw vader was, zou ik je graag zien thuiskomen met zo'n knaap. Een prima jongen.'

'Jóngen, ja, dat is het nu juist,' laat ik hem weten. Langzaam steek ik een sigaret op. Volgens mij heeft Wade zo zijn vermoedens over Mason en mij. Volgens mij mag hij Mason niet, en waarschijnlijk heeft hij daarin gelijk. Maar na die toestand van gisteravond met Deborah wil ik het er niet over hebben. Ik neem aan dat Paul in het gesprek opduikt in een poging om meer te weten te komen over mijn liefdesleven zonder dat hij Masons naam hoeft te noemen. Alsof zijn plagerijtjes me de aandrang zullen geven om te bekennen dat Mason en ik iets hebben. Alsof hij dat niet allang weet. Grappig, zoals we hier met een grijns op ons smoel zitten en doen alsof we Mason geen van beiden kennen.

'Als jij mijn vader was,' zeg ik uiteindelijk, 'dan zou je me zeggen dat ik agenten moet mijden.'

'Daar zou je beslist niet naar luisteren.'

Wade trekt zijn jas aan en tast rond in de zakken. Hij wist dat hij me geen geheimen kon ontfutselen, en op de een of andere manier wist ik dat hij geen antwoorden zou hebben.

'Ik heb wel eens gehoord,' zegt hij, 'dat je op twee manieren kunt leven: op zoek naar geluk, of op zoek naar verlichting van de pijn. Die eerste oplossing lijkt me heel wat aantrekkelijker dan de tweede.'

Hij pakt een flesje pillen en spoelt er een weg met zijn laatste slok koffie. Is die pil voor geluk of voor verlichting van de pijn, vraag ik me af.

'En daarom sla jij af en toe een dagje werk over?' informeer ik.

'Die leeftijd van mij haal je niet als je niet zo nu en dan een dagje overslaat,' zegt hij. 'Maar vandaag is niet zo'n dag. Ik moet ervandoor.' Hij legt een briefje van tien op tafel en vertrekt.

'Ik betaal,' bied ik aan, 'als jij die shit van gisteren op het bureau vergeet.'

'Ga je MacInerny dan ook op een lunch trakteren?' Zonder er verder maar een moment bij stil te staan raapt hij zijn geld weer op. Hij wrijft het briefje even tussen zijn vingers. 'Sommige mensen doen alles voor geld,' zegt hij. 'Een heleboel mensen, zelfs.' Hij bergt het geld weg en rolt even met zijn zere schouder. Meestal geeft hij me een kus op mijn hoofd, maar ditmaal raakt hij even mijn gezwollen gezicht aan. 'Je vecht tegen jezelf,' zegt hij. 'Hoe kun je op die manier nou ooit winnen?' Hij staat op en knipoogt naar de dienster voordat hij de tent uit loopt. 'Let goed op jezelf.'

Geweldig advies van iemand die zelden of nooit op zichzelf let. Misschien had hij het tegen de dienster.

Als zij mijn kop komt bijschenken, bestel ik ontbijt. Terwijl ik zit te wachten denk ik na over wat Wade zei. Is het echt mogelijk dat Fred onder één hoedje speelde met Trovic? Had Birdie daarom aangenomen dat ik wist waarom Fred was vermoord? Als Trovic nou maar eens opdook, want dat is de enige die de antwoorden kent.

Wade lijkt niet te denken dat ik me door die antwoorden beter zal gaan voelen. Wat zou ik doen als ze Trovic vonden? Ik zou blij zijn met de wetenschap dat hij ergens achter slot en grendel zit, maar ik zou niets kunnen ondernemen. Ik zou moeten aanzien hoe hij door de juridische molen werd gehaald, mijn eigen handen al even gebonden als de zijne. Ik zou bidden dat hij krijgt wat hem toekomt. Maar of hij nu veroordeeld wordt of niet, zal het een troost zijn om iemand anders de schuld van Freds dood te kunnen geven?

Misschien heeft Wade gelijk. Ik ben op Trovic gefixeerd zodat ik niet aan Fred hoef te denken. Mijn partner is dood. Heb ik al om hem gehuild, of alleen om mezelf?

Ik weet dat het tijd is om mijn gevoelens voor Fred te bekennen. Ik weet ook dat ik iets moet doen met mijn twijfel aan Mason. Als mijn omelet op tafel staat, wurg ik hem naar binnen. Intussen bedenk ik dat ik met Deborah moet gaan praten.

20

Ik parkeer voor Freds huis en blijf in de auto mijn saf zitten oproken. Een stel kleine kinderen holt van de schoolbus naar het huis van de buren. De zon schijnt, maar het is weer ijskoud geworden en alles wat gesmolten was is bevroren. Er ligt geen sneeuw op straat, er is geen plek om te spelen.

Behoedzaam loop ik op Freds stoepje af, want de weg is nog glad van het ijs. Tot mijn verbazing heeft kennelijk nog niemand de inval gehad om zout te strooien voor Deb.

Ik klop aan in de hoop dat ze niet thuis is. Dan kan ik mezelf voorhouden dat ik het tenminste geprobeerd heb, naar huis gaan en een plan verzinnen waarbij ik niet hoef om te gaan met een vrouw die ik niet kan luchten of zien en die wel eens achter mijn vriend aan zou kunnen zitten. Hoezeer ik ook probeer mezelf aan te praten dat ik me na een gesprekje over Fred beter zal voelen, volgens mij ben ik hier alleen om mijn achterdocht aan te wakkeren dat Deb het helemaal niet zo erg vindt dat Fred er niet meer is.

Net als ik terug wil naar de auto, doet ze open. Als gebruikelijk ziet ze eruit alsof ze zo uit een modeblad gestapt is. Vandaag is ze te sterk opgemaakt. Ik vraag me af wat ze wil verbergen. Zwijgend staat ze in de deuropening te wachten tot ik iets zeg.

'Zo te zien red jij je beter dan ik,' zeg ik.

'Ik doe gewoon beter alsof,' antwoordt ze, en ze loopt weer naar binnen. De deur laat ze openstaan, dus ik neem aan dat ik veilig achter haar aan kan.

We lopen de zitkamer in en ze gaat zitten op de bank in de erker. Ik ga op een eettafelstoel zitten, die er nog staat van Freds begrafenis.

'Je ziet er goed uit,' zeg ik, hoewel dit de eerste keer is dat ik zie hoe oud ze is.

Ze zegt niets. Ze kijkt uit het raam alsof ze in een verpleeghuis zit.

'Ik, ehm, wilde mijn excuses aanbieden…' begin ik, maar ik weet niet hoe ik verder moet.

'Wat?' vraagt ze, haar aandacht weer bij het hier en nu. 'Sorry, ik ben de laatste tijd wat verstrooid.'

'Kan ik me voorstellen,' zeg ik, hoewel ik geen idee heb of zo'n opmerking uit mijn mond haar troost zal bieden.

'Er stonden voetafdrukken in de sneeuw,' zegt ze, 'helemaal om het huis heen. Maar nu is de sneeuw aan het smelten…'

Ik sla mijn benen over elkaar heen en stop mijn voeten onder de stoel. Wijs ik daarmee met een beschuldigende vinger op mezelf?

'Waarschijnlijk gewoon een stel kinderen,' opper ik.

'Ik ben er gewoon niet aan gewend om alleen te zijn, denk ik,' zegt ze. 'Dit is de eerste keer dat het huis leeg is sinds ik het nieuws hoorde.'

Wat moet ik daar nu op zeggen?

'Ik heb geen hekel aan je,' zegt ze, haar blik weer op het raam gevestigd. 'Ik neem aan dat God hier een bedoeling mee heeft.'

'Fijne bedoeling dan,' zeg ik. 'Daar wist ik niets van.' Ik probeer beleefd te blijven, maar ik had geloof ik nog liever dat ze mij de schuld gaf dan Hem. Daar trap ik niet in.

Ergens in huis gaat een telefoon over en daardoor blijft een preek me bespaard. De hoeken van haar mond krullen net zover op dat ze haar bedoeling duidelijk maakt: ofwel ze wil me laten weten blij te zijn even van mij verlost te zijn, ofwel ze wil verhullen hoe blij ze is met dat telefoontje, wie het ook zijn mag.

'Sorry, ik neem even aan,' zegt ze; dat komt mij goed uit. Uitstekend, zelfs.

Terwijl ik daar zit, zie ik een politiejas op de pianokruk liggen. Ik mag natuurlijk niet rondsnuffelen, maar dit is iets anders dan als ik haar laden zou opentrekken. Ik neem aan dat het Freds jas is en ik aarzel om hem op te pakken, maar als ik erheen loop zie ik plotseling dat er IMES op de borstzak staat.

Naast de piano staat een kartonnen doos vol spullen die uit Freds kastje afkomstig moeten zijn. Net als ik daardoorheen wil gaan, hoor ik haar terugkomen. Ik sla dus een paar piano-toetsen aan en doe alsof ik geduldig zat te wachten.

'Een of andere investeringsmaatschappij,' zegt ze over het telefoontje. 'Die bellen op de meest onmogelijke uren. Ze willen weten waar ik het verzekeringsgeld ga onderbrengen, en het pensioen. Die laten er geen gras over groeien.' Ik vraag me zelf ook af wat Deb met haar nieuwe inkomen van plan is.

Ze gaat weer zitten en trekt een afzakkend behabandje recht. Op dat moment zie ik dat ze haar trouwring niet meer om heeft. Ook zij laat er geen gras over groeien.

'Als het geld vrijkomt ben ik hier weg,' zegt ze. 'Te veel her-inneringen.'

'Je zult best toe zijn aan een nieuwe start,' zeg ik. Met min-stens een kwart miljoen dollar op zak, schat ik. 'Waar ga je naartoe?'

'Mijn broer woont in Florida. Misschien ga ik daar wel heen.'

Ik heb niets leuks te zeggen over Florida. Ik neem aan dat Mason en zij er zat over te zeggen hadden toen hij hier was. Ik besluit niet langer om de hete brij heen te draaien.

'Wat betreft dat ongeluk…' begin ik, hoewel ik nog niet he-lemaal zeker weet hoe ik verder moet.

'Volgens Mason was het snel en pijnloos,' zegt ze. 'Volgens hem heeft Fred nooit geweten wat hem overkomen was en heeft hij niet geleden.' Dat is niet waar. Ik heb hem zelf zien lijden. Haar aanname dat Mason weet wat er gebeurd is schept een band tussen hen die me van geen kanten aanstaat.

'Fleurt Mason je weer een beetje op?' vraag ik.

'Sorry?' Aan mijn toon hoort ze dat ik meer bedoel dan ge-woon troost. 'Mason was een van de agenten die hier bij me zijn gebleven,' zegt ze. 'Ik heb jou geen records zien verbre-ken om te maken dat je erbij was.'

'Sorry.'

'Je hebt mijn man doodgeschoten. Sorry lijkt me wel het minste.'

Ik doe een beroep op al mijn liefde voor Fred om te voorkomen dat ik opsta en haar voor haar geopereerde neus ram.

'Ik doorzie heel wat, Deborah. Ook dat zielige gedoe waarmee je Mason wilt inpalmen.'

'En mijn ramen? Zie je daar soms ook heel wat doorheen?' Ze staat op. 'Ik had niet gedacht dat je nog terug zou komen, laat staan dat je je verontschuldigingen zou aanbieden voor wat er met mijn man is gebeurd. Nu snap ik dat je vergiffenis zoekt. Die geef ik je niet. Ik geef jou niets.' Ze gebaart naar de deur. 'Maak dat je wegkomt. Ik wil je niet meer zien. Nooit meer.'

'Komt mij prima uit,' zeg ik, en ik houd stand bij de piano, 'maar blijf met je poten van Mason af.'

'Dat had je al die tijd al willen zeggen, maar dan over Fred, neem ik aan?' informeert ze, en onder al die make-up van haar ligt vast een glimlach. 'Mijn relatie met Mason is evenmin jouw aangelegenheid als mijn huwelijk was. Ik weet dat je me niet mag, maar Fred is er niet meer en ik hoef me niet langer te bekommeren om zijn opvattingen, of de jouwe. En nu opgesodemieterd.'

Ze trekt een wollen jas aan en begint die van onder af dicht te knopen.

'Kom je anders te laat voor een afspraakje?' informeer ik.

'Ik ga naar het crematorium,' laat ze me weten.

'De koning is dood...'

'Maar eerst laat ik jou even uit.' Ze opent de voordeur en kijkt me uitnodigend aan.

Op weg naar buiten zie ik in de gang een muur vol spijkers. Op de grond staat een doos vol foto's, met daarbovenop een officieel politieportret van Fred.

'Je kunt alles wegdoen, behalve je geweten,' zeg ik. 'Als je er tenminste een hebt.'

Ik ben de deur nog niet uit of ze ramt hem dicht. Ik kan niet zeggen dat we echt vrede gesloten hebben.

Ik had niet moeten proberen aardig te doen. We zijn nooit bevriend geweest en ik had ook eigenlijk niet verwacht dat we dat in dit leven nog zouden worden. Ik had me ferm moeten opstellen en Deb moeten vragen of zij iets wist van Freds onderhandelingen met Trovic of met Birdie. Ik had haar moeten vragen of Fred misschien anders dan anders gedaan had, de weken voor zijn dood. Ik had haar als een politievrouw moeten ondervragen, niet als iemand die bang is dat een ander haar geliefde inpikt.

Intussen is me volkomen duidelijk dat Deb een vals kreng is. Wat ik nu moet achterhalen is wat er met haar man is gebeurd.

Ik stap in mijn auto, rijd een paar straten om en wacht tot ze weg is.

21

Ik wacht tot ik Deborah het steegje uit zie rijden, en dan rijd ik zelf zo dicht mogelijk naar het huis toe. Ik parkeer naast een rij vuilnisbakken tussen haar huis en dat van de buren in.

Mijn beloftes aan Mason en MacInerny om me buiten het onderzoek te houden zijn op Debs verzoek tegelijk met mijzelf de deur uit gegaan. Ik heb het vermoeden dat ze zich behoorlijk snel over het verlies heen aan het zetten is, aan de manier te horen waarop ze vol vertrouwen sprak over haar 'relatie' met Mason. Nu Fred weg is, krijgt ze wat ze volgens mij al die tijd gewenst heeft: de kans om meer te zijn dan de vrouw van een agent.

Ik weet niet of Deb op de hoogte is van Freds banden met Marko Trovic. Maar als dat zo is, houdt ze het waarschijnlijk stil zodat ze er met het geld vandoor kan. Als iemand erachter komt dat ze op de hoogte is van Trovic, dan willen ze misschien ook weten waarom zij zo graag wilde dat ik opdraaide voor Freds dood. Ik was zijn partner, hij was mijn vriend... waarom was zijzelf niet op zoek naar gerechtigheid? En stel dat haar verzekeringsmaatschappij er lucht van kreeg dat ze informatie had achtergehouden die van belang was voor het onderzoek? Dan zouden ze misschien nog achterdochtiger worden dan ik ben.

Ik neem aan dat ze liever het geld in handen krijgt dan de moordenaar, en dat ze zich niet wil laten tegenhouden door een Trovic of door wie dan ook. Ik weet zeker dat de trip naar het crematorium eigenlijk al niet echt in haar schema past.

Ik verken het huis, ik voel aan de ramen en probeer de beste manier te verzinnen om binnen te komen. Ik kijk nog eens naar binnen en plotseling zie ik dat de meeste kamers ontruimd zijn en dat er overal stapels dozen staan. Deborah is aan het pakken, of ze organiseert een enorme boedelverkoop. Hoe dan ook, ik wil wedden dat alles wat niet in die dozen zit bij het afval is beland. Misschien hoef ik helemaal niet in te breken.

Ik volg mijn voetstappen waar de sneeuw in het gras is weggesmolten. Bij mijn vorige bezoek heb ik een behoorlijk zichtbaar spoor achtergelaten. Misschien was ik die keer niet zo snugger, maar volgens mij verricht ik momenteel behoorlijk slim speurwerk. Ik kijk om me heen of er niemand in de buurt is voordat ik het deksel van het eerste vuilnisvat af haal. Ik heb zo'n vermoeden dat ik geheime documenten of over het hoofd gezien bewijsmateriaal zal vinden waardoor nieuw licht op de zaak zal worden geworpen.

Ik gooi wat kranten op de grond en een vuilniszak vol plastic bestek, papieren bordjes en eten dat mensen hebben meegenomen om Debs last te verlichten. Er drijft een scherpe stank door de lucht van bedorven voedsel dat warm wordt gehouden door het rottingsproces.

Ik vis een stel lege Franziawijndozen uit de rotzooi en vraag me af hoe mensen in godsnaam chablis kunnen drinken. En dan, onder een tweede vuilniszak, vind ik iets wat eruitziet als een postzak: een hele stapel rouwkaarten. Alle inwoners van Chicago lijken een kaart gestuurd te hebben. Minstens honderd zijn er, allemaal gericht aan 'de familie van agent Maloney', of variaties daarop zomaar als ongevraagd drukwerk, in de vuilnisbak gemikt, de meeste ongeopend alsof Deb niet de moeite kon nemen. Nu weet ik zeker dat ze geen moer om Fred gaf, en ik krijg zin om de deur open te beuken, naar binnen te gaan en de zaak kort en klein te slaan tot ik daar bewijs voor vind, maar die kaarten... ik kan het gewoon niet geloven.

Ik kijk naar de lucht. De wolken lijken zo ver weg en dit 'afval' lijkt zo oneerlijk onbeduidend. Ik voel mijn ogen prikken, het bekende voorteken van tranen. Ik kijk om naar het huis, dat er donker en verlaten bij ligt. Fred is er niet. Al het werk dat hij heeft verricht om er een thuis van te maken, zal vergeten worden, net als deze kaarten. Net als hijzelf.

Vanwege Fred besluit ik de kaarten te openen. Volgens mij kun je mij wel als familie beschouwen.

Ik vis ze allemaal uit de vuilnisbak en leg ze op de motorkap van mijn auto. Dan klim ik er zelf naast en open een voor een de enveloppen. Deelneming aan de weduwe van een gesneuveld politieman, aan een onbekende, vanwege de dood van een held. Een van een vrouw in Schaumberg die schrijft: 'In het uur van uw donkerste wanhoop zal Gods liefde u bijlichten.' Een andere van een stel tweedegroepers van een school in Crystal Lake: een tekening van wat naar ik aanneem een politieman is, met het onderschrift: ZIJN BADGE STAAT VOOR MOED in volwassen handschrift. Ik stop iedere kaart terug in zijn envelop alsof ik de herinnering aan hemzelf netjes opberg, want iedere kaart is een reden te meer waarom Fred bij de politie zat. En iedere kaart is voor mij een reden te meer om erachter te komen wat er met hem gebeurd is.

Ik ben in tranen. Ik zit te snikken bij een kaart van een agent in Morris, tot ik een envelop aantref met een bekende afzender. Die is van Mason.

Dit is de eerste die me doet twijfelen of ik hier eigenlijk wel recht toe heb, maar hij is al open dus haal ik de kaart eruit.

Op de voorkant staat 'In deze tijd van rouw' en bla, bla, bla... dat sla ik allemaal over en begin met de échte tekst. Op een handgeschreven briefje lees ik:

Deb,
Als vrouw van een politieman weet ik dat er geen woorden zijn waarmee ik je kan troosten. We hebben er wel eerder over gepraat dat dit werk een soort liefdesaffaire is die we proberen te negeren: we denken er niet aan als hij 's ochtends vertrekt en we begrijpen het niet als we weten dat het zover is; erger nog, we moeten er altijd van uitgaan dat het niet nodig was geweest. Ze zeggen dat het eervol is om te sneuvelen voor je plicht, maar het is niet eervol om een echtgenoot te verliezen. Ik deel je verdriet en hoop dat degene die Fred gedood heeft, haar eigen weg zal vinden naar acceptatie en absolutie.

God zij met je, Susan Imes.

Acceptatie? Absolutie? Waar heeft ze het in godsnaam over? Ze zegt dat ik Fred gedood heb. Haar man zegt dat hij overuren maakt om te bewijzen dat ik dat níét gedaan heb. En ik zeg dat het niemand ook maar ene reet uitmaakt wie Fred gedood heeft en dat de hele toestand één grote farce is.

Ik laat me van de motorkap af glijden; ik heb zin om de kaart aan snippers te scheuren en in de vuilnisbak te gooien, maar uiteindelijk beland ik op de grond, met mijn rug tegen de rechtervoorband, om de kaart nogmaals te lezen. Vooral de zin waar ik het kwaadst om ben '... *hoop dat degene die Fred gedood heeft, haar eigen weg zal vinden...*' en nu huil ik, want dit kan ik simpelweg niet geloven. Susan deed zo vriendelijk toen ik haar ontmoette, en de hele tijd dacht ze dat ik het gedaan had. Ze klinkt net als Deborah met dat zelfgenoegzame gezemel. *Onze harten gaan naar je uit*, zei ze. Nou, wat naar haar uitgaat is mijn middelvinger!

Ik probeer dat kutkaartje in zijn kutenvelopje terug te frunniken als er een kind uit het buurhuis de hoek om komt en me aantreft te midden van een hoop vuilnis.

'Ben jij een zwerver?' vraagt hij.

Ik zie er niet uit. Met mijn handschoen veeg ik mijn neus af. 'Dat mag je niet tegen mensen zeggen, dat is niet beleefd.'

'Maar ben je er een?'

'Ik ben van de politie.' Ik sta op en klop mijn broek af.

'Ben je op zoek naar aanwijzingen?'

'Zoiets, ja. Ga jij maar weer naar binnen.'

Met zijn enorme sneeuwlaars schopt hij door het grind, zijn blik op de grond gevestigd. Ik heb het geduld niet om hem te bepraten weg te gaan, dus begin ik de kaartjes in een soort volgorde te rangschikken zodat ik ze mee kan nemen.

Dan verkondigt het jong: 'Mijn papa houdt niet van politie.' Snotjoch.

'Dat is dan jammer,' antwoord ik.

'Hij zegt dat de meeste agenten corrupt zijn.'

'Dat is dan een dure grap voor hem.'

Het joch weet niet goed of dat een grap is.

'Was meneer Maloney ook corrupt?'

'Nee,' zeg ik, 'meneer Maloney was niet corrupt.'

'Waarom zoek jij dan in zijn vuilnis?'

'Dit is geen vuilnis.'

'Moet jij huilen omdat meneer Maloney dood is?' vraagt hij, alsof dood zoiets betekent als 'met vakantie'.

'Ja,' antwoord ik. Het joch loopt achter me aan naar de achterklep en raapt kaarten op die onderweg van de stapel vallen.

'Was jij verliefd op meneer Maloney?'

'En nou is het genoeg met die vragen, oké?'

'Sorry.'

Ik open de achterklep en dump de kaarten. Het joch gooit

zijn handjevol er ook bij en even staan we te kijken alsof het een kampvuur is.

'Ja, ik hield van meneer Maloney,' zeg ik.

'Je moet niet huilen,' zegt hij en hij bukt zich om een gevallen envelop op te rapen. Die geeft hij aan mij. Natuurlijk is het die van Susan. 'Mijn papa zegt dat als je van iemand houdt en die houdt ook van jou, dan zijn ze altijd bij je, ook als ze dood zijn.'

'Maar als die iemand nou getrouwd is?' informeer ik.

Het kind haalt zijn schouders op. 'Dat heb ik niet gevraagd.'

Ik gooi Susans kaart in de open vuilnisbak en zeg: 'Vraag maar eens.'

'Jey-iff-riééé,' roept de buurvrouw en het gezicht van het jochie klaart helemaal op.

'Ik moet weg.' Hij rent weg, zo hard hij kan met zijn grote laarzen. 'Ik kom eraan, mama!'

Ik kijk hem na en bedenk hoe eenvoudig geluk is voor een kind. Een beker warme chocola met wat lekkers erbij. Een tekenfilm. Een dikke laag sneeuw. Tranen vergeten zodra ze zijn vergoten. En liefde, eenvoudig als een handdruk. En dan, ergens tijdens het opgroeien, worden de zaken complex. Dan is onschuld niet meer zo aantrekkelijk en verandert in onwetendheid. Fred zei altijd: 'Onwetendheid houdt ons van de straat.' Als ik in mijn auto stap en op weg ga naar Masons adres, wou ik maar dat ik niet beter wist.

22

De zon is snel aan het ondergaan. De stad ligt al in het donker, de buitenwijken worden nog verlicht. Ik rijd over Sheridan Road, langs Calvary Cemetery naar Evanston.

Ik voel me alsof ik aan het patrouilleren ben, ik neem ieder detail in me op: de enorme gazons, de bomen, lantaarns in plaats van heldere halogeenlampen langs de straten, grappige postbussen in de vorm van schuurtjes. Het land van bakstenen huizen en grote ramen, extra garages en lange opritten. De droom van elke forens, met de stad als achtertuin. Ik kan niet zeggen dat ik niet jaloers ben. Ik steek een sigaret op.

Op Sheridan Avenue sla ik af, rijd een eind verder in de richting van het meer, en minder vaart tot ik bijna stilsta voor Masons huis. Dat zou zo op een ansichtkaart kunnen. Alle elementen zijn aanwezig, van het decoratieve smeedijzeren hek tot het grote voorraam, waarachter een dozijn langstelige rozen staat. Ik vraag me af of zij zijn excuses aanvaard heeft. Ik vraag me af of mij dat zal lukken.

Op de oprit staat een zilverkleurige Lincoln Navigator, en nu snap ik eindelijk waarom Mason in die patrouillewagen reed: hij heeft een duurdere auto aangeschaft. Hij zei dat hij geen geld wilde uitgeven. Misschien probeert hij het om te zetten in goederen.

Achter me naderen koplampen. Een vrachtauto flitst met zijn lichten en toetert even, dus trap ik het gaspedaal in en rijd verder. Maar ik heb nog niet genoeg gezien.

Ik maak rechtsomkeert, rijd snel in zuidelijke richting over Sheridan Avenue en parkeer niet ver van het meer. Hier staan auto's van mensen die een eind willen gaan fietsen, maar het is al laat en er staat een stevige wind, dus ben ik de enige parkeerder. Ik weet zeker dat de meeste mensen in deze buurt met hun keurige gezinnetjes in hun prettige huizen zitten, veilig opgeborgen voor de nacht. Ik weet zeker dat Susan de perfecte ovenschotel in de oven heeft staan. Ik zet een muts op, rits mijn jas dicht en klim de auto uit.

Terwijl ik het pad op loop, voelt de wind die van over het meer komt aanzetten als een ijskompres tegen de paar stukken van mijn huid die onbedekt zijn. Mijn ogen tranen en mijn longen voelen astmatisch aan als de wind me vol treft. Ik trek mijn sjaal recht en kijk achter me of er fietsers of joggers zijn voordat ik een zandpad neem, een paadje dat is uitgesleten door schoolkinderen die een stuk van hun route willen afsnijden, langs de achtertuinen van de villa's. Een paar huizen verderop negeer ik een bord met het opschrift PRIVÉ-TERREIN. Een deel daarvan is binnenkort van mij, en ik kom hte gewoon even controleren.

Ik schuifel langs de rand van de achtertuin tot ik onder aan het terras aankom. Ik blijf in de schaduw en volg de rand van het terras tot aan de treetjes. Op handen en voeten kruip ik nog een paar meter, en als ik zie dat de kust veilig is, sprint ik naar een enorme Weber barbecue toe, waarachter ik me kan schuilhouden. Daarvandaan heb ik prima uitzicht op Masons huis. Op zijn andere leven.

Door de enorme ramen, van de grond tot aan het plafond, waarvan ik zeker weet dat Susan er meteen verliefd op was toen ze dit huis kochten, zie ik haar in de keuken bezig een salade klaar te maken. Mason zit met zijn voeten op het tafeltje in de aangrenzende kamer. Hij is verdiept in een basketbalwedstrijd op zijn enorme tv. Met een vertederde blik zie ik zijn linkervoet bewegen in die tic van hem. Die voet beweegt altijd, zelfs als hij slaapt. Als hij bij mij slaapt.

Afwezig snijdt Susan een ui in plakken en ik vraag me af of ze elkaar niets meer te zeggen hebben. Zo gaat het een tijdlang, zonder dat er een woord gesproken wordt, tot ik uiteindelijk zelf belangstelling krijg voor de wedstrijd. Zo zou het niet gaan als ik daar in huis was. Dan zou Mason niet in de wedstrijd, maar in míj verdiept zijn.

Eindelijk zegt Susan iets, maar Mason hoort haar niet of doet of hij haar niet hoort. Ze zegt het nogmaals en ditmaal kan ik haar zelfs bijna horen. Ik weet dat Mason haar dus zeker gehoord moet hebben, maar hij reageert nog steeds niet.

Dus loopt Susan, met een wortel en een mes in haar handen, de keuken uit en gaat pal voor de tv staan, zodat hij niets meer ziet. Mason gebaart haar weg alsof ze een insect is, want er is nog maar een minuut te gaan. Ze houdt het mes vast alsof dat iets uitmaakt, maar doet wel gehoorzaam een stap opzij.

Eindelijk, tijdens een time-out, kijkt Mason naar haar. Hij pakt de wortel uit haar hand en eet hem op. Wat hij tegen haar zegt, is voor haar voldoende reden om naar de keuken terug te gaan, en volgens mij komt het niet door die ui dat er even later tranen over haar wangen biggelen.

Even denk ik dat ik iets hoor in de tuin, maar het moet de wind zijn, of een eekhoorn, of mijn schuldgevoelens. Ik mag niet blij zijn dat ik ze op een ruzie betrap. Ik weet zo net nog niet of het Susans schuld was.

Ik kan mijn blik niet afwenden van Mason, die daar zo lekker zit. Ik vraag me af of hij aan mij denkt. Daar zit hij dan, in zijn grote, prachtige huis, en hier sta ik, buiten.

Ooit had ik de kans op een dergelijk leven. Ik had gesetteld kunnen zijn, ik had getrouwd kunnen zijn, ik had dankbaar kunnen zijn voor een veilig huishouden en tevreden met buurtroddels. Ik had echtgenote kunnen zijn, in de hoop op moederschap; ik had kunnen geloven dat mijn leven een duidelijke bedoeling heeft, als herinneringen in een fotoalbum. Ik zou naar de kerstdagen toe leven. Ik zou grinniken om het feit dat de collega's nog meer over mijn man weten dan ikzelf, en ik zou meer over macramé weten dan goed voor me is. Ik zou brood bakken.

Misschien kun je gelukkig worden met zo'n leven, maar daar zal ik nooit achter komen. Ik had geen voorbeeld om na te volgen en ik was niet bereid de passie op te offeren. De laatste man met wie ik een serieuze relatie had, was een lieverd, maar hij was wel verschrikkelijk saai. Hij had een plan, en als ik me daaraan had gehouden dan had ik nu in het buurhuis kunnen wonen, dan had ik recepten uitgewisseld met Susan. Dan had ik één spontane zoen van hem gekregen voor onze complete relatie.

Mijn ex-verloofde, degene voor hem, stond al niet minder stevig in zijn schoenen. Hij was ouder dan ik en een paar diploma's slimmer. Hij was intelligent, een perfectionist. Hij had idealen en genoeg geld om die na te leven. Hij beloofde me dat een huwelijk me de vrijheid zou geven om te doen wat ik maar wilde; alleen wilde ik de vrijheid om van gedachten te veranderen over het huwelijk. Ik was jong. Ik wilde me niet vastleggen.

In Masons huis zie ik veiligheid. Ik zie stabiliteit. En ik zie ellende. Mason heeft meer belangstelling voor wat er op tv is dan voor de vrouw met wie hij getrouwd is. Susan doet alsof sla maken het ergste corvee ter wereld is. Ik vraag me af waarom ze het opgegeven hebben. Ik vraag me af of ik dat ook gedaan zou hebben.

Als de wedstrijd voorbij is, komt Susan terug met een envelop.

Ze houdt hem in de lucht en voor het eerst zie ik Mason ergens van schrikken. Hij gebaart dat ze hem de envelop moet geven. Zij weigert. Hij staat op en grijpt haar bij de arm. Ze probeert de envelop buiten zijn bereik te houden, maar hij trekt haar omlaag op de bank en sleurt de envelop uit haar hand. Ik heb geen idee wat hij zegt, want hij heeft zijn gezicht vlak voor het hare gebracht en zijn lippen bewegen amper. Maar wat het ook is, ze houdt op met huilen, staat rustig op en keert terug naar de keuken. Mason steekt de envelop in zijn achterzak, pakt de afstandsbediening en zet de tv op een andere zender.

Ik voel me als een toeschouwer, ik met mezelf bedwingen om niet 'Kijk uit!' te gillen, want plotseling rent Susan de tv-kamer weer in met de slakom en dumpt de complete inhoud op zijn hoofd. We wachten beiden op Masons reactie.

Mason staat rustig op. Hij haalt zijn handen door zijn haar; er vallen stukken sla op het dure tapijt. Hij veegt de stukken selderij weg, pakt de slakom en zet die op het tafeltje. Hij zet de tv uit en vertrekt. Hij gaat gewoon weg, en laat haar daar staan.

Susan barst in tranen uit bij wat het dichtslaan van de voordeur moet zijn. Haar tranen maken plaats voor stilte als ze net als ik luistert naar het gonzen van de automotor voor het huis.

Het is triest om haar daar te zien staan terwijl haar wereld rond haar instort.

Ik hol terug naar het fietspad en hoop dat ik eerder thuis ben dan Mason, want volgens mij heb ik zojuist gezien dat Susan de scheidingspapieren had gevonden en wat ik daar ook van vind, ik weet dat ik dat als eerste te horen zal krijgen.

Ik spring in de auto en wil net achteruit wegrijden als ik een gele Chevroletpick-up naast me zie staan. Dat moet wel haast dezelfde auto zijn die ik gisteravond in het steegje achter Debs huis zag.

Met mijn blik nog op de gele pick-up gevestigd rijd ik langzaam naar voren tot er plotseling een voetganger op mijn motorklep slaat.

'Jezus, je rijdt me zowat plat!' zegt hij. Hij loopt door, maar met een blik alsof ik het expres deed en alsof hij bereid is terug te komen om daarover ruzie te maken.

Ik kan niets beters verzinnen dan maken dat ik zo snel mogelijk wegkom, en dan kijken of de gele pick-up achter me aan komt. Terwijl ik regelmatig van rijbaan wissel op Sheridan Avenue, probeer ik het gevoel kwijt te raken dat ik iets misdaan heb. Ik had die voetganger niet gezien. Het was helemaal niet mijn bedoeling om hem aan te rijden. Ik heb hem ook niet echt aangereden. Het was nergens voor nodig om zo vijandig te doen. Sommige mensen zijn zulke kloothommels!

Ik zie de lampen van de gele pick-up in mijn binnenspiegel. Hij komt achter me aan, en als we eenmaal op Lake Shore Drive zitten, wou ik maar dat ik hem kon bekeuren wegens het rijden met een verkeerd kenteken (er mogen geen grijze kentekens op de Drive). Ik geef gas en probeer hem te lozen. Volgens mij heb ik een nieuw record gevestigd tegen de tijd dat ik bij North Avenue afsla, maar dan kom ik stil te staan voor een stoplicht. De pick-up stopt rechts van me, en ik krijg mezelf niet aan het verstand gepeuterd dat dit toeval is.

De Chevrolet is zo hoog dat ik niet naar binnen kan kijken en bovendien hebben de ruiten gekleurd glas. De chauffeur voert het toerental op alsof het een race is. Het kan Marko Trovic niet zijn.

Als het licht op groen springt, laat ik het verkeer voor me wegrijden en wacht tot de gele Chevrolet gas geeft, zodat ik naar rechts kan uitwijken. Maar nee, die wacht tot ik iets doe. Ik geef plankgas en probeer voor hem te komen, maar die rotkar blijft gewoon naast me zitten als een grote, gele pestkop, en geeft gas en mindert vaart om mij in de linkerbaan te blokkeren terwijl ik naar rechts moet.

Ik weet niet wat die gozer van plan is, maar dit doet hij onmiskenbaar opzettelijk dus rijd ik over een doorgetrokken middenstreep heen, naar een Shellstation. De pick-up rijdt door. Ik blijf nog even zitten en prent mezelf in dat ik niets verkeerds heb gedaan. En dat dit niet Marko Trovic was.

Het lijkt me het beste om via steegjes en zijstraatjes naar huis te rijden. Onderweg zeg ik nogmaals tegen mezelf dat sommige mensen nu eenmaal kloothommels zijn.

Als ik bij mijn flatgebouw aankom, parkeer ik aan de overkant van de straat en controleer wel tweemaal of mijn auto echt op slot zit. Ik kijk links en rechts de straat af, maar ik weet zeker dat ik de gele Chevrolet heb afgeschud. Misschien zat hij helemaal niet achter mij aan, misschien is het allemaal inbeelding. Hersenschudding, iets anders is het niet. Waarschijnlijk heb ik die pick-up een paar keer zien rondrijden; zo'n banaan op vier wielen valt tenslotte nogal op. Op de stoep aangekomen kijk ik nog een keer om.

Omar laat me binnen.

'Hou jij een oogje op mijn auto?' vraag ik, hoewel ik weet dat hij dat altijd doet.

'Zal ik zeker doen.'

Hij drukt op het knopje voor de lift en terwijl ik sta te wachten vraagt hij: 'Ken jij soms iemand met een gele pick-up?'

Ik kijk naar buiten terwijl de Chevrolet net langs de stoep rijdt. 'Nee,' zeg ik tegen Omar, maar die weet wel beter.

De pick-up stopt voor de ingang en het motorgebrul dreunt door de gang.

'Het is hier verboden te parkeren, man,' zegt Omar. De liftdeur gaat open en Omar duwt me zowat naar binnen. 'Sorry, mevrouw Mack. Fijne avond nog.' Terwijl de deur dichtglijdt, zie ik dat Omar een walkietalkie van zijn bureau pakt en naar buiten loopt. Tot mijn opluchting kan ik dat wat waarschijnlijk mijn probleem is, veilig aan hem overlaten.

Als ik de lift uit kom, is het ganglicht op mijn verdieping uit, en dat is vreemd. Ik gebruik de smalle lichtstreep onder de deur van mijn schoenbuurvrouw als baken naar mijn eigen deur, en ik zeg tegen mezelf dat alle gloeilampen vroeg of laat doorbranden.

Ik hoor de tv van mijn buurvrouw: er is reclame voor een nieuwe talkshow, alleen voor mannen. Nee, daar zullen vrouwen en masse op afstemmen! Af en toe kom je echt stakkers tegen.

Als ik mijn sleutel in het slot steek, houd ik halverwege op.

De deur is al van het slot af. Ik heb de Navigator niet zien staan.

En dan gaat – *dingg* – de liftdeur open. Ik wacht.

Niemand verwelkomt me thuis en er stapt niemand uit de lift. Ik heb geen wapen, handboeien of radio, dus blijf ik in de gang staan en vraag me af of ik bij de buurvrouw zal aanbellen.

Ik was niet helemaal helder toen ik vanochtend van huis ging. Misschien heb ik per ongeluk de deur niet op slot gedaan. Maar Omar had de lift nooit leeg omhoog laten gaan.

Ik laat mijn sleutels in de deur zitten en loop de gang in. Misschien is het Mason. Misschien wil hij me verrassen.

'Hallo?' zeg ik, alsof ik antwoord zou krijgen als er echt iemand was. Vlak voordat ik weet of er iemand binnen is, valt de deur dicht. Het is dus niet Mason. Iemand anders wil me verrassen.

Op dat moment gaat de deur naar de trap achter me open. Ik spring uit de weg alsof ik een kogel ontwijk en met mijn beste politiestem schreeuw ik: 'Halt!' Het werkt, want degene die aan de andere kant van de deur staat, laat hem dichtklappen.

Ik grijp de klink en leun met mijn volle gewicht tegen de deur. De klink wordt omgedraaid. Ik houd vol.

'Doe open die deur!' schreeuwt een mannenstem, en er wordt op de deur gebeukt. Dat is beslist Mason niet. O god, als het Trovic is...

Met één hand laat ik de deur los, hoewel ik met mijn hele gewicht blijf leunen om te voorkomen dat de man het trappenhuis uit komt, en ik reik naar de knop van de lift om die vanuit de lobby omhoog te halen. Dat is mijn enige uitweg.

De man blijft tegen de deur beuken. 'Hé!'

Ik wacht. En ik wacht. En ik wacht. Ik hoor de lift duidelijker *dingg* doen naarmate hij hoger komt: vierde verdieping, vijfde, zesde... En dan houdt het gebeuk op. Het geroep houdt op. En het *gedingg* houdt op – en dat terwijl hij nog maar één verdieping te gaan heeft. Heeft die vent de lift genomen?

Ik heb geen keuze. Ik laat de deur los en trek een sprint naar mijn eigen voordeur. Ik hol zo hard dat ik geen idee heb of er iemand achter me aan zit, en ik bid dat er niemand op me zit te wachten. Ik smijt mijn deur open, grijp de sleutels, spring naar binnen, ram de deur dicht en schuif de grendels ervoor. Ik laat het licht uit en tuur door het spionnetje. Ik blijf roerloos staan. Tot ik O'Connor zie.

Die staat daar op adem te komen voordat hij aanklopt.

'Samantha Mack? Ik wil hopen dat je daarbinnen zit.'

Ik wacht even tot ik zelf op adem ben en bedenk nog maar eens: sommige mensen zijn nu eenmaal echt kloothommels.

23

Tot mijn opluchting is het iemand die ik herken, maar helaas is het wel de allerlaatste persoon die ik wilde zien.

'Wat moet jij?'

'Ik wil je spreken over Marko Trovic.'

Ik kijk door het spionnetje. O'Connor staat met zijn hand in zijn zij, alsof hij kramp heeft van het hardlopen.

'Jij kunt mij helemaal niets vragen zolang je geen gerechtelijk bevel hebt.'

Hij pakt het gevraagde document uit zijn jaszak en houdt het voor de opening.

Ik schuif de grendel voor de deur weg en hoop dat hij niet te lang zal blijven plakken. Ik voel er niets voor dat Mason straks binnenkomt terwijl O'Connor er nog is. De aanwezigheid van iemand van Interne Zaken lijkt me niet sfeerbevorderend.

'Staat in dat bevel ook dat je mensen mag stalken?' Ik laat de deur voor hem openstaan en hij loopt achter me aan de keuken in.

'Dat klinkt nogal paranoïde,' zegt hij. 'Of misschien heb je een schuldig geweten?'

'Als er echt iemand achter me aan zit, dan is dat geen paranoia,' zeg ik.

'Je gezicht ziet er beter uit. Is je hoofd al wat aan het opknappen?'

Ik geef geen antwoord want hoe minder ik me verzet, des te beter is het, weet ik. Ik zet het gas aan onder een halve pot koffie die daar nog van gisteren staat. Ik drink zelf alles – al is het gezet met diesel – en dan nog smaakt het beter dan die zure rommel die ze op het bureau schenken. Ik hoop dat O'Connor een verfijnde smaak heeft.

Hij gaat aan mijn keukentafel zitten. Ik schuif een stapel post weg zodat hij die niet kan gaan zitten inzien.

'Wat wil jij weten over Trovic?' vraag ik.

'Ik heb je verklaring gelezen. Volgens mij houd jij iets achter.'

'Is dat een vraag? Ik ben niet echt in de stemming voor dat geouwehoer.' Ik pak twee koffiemokken. Als hij denkt dat ik haast heb, blijft hij misschien extra lang plakken.

'Prima.' O'Connor slaat de bladen van een stenoblok om. 'Vraag: in je verklaring zei je niet te weten dat jijzelf verdacht wordt. Waarom was je dan zo snel het ziekenhuis uit?'

'Ik was overstuur.' Het lijkt me het beste om korte antwoorden te geven, als ik hem rap de deur uit wil werken.

'Heb je contact gehad met Mason Imes op de nacht van Freds overlijden?'

'Nee.'

'En je zegt dat Fred Maloney een tip had gekregen over de verblijfplaats van Marko Trovic en dat Maloney van plan was Trovic te arresteren?'

'Inderdaad,' maar daar voeg ik niet aan toe dat ik nog steeds niet weet waarom.

'Jullie arriveerden, gingen naar binnen, en er werden schoten gelost. Ben jij getuige geweest van een schotenwisseling tussen Fred Maloney en Marko Trovic?'

'Inderdaad.'

'Inderdaad.'

'Er zijn schoten gelost,' zeg ik, iets terugkrabbelend omdat ik niet meer precies weet wat ik in mijn verklaring heb gezegd. 'Ik dacht dat het Marko Trovic was.'

'En toen heb je je over agent Maloney ontfermd, zonder te beseffen dat, volgens jouw inschatting, Trovic nog in leven was?'

'Ik weet niet of Trovic erbij was,' zeg ik. Het feit dat ik volhoud dat hij er was, is waarschijnlijk de reden voor O'Connors vragen. Dat verdomde rapport ook. 'Ik had een hersenschudding. Volgens de dokter kon mijn geheugen wel eens wat haperen.'

'Zou jij Marko Trovic op een foto herkennen?' vraagt hij. Hij maalt niet om mijn smoezen.

'Ja. Sinds ik hier begonnen ben, is hij regelmatig opgepakt en weer vrijgekomen.'

Ik schenk mezelf een kop koffie in, en O'Connor haalt een politiefoto van Trovic tevoorschijn, die met niets ziende blik recht in de camera kijkt.

'Ja, dat is hem.' Die ogen herken ik meteen.

'En deze dan?' vraagt O'Connor en hij houdt me nog een foto van Trovic voor.

Ditmaal kijkt hij met niets ziende blik omdat hij inderdaad niets ziet: hij is dood. Zijn ogen zijn zowat het enige wat ik herken. De rest is een opgeblazen, bloederige massa.

'Ik vraag het nogmaals. Heb jij Marko Trovic die nacht gezien?'

'Dat… weet ik niet meer…' zeg ik terwijl ik me afvraag of ik bij een bevestigend antwoord meteen verdacht ben. Ik pak de foto om beter te kunnen zien en O'Connor blijft vragen op me afvuren.

'Weet je dat niet meer omdat je bewusteloos bent geslagen nadat Fred was doodgeschoten? Of weet je het niet meer omdat Mason Imes je dat voorgekauwd heeft?'

'Is Marko Trovic dood?' vraag ik, en volgens mij doet me dat plezier.

'Daar ziet het wel naar uit. Ben je zover dat je wat vragen kunt beantwoorden?'

Ik ga zitten en zet de koffiepot op tafel. Ik kijk naar de foto en probeer een neutraal gezicht te trekken en te verzinnen wat O'Connor als beschuldiging kan aanvoeren. Hij weet dat Fred volgens mij is vermoord door Trovic. Waarom zou Mason me hebben gezegd dat ik Trovic ten tonele moest voeren? 'Ik heb het helemaal verkloot,' zeg ik uiteindelijk. 'Ik dacht dat Trovic dood was. Trovic had Fred doodgeschoten en ik heb een klap voor mijn kop gehad. Het was een ongeluk,' zeg ik, tegen hem en tegen mezelf. Ik geloof niet dat ik daarmee lieg.

'Dus nu was het plotseling Trovic die Fred heeft doodgeschoten? En niet jij?'

'Het was mijn pistool.'

'Een ongeluk zit in een klein hoekje,' zegt hij, maar ik zie dat hij dat niet meent.

'Ik weet niet wat er met Trovic is gebeurd,' zeg ik.

'Weet je dat zeker? Wil je niet liever even overleggen met Mason?'

'Ik weet niet wat je bedoelt. Als je soms denkt dat ik voor Mason zit te liegen, dan is dat jouw probleem.'

'Dat is inderdaad mijn probleem. Ik weet alleen niet waarom je niet hebt ingestemd met dat eigenvuurscenario uit het begin. Je hebt een enorme vergissing begaan door toen over Trovic te beginnen.'

'Dat heeft Trovic dan echt aan zichzelf te danken.' Ik sta op, pak de koffiepot en schenk het laatste restje in voor O'Connor, met gruis en al. 'Ik moest maar weer eens opstappen. Ben jij zover?'

'Nog niet helemaal,' zegt hij. 'Trovic' lijk is gevonden in Florida.'

'Nou en? Het was alom bekend. Hij wist dat we naar hem op zoek waren. En ik weet zeker dat we niet de enigen waren. Dit was een smeerlap. Ik neem aan dat iemand ons voor geweest is.'

'Drie weken geleden,' zegt O'Connor.

Wacht even. 'Wat?'

'Zijn lichaam is drie weken geleden gevonden,' verduidelijkt hij. 'Marko Trovic was dood voordat jouw partner doodging.'

Bijna laat ik de koffiepot in zijn schoot vallen.

O'Connor kijkt me vorsend aan, in afwachting van mijn reactie, maar ik blijf roerloos staan. Ik heb geen idee wat ik hierop zeggen moet. Hij pakt de koffiepot aan en zet hem op tafel. Ik ga weer zitten en probeer te doorgronden hoe verschrikkelijk ik genaaid ben, en door wie.

'Dus daarom is niemand naar hem op zoek? Jullie van Interne Zaken wisten dat hij dood was en jullie probeerden me gewoon gek te maken?'

'Je weet hoe het gaat, Mack. Je hoeft geen tips uit te wisselen met verdachten. Ook al zijn het verliefde collega's.' Hij neemt een slok van zijn koffie. Met droge ogen slikt hij hem door.

'Als dit weer over Mason Imes gaat, dan zit je er helemaal naast,' zeg ik met vaste stem. 'Ik ken die vent amper.'

'Daar kon je wel eens gelijk in hebben,' zegt O'Connor met een valse grijns. 'Sorry, ik ben gewoon jaloers omdat ik nooit rozen van hem krijg. Kom op, Mack, je hebt bar weinig acteertalent. Ik ben sowieso niet geïnteresseerd in jouw seksleven.'

'Waar zit je hier dan voor?'

'Volgens mij weet jij wie Fred Maloney heeft doodgeschoten, en volgens mij weet jij ook waarom. Die hele toestand met Marko Trovic heb je verzonnen om ons de indruk te geven dat je dat niet weet. Wil je me nu soms de waarheid vertellen? Of bewaar je die voor je advocaat?'

'Je kunt nu maar beter weggaan,' zeg ik, want ik heb geen idee waar hij het over heeft, maar ik weet wel dat hij niet aan mijn kant staat. Volgens mij is hij zojuist mijn vijand geworden.

'Oké, ik ga, maar laat me nog even kijken of ik het allemaal goed heb.' Hij bladert door zijn aantekeningen, hoewel hij geen letter leest. 'Je weet niet meer wat er gebeurd is, dus schuif je de schuld maar op een gozer die al dood was. Je hoofdinspecteur noemt het meteen al een ongeluk omdat hij liever één agent in de ziektewet heeft dan een handvol achter de tralies. Bij dat zogeheten onderzoek dat het bureau instelt komt hoegenaamd niets boven water. En toevallig wordt dat onderzoek geleid door jouw eigen vriend. De zaak verwatert, mensen willen vergeten, ook de weduwe, die trouwens nogal wat troost geniet. En dus blijft er maar één gewonde over, en dat ben jij. Klopt dat allemaal zo'n beetje?'

'Je vergeet het stuk over die idioot van Interne Zaken die me ervoor wil laten opdraaien.'

'Kijk, dát is nou paranoïde. Ik wil je vriend ervoor laten opdraaien.' Hij staat op en zet zijn mok in de gootsteen. Ik hoop dat dat betekent dat hij weggaat.

Onderweg naar de deur blijft hij nog even staan. 'Nog één ding. Mason heeft gisteren twee tickets naar Miami geboekt. Ben jij uitgenodigd?' Hij glimlacht, gewoon om mij op stang te jagen, en bergt dan zijn stenoblok in zijn jaszak en laat zichzelf uit.

Ik smijt mijn mok in zijn richting. Die raakt de deur en valt op de grond, maar zonder te breken.

Wie denkt O'Connor wel dat hij is? Eerst zegt hij dat hij me om hulp wil vragen, en dan beweert hij dat ik lieg. Eerst geloofde hij dat iemand anders Fred had gedood, nu beticht hij mij van verzinsels over Trovic (oké, ik geef toe, dat ziet er bij nader inzien behoorlijk verdacht uit). Maar O'Connor zegt ook dat de hoofdinspecteur Freds dood een ongeluk noemt om andere politiemensen te beschermen. Als ik Fred heb gedood, expres of niet, wat hebben mijn collega's daar dan mee te maken?

Net als ik een sigaret opsteek, dringt het plotseling tot me door: de vliegtickets naar Miami. Trovic' dood. Mason en ik. Onze mensen beschermen. O'Connor denkt dat Trovic' dood iets te maken heeft met Freds dood, en hij moet denken dat iedereen, van de inspecteur tot aan de laagste rangen, dat aan het stilhouden is.

O'Connor zit me dus zo lastig te vallen omdat hij denkt dat ik op een dag zal doorslaan. Hij wil dat ik tegen Mason getuig.

Dit moet iets persoonlijks zijn. O'Connor had die blik in zijn ogen; net zo'n blik als Fred kreeg toen hij het over Trovic had. En O'Connor was maar al te blij dat hij me over Masons reis naar Miami kon vertellen. O'Connor wil dat ik denk dat Mason me gebruikt – alsof hij dat zelf niet doet.

Mason heeft twee tickets. Nou en? Hij kan toch helemaal niemand anders meenemen? Na die ruzie met Susan vanavond weet ik vrijwel zeker dat die momenteel niet haar badpak staat in te pakken.

Tenzij… nee. Die gedachte is zo bespottelijk dat ik er hardop om moet lachen. Deborah? Ze zei wel iets over Florida. Die ellendeling van een O'Connor – zonder hem had ik de mogelijkheid niet eens overwogen.

Ik pak mijn jas. Ik geloof geen woord van O'Connors verhalen tot ik met Mason heb gepraat.

24

Mason zit uiteraard niet thuis bij Susan, en hij is niet naar mij toe gekomen, dus met tegenzin zet ik koers naar Deborah. Ik weet dat Mason overal kan zitten, en ik had hem natuurlijk kunnen oppiepen, maar een telefoontje zal heus niet genoeg zijn om O'Connors ideeën uit mijn hoofd te krijgen. Ik moet hem persoonlijk spreken.

De moed zinkt me in de schoenen als ik Freds straat in rijd en een patrouillewagen voor de deur zie staan. Maar het is dan tenminste niet de Navigator. Ik minder vaart om door het erkerraam naar binnen te kunnen kijken, maar de gordijnen zitten dicht. Ik parkeer voor de patrouillewagen, stap uit en tuur door de voorruit naar binnen. Er steekt een pakje Benson & Hedges uit de bekerhouder van het linkerportier. Flagherty is de enige die ik ken die die goedkope troep rookt. Hij moet het zijn. Ik loop terug naar mijn auto in de hoop onopgemerkt weg te komen.

Vanaf Freds huis ga ik op pad naar het bureau. Ik rijd in zuidelijke richting over Damen Avenue, een Porto Ricaanse buurt door. Telkens wanneer ik deze route neem, moet ik denken aan MariCarmen Matias. Dat was een lief meisje in een verkeerde buurt, en ik had gehoopt dat ze zich aan haar milieu zou ontworstelen. Toen ik haar verhoorde over haar broer,

Javier, een onbeduidend relschoppertje dat we hadden betrapt bij een heroïnedeal, wilde ze zich net aanmelden voor een verpleegopleiding. MariCarmen deed haar mond niet open; ze had geen behoefte aan ellende. Maar ellende kwam er wel: in de vorm van een vriend van haar broer, ene Cid. MariCarmen raakte verslingerd aan Cid en aan heroïne. De eerstvolgende keer dat ik haar zag, stonden haar heldere ogen glazig en was de opleiding even ver uit haar gedachten als haar bolle buik. Ze was te bezig met stoned worden om te merken dat ze zwanger was.

De laatste keer dat ik MariCarmen zag, lag ze op deze zelfde straat, bewusteloos en badend in het bloed. Cid had gezegd dat als ze een paar dagen niet gebruikte, haar tolerantie voor heroïne zou afnemen waarop ze de eerstvolgende keer nog higher zou worden. Wat hij er niet bij verteld had, was dat haar ongeboren kind niet tegen die onthouding kon. Onderweg naar haar fix had ze spontaan een miskraam gekregen, midden op straat. MariCarmen had het overleefd, maar ik zou haar niet beschouwen als iemand die zich aan haar milieu heeft ontworsteld.

Ik sla links af op Addison Avenue en concentreer me weer op het heden. Ik ben me bewust van mijn omgeving. Ik herinner me de details van iedere zijstraat en vink in gedachten de elementen af. Ik ken deze route beter dan ik mezelf ken. Hoewel dat waarschijnlijk momenteel ook niet veel zegt.

Ik moet me niet zo door O'Connor laten opnaaien. Ik heb nooit veel geluk gehad met relatieadviezen van mensen die ik respecteerde; ik heb geen idee waarom ik luister naar wat een of andere onbekende gozer van Mason vindt. Ik ben volkomen in staat mijn eigen relaties te verpesten.

Misschien probeert O'Connor me een hak te zetten. Misschien verdraait hij de feiten in de hoop dat ik zal bezwijken. Maar toch wou ik maar dat ik wist waarom hij achter Mason aan zit.

Als ik bij het bureau aankom, staat de Navigator buiten geparkeerd. Ik hoop dat Mason met mijn zaak bezig is. Misschien weet hij al van Trovic en heeft hij een nieuw aanknopingspunt. Misschien heeft hij Birdie gevonden en aan de praat gekregen. Of misschien heeft hij helemaal niets en probeert hij de losse eindjes aan elkaar te knopen zodat iedereen weer verder kan met zijn leven, ook wij tweeën. Samen. In Miami. Ik wed dat die vliegtickets op de passagiersstoel van de Navigator liggen. Ik moet niet zo ongeduldig zijn.

Of misschien heeft O'Connor iets in de gaten en is Mason helemaal niet op zoek naar Trovic; misschien heeft hij mij op sleeptouw gehouden in de hoop dat de hele toestand gewoon overwaait. In de hoop dat ik het opgeef en O'Connor ook. Natuurlijk geloof ik hem. Ik geloofde hem ook toen hij zei dat hij bij Susan wegging. Meer dan eens.

Nu zit ík hier de feiten te verdraaien. Natuurlijk liegt Mason niet tegen me. Daar verdoet hij zijn tijd niet mee. Waarom zou hij? Ik kan er zo vandoor, en hij ook. Ik ben niet met hem getrouwd. O'Connor zou Susan aan de tand moeten voelen. Maar misschien zit O'Connor zo achter me aan omdat Mason van mij houdt. Ik kan hem dus kwetsen. Ik vraag me alleen af waarom O'Connor dat zou willen.

Er verstrijkt een uur, dan pas verlaat Mason het bureau. Ik heb mezelf van alles wijsgemaakt, van totale schuld tot volkomen onschuld, en waarschijnlijk geef ik hem in beide gevallen te veel eer. Hoe dan ook, ik heb er veel te lang over zitten nadenken en daarom spring ik zodra hij bij zijn terreinwagen aankomt mijn auto uit en verkondig: 'Marko Trovic is dood.'

'Weet ik,' zegt Mason. 'Ik heb zojuist het bericht binnengekregen.' Hij kijkt om zich heen of iemand ons ziet.

Ik zit al zo lang in mijn auto dat ik weet dat er niemand in de buurt is, maar ik wil niet moeilijk doen en blijf dus op afstand.

'Mason, je moet me vertellen wat er aan de hand is. Ik ben erachter dat Trovic voor Fred werkte. En dat Trovic eerder dood was dan Fred. O'Connor is bij me thuis geweest, en die probeerde me gek te maken met een of ander samenzweringscomplot dat nog gestoorder is dan mijn poging om een geest van moord te beschuldigen. Je had gelijk over hem: als het hem lukt, klaagt hij het hele bureau aan. Te beginnen met jou.'

'Zei ik toch,' zegt Mason onaangedaan. Doet dat hem dan niets?

'Wat moeten we nu?' vraag ik.

Mason opent het portier van zijn Navigator. 'Jij,' zegt hij, 'gaat thuis op mij zitten wachten.' Hij staat achter het portier van zijn auto, zodat de grijns niet te zien is die hij onmogelijk zou kunnen verbergen mochten er nog anderen naar hem kijken, behalve ik. 'Nu heb ik het druk. Ik zit midden in een moordzaak. En een scheiding.'

Ik had dus gelijk, het waren inderdaad scheidingsdocumenten. Susan is eindelijk afgeschreven, en ik ga naar Miami. Ik heb zin om regelrecht in zijn armen te springen zodat hij me kan ronddraaien tot ik duizelig ben, maar ik bewaar mijn kalmte, want dat van die reis, dat heb ik van O'Connor. Mason pakt iets uit de auto. Ik wacht tot hij me mijn ticket geeft.

Maar hij heeft handschoenen gepakt. Zijn eigen handschoenen.

'Ik moet nog een paar dingen uitzoeken in Florida.'

'In Florida,' echo ik beschuldigend, en zo meen ik het ook, want op dat moment besef ik dat Mason die tickets heeft gekocht voordat hij wist dat Trovic dood was. Of hij wist dat Trovic dood was en hij heeft het me niet verteld. En hij heeft mij niet meegevraagd.

Op dat moment zwaait de voordeur van het bureau open en komt Paul haastig de trap aflopen.

Snel zegt Mason: 'Ik kan alles uitleggen, maar niet nu.'

'Wie gaat er met je mee?' vraag ik, in de hoop dat hij nog snel 'Jij' kan zeggen.

'Daar hebben we het later nog over,' zegt hij volgens mij met strakke lippen.

'Wat?'

'Dat je volgens mij beter naar huis kunt,' zegt Mason met stemverheffing, en dat klinkt Paul waarschijnlijk behoorlijk streng in de oren.

'Probleempje?' vraagt hij.

'Nee. Ze weet dat ze hier niet moet komen. Ze gaat naar huis.' Uit de toon waarop hij dat zegt maak ik op dat ik hem daar zal treffen. 'Kom op, Flanigan,' zegt Mason, en hij klapt het portier van de Navigator dicht. Mason trekt een voor een zijn handschoenen aan zonder me maar een blik waardig te keuren. Paul neemt gehoorzaam naast hem plaats en ik sta daar nog als ze in de patrouillewagen naast de Navigator stappen en wegrijden.

Ik bied geen weerstand aan de drang om bij de slijter langs te gaan, maar ik koop er alleen een pakje sigaretten, kauwgum en een cola. Ik moet helder zijn als Mason arriveert.

Ik weet dat het vreselijk is, dat ik me zorgen zou moeten maken om O'Connor en Trovic en Miami, maar het enige waaraan ik kan denken is de scheiding. Eindelijk zet hij die dus door. Een week geleden zou ik nog gezegd hebben dat ik er niet aan toe was, maar na alle gebeurtenissen wil ik onze gevoelens geen minuut langer stilhouden. Ik heb vraagtekens gezet bij iedere zet van Mason sinds Freds overlijden, en hij is altijd met een verklaring gekomen. Ik ben van het ergste uitgegaan en keer op keer heeft hij bewezen dat ik het bij het verkeerde einde had. En ondanks al mijn twijfels gelooft hij nog steeds in mij. In ons. Dan moet ik dat dus ook doen.

Ik zet de tv aan en kijk met een half oog naar een herhaling van *Double Indemnity*. Fred MacMurray probeert Barbara Stanwyck iets van een verzekering te verkopen, maar intussen is hij verliefd aan het worden op haar en haar enkelbandje. MacMurray helpt mee met het verzinnen van een plan om Stanwycks rijke echtgenoot om zeep te helpen zodat zij het verzekeringsgeld kan opstrijken. Met de hand op het hart belooft ze MacMurray dat ze dit voor hen beiden doen en MacMurray doet wat hij beloofd heeft, ook al weet hij beter.

We weten allemaal beter.

Het laatste wat ik me herinner is MacMurrays baas die zich beklaagt dat het kleine mannetje binnen in hem bezorgd is vanwege dat blondje. Dat kan ik me helemaal indenken.

Ik lig op de bank te slapen. De telefoon gaat. In het donker tast ik naar het draadloze toestel.

'Mason?' Ik neem aan dat hij belt om te zeggen dat hij eraan komt.

'Het lijkt mij verstandig dat jij en ik eens even praten,' zegt een vrouwenstem.

'Met wie spreek ik?' vraag ik, maar ik weet het best. Susan Imes.

'Ik zie je op de hoek van Clark Street en Devon. Bij Stacks 'n Steaks. Achterin. Over een halfuur.' Ze hangt op.

Volgens mij gaat dit niet om een kopje koffie.

Ik rijd het parkeerterrein van Stacks 'n Steaks op, een plastic pannenkoekentent die vierentwintig uur per etmaal open is en eruitziet alsof hij zó is overgepoot vanuit Atlantic City. Bij de bushalte op de stoep voor de ingang staat een enorm aantal mensen, meer dan je op dit uur zou verwachten, en ik moet om een paar daklozen heen lopen die buiten rondhangen, aangetrokken door het licht en de warmte.

Binnen loop ik langs een stelletje aangeschoten schoolkinderen. Een van hen ligt met haar hoofd op tafel, met nu al spijt van al die cocktails. De dienster kijkt uit haar ogen alsof ze al de hele dag in touw is. Volgens mij rekent ze niet op een fooi van de schoolkinderen, of van wie dan ook.

Susan zit achterin aan een tafeltje naar buiten te kijken. Het licht van de tl-balken rond het raam flatteert haar niet en nu zie ik de wallen onder haar ogen pas. Ze begroet me niet wanneer ik ga zitten.

'Ik heb een bloedhekel aan de stad,' zegt ze. 'Zo smerig.'

'Ik betwijfel of we hier zitten om te praten over de stadsreinigingsdienst,' zeg ik.

Ik kijk uit het raam omdat ik denk dat ik dan zal zien wat voor smerigs zij bedoelt. Ik schrik even als ik meen de langharige Serviër te zien die mijn auto heeft bekrast. Ik schuif over het gebarsten vinyl heen om beter te kunnen zien, maar hij verdwijnt de hoek om voordat ik het zeker weet. Ik blijf oog in oog zitten met een bebaarde dakloze die al zijn bezittingen meesjouwt in een stel plastic draagtassen. Hij voert een diepgaand gesprek met niemand.

'Je hebt dan ook niet direct het beste deel van de stad uitgezocht,' zeg ik tegen Susan.

De dienster komt aanlopen, zet Susan een kop thee voor en wacht tot ik iets zeg.

'Koffie, graag.'

'Ik hoor Mason,' zegt Susan.

'Wat?'

'Je klinkt net als hij.'

Ik weet niet of dat een compliment is of wat dan ook, dus ik laat haar praten.

'Ik wil je iets vragen,' zegt ze en met een vermoeid gebaar beweegt ze haar theezakje op en neer in haar kop. 'Denk jij dat je de enige bent? "We gaan hier weg. We zorgen dat we hier wegkomen. Zodra ik het geld heb." Dacht je nou echt dat ik dat voor het eerst hoor?'

De dienster brengt mijn koffie, en ik hoef dus niet te antwoorden. We knikken haar allebei beleefd toe. Op de een of andere manier voelt het verkeerd aan, twee volwassen vrouwen die zo kalmpjes zitten te praten over de man van wie ze houden, alsof er een oplossing te vinden is bij een kop koffie in het holst van de nacht in een pannenkoekentent.

'Dit is niet voor het eerst,' zegt ze. 'We hebben het allemaal al een keer meegemaakt. Wat Mason jou niet vertelt, en wat je volgens mij wel moet weten, is dat ik het weet. Alles. En ik vind ook dat je moet weten dat je jezelf een hoop ellende op de hals haalt. Net als Fred.'

Daar moet ik wel op reageren.

'Daar weet jij helemaal niks van.'

'Misschien niet. Als collega kende ik hem niet. Ik kan niet zeggen dat ik iets weet over hoe iemand zou handelen in het heetst van een vuurgevecht...'

'Maar daar heb je kennelijk wel een mening over.' Ik heb dat kaartje van haar zelf gelezen.

'Ik vind het heel erg dat Fred er niet meer is.'

Ik wil haar niet geloven, maar ik moet wel.

'Ik zit hier niet om ruzie te maken,' zegt ze. 'Ik praat hier met je als vrouw. Als mens. En ik verzoek je om mijn echtgenoot met rust te laten.'

'Maar ditmaal gaat hij je echt verlaten.' Ik probeer niet te lachen.

Dan lacht Susan. Niet triomfantelijk of zo; eerder als iemand die in haar gelijk staat.

'Ik ken Mason beter dan wie dan ook,' zegt ze. 'En dit,' – ze houdt haar trouwring omhoog – 'betekent voor hem misschien niet veel. Of voor jou. Maar dit,' – ze haalt een envelop uit haar tas – 'moet hem wel iets zeggen.'

Ze opent de envelop: vliegtickets. Het waren dus geen scheidingsdocumenten, en mijn naam komt er nergens in voor. Waarom was ze dan daarstraks thuis zo overstuur?

'We gaan huizen kijken,' zegt ze. 'Mason is bijna een maand geleden naar nieuwbouw gaan kijken.'

Dus dat was hij aan het doen, dat weekend dat hij en ik naar Las Vegas hadden zullen gaan? Huizen kijken in Florida?

'Waarom wilde je me dan spreken als je zo zeker van je zaak bent?' Ik erger me aan haar zelfvertrouwen.

'Omdat ik, als ik jou was, de waarheid zou willen weten.' Ze vist het theezakje uit haar kop en neemt een slok.

'En die is?'

'Mason en ik gaan ook naar Miami, bij mijn moeder langs. Om haar te vertellen dat ik in verwachting ben.'

Wat moet ik daar nu op zeggen? Dat dat niet kan?

'Dat kan niet,' zeg ik.

'Oneerlijk is het misschien, in jouw optiek, maar niet onmogelijk.'

'Mason houdt van mij,' zeg ik met nadruk. Ik voel me als een kind dat ruziemaakt over de uitkomst van een gezelschapsspelletje, want de uitkomst is hetzelfde, wie er ook vals gespeeld heeft.

'Niemand houdt opzettelijk van iemand anders,' zegt ze. De woorden steken, want nu hoor ík Mason. 'Het is tijd dat iemand je de waarheid vertelt, Sam. Marko Trovic is geen moordenaar. Fred is geen held. En mijn man is niet van jou. Sorry.'

'Dat kun je niet bewijzen,' zeg ik, als uitnodiging om een nieuw spel te starten.

'Eigen vuur,' zegt ze en ze staat op. 'Dat was het. Ik zou het maar bij "eigen" houden als ik jou was.'

Susan legt een paar dollar op tafel en gaat ervandoor. Ik blijf zitten. Verbijsterd.

25

Ik zal de sigaret die ik zit te roken waarschijnlijk zelf aangestoken hebben, maar daar herinner ik me niets van. Vagelijk weet ik nog dat ik de *diner* uit gelopen ben. Ik sta op het parkeerterrein en een dakloze vraagt me om geld. Ik grabbel in mijn tas zoals in zulke situaties de bedoeling is en geef hem een briefje van tien dollar.

Ik vind de mobiele telefoon van de Jaguarman in mijn tas en bel daarmee Mason.

'Dit is uw persoonlijke alarmnummer. Spreek een bericht in.'

Ik spreek geen bericht in.

Vanuit de auto probeer ik het nogmaals.

'Dit is uw persoonlijke alarmnummer. Spreek een bericht in.'

Ik hang op.

Op de stoep bij mijn huis stap ik uit en kies nog eenmaal het nummer.

'Dit is uw persoonlijke alarmnummer. Spreek een bericht in.'

Het lukt me niet.

Ditmaal begint de telefoon te rinkelen zodra ik ophang.

'Hallo?'

'Hallo, Sam. Is dit ook weer "het holst van de nacht"? Of zit je net midden in een belangrijk politieonderzoek?' vraagt de man met de Jaguar.

'Nee.'

'Je nam gisteravond niet op, dus ik was al bang dat ik het alarmnummer zou moeten bellen.'

Ik denk aan Mason. Ik krijg geen woord over mijn lippen.

'Ben je vanavond vrij? Zullen we wat gaan drinken?'

Ik heb geen zin.

'Vergeet niet, Sam, die onderhandelingen vinden plaats op míjn voorwaarden. Drijf me dus niet tot wanhoop.'

Ik ben zelf wanhopig. 'Zeg maar waar.'

Ik probeer Masons nummer nog eenmaal voordat ik de Raven Tavern inga.

'Dit is uw persoonlijke alarmnummer. Spreek een bericht in.'

Ik haal diep adem en wacht op de pieptoon.

'Ik wilde je even spreken over je vrouw. Intussen ben ik er

natuurlijk wel achter dat je geen vragen wilt beantwoorden, maar ik zou graag willen weten: heb je tot het laatste moment gewacht om mijn hart te breken? Ik hoef die beloftes van jou niet meer. Ik weet de waarheid.' Ik hang op en begin aan het verdrinken van mijn ellende.

Boven aan een smeedijzeren hek zit een enorme, zwarte vogel van metaal naar me te kijken terwijl ik de trap afloop. De ingang ligt onder straatniveau, en is aangegeven met een houten bord zonder verlichting. Er staat alleen de naam van het café op: RAVEN. Binnen is het donker, de bar is gevestigd in het souterrain van een grijs stenen gebouw. Op de begane grond kun je de tarot laten leggen, en op de eerste verdieping zit een advocatenkantoor. Waarschijnlijk krijg je hier in het souterrain beter advies.

Mijn eerste slok Jameson doet niet genoeg. Mijn eerste glas maakt een krasje in het oppervlak van mijn verdriet. Ik zie de man met de Jaguar niet en het kan me niet schelen. Ik wil alleen dat alles ophoudt. De barkeeper, een jonge man met een onverzorgde baard waarmee hij er ouder en stoerder uit wil zien, knippert niet met zijn ogen als ik een dubbele bestel.

Een vrouw van ergens in de twintig met een strak fluwelen bloesje aan loopt naar de bar toe.

'Een Midori Sour, graag,' zegt ze.

'Heb je je rijbewijs bij je?' vraagt de barkeeper.

Ze zoekt in haar tas, maar zonder succes. 'Sorry, dom van me, ik denk dat het nog in mijn andere tas zit.'

'En heb je daar soms ook je telefoonnummer in zitten?' vraagt de barkeeper. Na een korte, stilzwijgende onderhandeling, geeft hij haar een pen. Ze schrijft iets op een servetje, hij schenkt haar drankje in.

Ik steek een sigaret op en hoop dat die mijn dood zal worden.

'Hallo, Sam,' zegt de man als hij eindelijk komt opdraven. 'Hoe gaat het?' Ik kan hem niet eens aankijken.

'Wil je dat echt weten?' vraag ik.

Ik drink mijn derde glas leeg en gebaar naar de barkeeper dat ik er nog een wil.

'Neem wat te drinken,' zeg ik tegen de man.

De barkeeper brengt mij nog een Jameson en hem een martini.

'Staat je goed, burgerkleding,' zegt hij. Voordat ik hierheen kwam, heb ik me verkleed in een spannend zwart jurkje, iets wat ik nog nooit buitenshuis heb gedragen, om te zorgen dat er geen vragen komen. Ook heb ik mijn ogen donker opgemaakt. Met een heleboel mascara. Mijn echte ik krijgt hij niet te zien. Zou hij ook niet willen.

Ik pak de olijf uit zijn glas en rol daarmee verleidelijk over mijn lippen. Ik ruik zijn aftershave, en de herinnering aan iemand die diezelfde geur gebruikte, brengt me weer met beide benen op de grond. Ik had niet moeten gaan. Ik kan dit niet. Ik doe de olijf terug in zijn glas.

'Ik heb dat nummer voor het plaatwerkersbedrijf,' zeg ik, zodat ik vervolgens weg kan.

'Ik weet niet of dat echt nodig is,' antwoordt hij. 'Zullen we even samen naar buiten gaan om de schade op te nemen?'

En daar, midden in die bar, streelt hij met zijn hand langs de binnenkant van mijn dij en weet ik dat het te laat is om terug te krabbelen.

'Zit je lekker?' vraagt hij.

Ik zit niet lekker. We zitten op de krappe voorstoel van de Jaguar. Telkens wanneer hij beweegt, zit ik met mijn knie tegen het dashboard. Hij draait me om zodat hij mijn nek kan strelen. Ik kijk uit het raampje naar de lichten van de stad terwijl ik deze man mijn lichaam laat betasten, zijn armen om me heen laat slaan en mijn borsten in zijn handen laat nemen. Ik laat hem me aanraken waar hij denkt dat het iets uit zal maken. Maar het maakt niets uit. Niet eens wanneer hij me naar zich toe draait en zijn hand onder mijn kin legt om me te kunnen aankijken, net als Mason altijd deed. Ik kan zijn blik niet beantwoorden.

'Wat ben jij lekker,' begint hij. Ik kus hem, zodat hij zal zwijgen. Ik zit hier niet om te kletsen.

Hij scheurt mijn kousen uit. Ik heb geen enkele reden om geremd te zijn. Ik heb niets meer te verbergen.

Ik kreun als hij zich boven op me hijst; door zijn lichaamsgewicht wordt mijn hoofd klem gedrukt tussen het portier en de zitting. Ik voel de hechtingen tegen de stof van de hoofdsteun schuren. Ik houd me vast aan de veiligheidsriem terwijl hij me weer naar zich toe trekt, zijn handen op mijn schouders. Hij begint te stoten, keer op keer ramt hij voorwaarts, mijn lichaam in, en ik bied zo lang mogelijk weerstand voordat ik ook in beweging kom. Ik schreeuw om de dood van mijn partner, om het eind van mijn relatie met Mason, om mezelf. Ik ben weer alleen en het maakt niet uit wie er bij me is.

'Jij krijgt er echt geen genoeg van, is het wel?' vraagt hij, zijn ego gevoed door wat hij ziet als mijn onstilbare verlangen naar hem. Ik voel hem binnen in me, zoals ik in het verleden anderen heb gevoeld, anderen van wie ik dacht dat ze van me zouden houden. Het gevoel is niet anders. Ik heb mezelf een rad voor ogen gedraaid. Ik klauw met mijn nagels over zijn rug. Ik worstel me in een ander standje. Ik wil dat hij me pijn doet. Dat verdien ik.

'Harder,' zeg ik, maar het enige wat ik voel is de pijn in mijn hart.

Als ik thuiskom, bel ik Mason. Ik moet hier een eind aan maken.

Ik ben zo bang dat ik bijna ophang als hij eindelijk opneemt.

'Hallo?'

'Ik moet je spreken,' stamel ik.

'Ik zei toch dat we niet moeten praten,' zegt hij. Ik neem aan dat hij op het bureau is.

'Luister. Ik heb je vrouw gesproken.'

'Heb jij Susan gesproken?'

'Ik weet niet meer wat ik ervan denken moet, Mason.' Ik wil dit niet over de telefoon doen, dus zeg ik: 'Kun je hierheen komen? We moeten praten.'

Hij zegt niets.

'Hallo? Mason?'

'Sorry,' zegt hij even later. Hij klinkt afstandelijk. Volgens mij weet hij dat ik het weet.

'Alsjeblieft, Mason. Kom hier. Dit moet nú. Dit kan niet wachten. Hallo?'

'Ik kom eraan.'

26

Ik probeer aan andere dingen te denken terwijl ik op Mason zit te wachten. Ik zie een vlek op de hardhouten vloer in de gang: de koffie die ik O'Connor naar het hoofd heb gesmeten. Ik ruik de stroperige resten van de alcohol in de lege whiskeyflessen die nooit verder gekomen zijn dan de pedaalemmer. In mijn slaapkamer liggen het dekbed en de lakens op een hoop aan de voet van het bed. Ik trek de lakens naar het hoofdeinde toe en stop ze in onder de kussens. Onder het kussen dat Mason het liefst gebruikt.

Ik hou de tranen in, hoewel ik alle reden heb om te huilen. Binnen een week tijd ben ik de twee mannen kwijtgeraakt die het belangrijkst in mijn leven waren. Ik zou graag denken dat zowel Mason als Fred probeerde mij te beschermen, maar nu weet ik beter: uiteindelijk komt de waarheid altijd aan het licht. Aan het eind van een leven, of aan het begin, is de waarheid niet te stuiten, verpletterend. Vooral als je die waarheid niet wilt geloven.

Ik laat het bed half opgemaakt en ga in de badkamer in de

spiegel staan kijken. De blauwe plek op mijn gezicht heb ik behoorlijk verdoezeld met make-up, en ik heb mijn haar over de hechtingen gedrapeerd. Even ben ik in de verleiding om mijn haar los te halen, deze veel te blote jurk uit te trekken en te worden zoals Mason me het liefst ziet. In plaats daarvan doe ik nog wat meer lippenstift op. Zoals Mason me graag ziet, zo kan ik nooit meer worden. En ik heb ook geen idee meer hoe ik hem het liefst zie.

Ik weet dat Mason er zo zijn zal, dus ga ik in de keuken een sigaret zitten roken. Ik ruik de geur van die andere man op me. Mijn lippenstift laat een rode vlek achter op het filter. Net bloed, denk ik. Of een letter.

Mason tikt tegen de voordeur en mijn eerste gedachte is, wat krijgen we nou, gaan we plotseling beleefd doen? Ik wil dat hij razend is. Ik wil dat hij hufterig doet. Ik wil dat hij het me gemakkelijk maakt.

Ik doe de deur open en kan me de blik op mijn gezicht niet voorstellen in vergelijking met Pauls blik. Daar staat hij, samen met Wade, met open mond, alsof ik in brand sta.

'Sam. We moeten je arresteren,' zegt Wade.

Ik moet iets degelijkers aantrekken – ze hebben me nog nooit zo gezien. Ze zullen wel denken dat ik erbij loop als een hoer. Ik probeer me achter de deur schuil te houden, maar Wade duwt hem open en stapt naar binnen.

'Wade, wat is er aan de hand?' vraag ik als hij mijn arm grijpt.

'Paul, pak een t-shirt voor haar.' Paul weet niet hoe hij het heeft, dus blijft hij me als aan de grond genageld vanaf de drempel staan aanstaren.

'Paul. Doe niet zo debiel. Kom binnen.' Wade wijst op mijn slaapkamer en Paul gehoorzaamt. Wade blijft met zijn hand op mijn arm staan alsof ik ervandoor zal gaan als hij me loslaat.

'Wat heb ik in godsnaam gedaan?' vraag ik. 'Je doet alsof ik zojuist een moord gepleegd heb.'

'Je hoeft niets te zeggen. Het lijkt me zelfs beter om je mond maar te houden,' reageert hij.

'Geef me een paar minuten om me aan te kleden,' pleit ik. 'Zó kan ik niet naar het bureau.'

'Paul is iets voor je aan het halen,' meldt hij.

'Heeft dit met Fred te maken? Het onderzoek? Het komt door O'Connor. Wat heeft die gezegd? Hij denkt dat ik iets te maken had met de moord op Marko Trovic.' Ik kan geen andere reden verzinnen voor hun gedrag.

Paul komt met een bloes terug en geeft die aan Wade.

'Kom op, Wade. Wat is er aan de hand?'

'Help me, verdomme!' commandeert hij Paul. 'Dit is al erg genoeg. Pak haar jas.'

'Wade, toe nou,' smeek ik als we met de bloes staan te hannesen.

'Kom op, Smack. Anders moet ik je de handboeien omdoen,' zegt hij.

'Handboeien? Waarvoor?' vraag ik, zonder op te houden met mijn pogingen mijn polsen los te wurmen uit zijn greep.

'Susan Imes heeft een auto-ongeluk gehad,' zegt Wade.

Ik staak mijn verzet. 'Is ze gewond?'

'Geen idee.'

'Wat heeft dat met mij te maken?'

'Dat wil ik niet eens weten.' Ik sta toe dat hij het shirt over mijn hoofd heen trekt en blijf gehoorzaam staan, want ik verkeer in shock. Ik hoor hem amper als hij zegt: 'Paul, pak haar badge.'

Als ze me langs Omars hokje het gebouw uit escorteren, weigert Omar me aan te kijken, en dat komt niet doordat hij me niet ziet. Ik zie eruit alsof ik opgepakt word in verband met een zedenmisdrijf.

Buiten voelt de lucht schoon aan in mijn longen. Ik wist niet eens dat ik zo misselijk was. Mijn knieën knikken en ik heb geen idee hoe ik kans zie de ene voet voor de andere te zetten.

Dan duwen ze me op de achterbank van een patrouillewagen. Wade doet de veiligheidsriem om en klapt het portier dicht. Ik heb het gevoel dat ik door de ogen van een onbekende kijk, naar de geschramde knieën van iemand anders. Ik zie mijn handen beven, maar ik voel ze amper. Zie ik er met die trillende handen uit alsof ik schuldig ben? Waar ben ik dan schuldig aan?

Wade en Paul zitten zwijgend voorin. Paul rijdt. Als hij de rotonde afrijdt naar Inner Drive, zie ik een ploeg van de stadsreiniging bezig de goten te vegen, langzaam in de richting van Lincoln Park werkend. Over een paar weken springen er in de hele stad tulpen tevoorschijn uit de bloembakken. Toeristen op Michigan Avenue zullen zich verbazen hoe ordelijk en schoon alles is. De skyline zal veranderen door bouwwerkzaamheden. En aan de oppervlakte is alles schitterend. Slechts een paar van ons zullen nog weten hoe smerig het allemaal zijn kan.

Ik wou dat ik het raampje omlaag kon rollen. Ik heb het gevoel dat ik stik. Het dringt niet tot me door dat ik hier nu zelf zit, op de plek waar ik zoveel slechteriken heb vervoerd. Hun smoezen heb genegeerd. Aangenomen heb dat hun verhalen over verzachtende omstandigheden deel uitmaakten van hun grote plan. Hen behandeld heb alsof ze ergens schuldig aan waren, alsof ze ooit best iets gedaan zouden hebben waarvoor dit dan nu de gerechte straf was.

In de binnenspiegel zie ik Pauls ogen. Hij kijkt me aan alsof hij denkt dat ik iets te bekennen heb.

'Ik heb niets gedaan,' zeg ik tegen hem.

'Bewaar dat maar voor op het bureau,' zegt Wade. Ze kijken elkaar aan en richten hun blik dan weer strak naar voren, op de weg.

Dus dit is mijn gerechte straf.

Rechercheur Nehls zit tegenover me in de verhoorkamer. Zijn kale hoofd schittert in het licht terwijl hij met zijn leesbril op naar het rapport op tafel voor hem tuurt. Zijn promotie dateert nog maar van afgelopen kerst. Niet iedereen vindt dat hij die verdiend had. Fred vond dat er te veel gaten in de hiërarchie zaten; hij zei dat Nehls niet meer had kunnen boffen dan als hij in een daarvan gevallen was. Ik heb nog nooit een probleem met hem gehad. Tot nu.

Ik zie het knipperlichtje van de videocamera in de hoek en ik vraag me af wie er achter de schermen meekijkt. Nehls' blik blijft op het papier gevestigd. Volgens mij durft hij niet op te kijken omdat hij dan mijn decolleté ziet. Hij schaamt zich over een politievrouw met blote benen.

Paul staat bij de deur als een soort bodyguard.

Nehls wrijft zich over het voorhoofd. 'Dus je hebt haar ontmoet bij Stacks 'n Steaks op de hoek van Clark Street en Devon,' herhaalt hij voor de zoveelste maal. Dat heb ik hem al twee keer verteld. 'Daar ben je rond halftwee weggegaan en je bent naar huis gereden, waar je je verkleed hebt. Daarna ben je via Clark Street naar de Raven Tavern aan Lincoln Avenue gereden. Op voornoemde locatie ben je uiterlijk om tien voor halfdrie aangekomen.'

'Dat zeg ik.'

'Om iets te gaan drinken met een man die in een Jaguar rijdt en wiens naam je je niet herinnert.'

'Het is niet dat ik me hem niet herinner. Ik heb hem nooit geweten.'

'Er zijn de laatste tijd wel meer dingen die jij je niet herinnert, Mack, en mensen in je omgeving gaan dood of bijna dood.'

'Ik ben niet achter Susan aan gegaan,' zeg ik.

'Er is een getuige die verklaart dat een zwarte Mustang haar auto van de weg gedrukt heeft, net voorbij het kruispunt van Peterson Avenue en California. Dat was om tien over halftwee.'

'Daar kun je me niet voor vasthouden.'

'Gezien de recente ontwikkelingen moet ik daar anders over denken.'

'Ik zei toch dat ik met haar afgesproken had. Wat is daar nou verkeerd aan?'

MacInerny steekt zijn hoofd om de hoek van de deur en roept Paul. Paul glipt naar buiten, maar laat zijn hand op de binnenkant van de klink liggen en de deur op een kier staan. Harder dan normaal, zodat MacInerny me kan horen, zeg ik: 'Ga jij nou maar op zoek naar Mason. Die kan bevestigen dat ik het niet gedaan heb.'

Paul komt weer binnen en wacht op een seintje van Nehls voordat hij zegt: 'Susan Imes verkeert in kritieke toestand. Rechercheur Imes is op weg naar het ziekenhuis.'

'Wat heeft hij gezegd?' vraag ik. 'Dat ik het niet was.'

Paul doet of hij me niet hoort, en Nehls kijkt nog maar eens in zijn aantekeningen.

'Imes beweert dat jij belangstelling voor hem kreeg zodra hij hier begon te werken. Hij zegt dat jullie een korte affaire hadden, die vorig jaar afgelopen was. Hij zegt dat hij had toegezegd jouw onderzoek te leiden, maar dat hij niet op je seksuele avances in zou gaan. Korte tijd daarna, zegt hij, heb jij hem bedreigd. Volgens hem heb je gedreigd zijn carrière en zijn huwelijk kapot te maken.'

Wat een vuile…

'Hij liegt,' zeg ik. Ik kan mijn oren niet geloven. 'Mason probeert zijn vrouw te lozen, niet mij. Hij zei dat hij van haar ging scheiden. Misschien was hij het wel. Hij kan haar van de weg gedrukt hebben.' Nehls kijkt weer naar Paul. Het lijdt geen twijfel: ze denken dat ik lieg. 'Denk je soms dat ik dit allemaal verzin?' vraag ik, en volgens mij luidt het antwoord 'Ja'. Ze denken dat ik gek geworden ben. Waarschijnlijk klink ik alsof ik volslagen knetter ben.

'Laten we de feiten eens doornemen,' zegt Nehls. 'Ten eerste heeft Imes geen zwarte Mustang. Ten tweede, ook al had hij die: hij was aan het werk en hij reed in een patrouillewagen. Toen we hier op het bureau aankwamen, had Imes net een verdachte gearresteerd en die kon zijn alibi bevestigen. De verdachte beweert dat Mason hem aan het oppakken was op het moment dat het ongeluk plaatsvond.'

'Mason beschuldigt mij?'

'Jouw naam was de eerste die hij noemde toen we hem het bericht van de aanrijding gaven. Hij vond dat wij moesten ingrijpen.'

'Ik moet hem spreken.'

'Volgens mij heb jij al genoeg gesproken.' Nehls drukt op een knop van een audiorecorder en ik hoor mezelf zeggen: 'Luister. Ik heb je vrouw gesproken.'

'Heb jij Susan gesproken?' vraagt Mason.

'Ik weet niet meer wat ik ervan denken moet, Mason. Kun je hierheen komen? We moeten praten.'

Hij zet de band stop en wacht op mijn uitleg.

'Ik ging het met hem uitmaken,' zeg ik tegen Nehls. 'Je rukt het helemaal uit zijn verband.'

'Je hebt Masons rol bij het onderzoek opgevat als een soort persoonlijke interesse in jou,' zegt Nehls, alsof het zo dieptriest is dat hij het haast niet geloven kan.

'Mason hád ook persoonlijke belangstelling. We hebben al bijna een jaar een relatie.' Geen enkele reden meer om dat nu nog stil te houden.

Maar ook geen enkele reden voor Nehls om mij te geloven. Hij zet zijn bril af en veegt met zijn mouw over zijn hoofd. Hij heeft ook natte plekken onder zijn oksels. Ik weet niet waarom hij zo gestrest is, want hij doet alsof de hele zaak gesneden koek voor hem is. Dankzij de 'feiten'. Dankzij Mason.

'Kom op, Nehls, dacht je nou echt dat ik Susan wilde vermoorden?'

'Wat ik denk, doet er niet toe. Wat ik weet is dat je met verlof bent, met orders om in therapie te gaan. Je hebt nog niet eens een afspraak gemaakt. Niet een. Je hebt je met het onderzoek bemoeid. Je wordt ervan verdacht geheime gegevens te hebben ontvreemd. Je hangt op het bureau rond. God weet wat je verder nog op je geweten hebt, dingen die ze hier niet eens gemeld hebben. Je brigadier heeft je gedrag door de vingers gezien omdat hij dacht dat je getraumatiseerd was. Hij had nooit gedacht dat je zoiets krankzinnigs zou doen.' Nehls pakt zijn papieren bij elkaar. 'Ik ga naar het ziekenhuis. Flanigan, breng haar naar beneden.' Hij bedoelt het cellenblok.

'Maar ik wérk hier.'

'Hoofdinspecteur Jackowski heeft geen mensen in dienst die zich niet aan de regels houden. Zelfs áls je onschuldig bent op al die punten, dan blijft het een feit dat je de regels hebt overtreden.'

'Je kunt me niet zomaar in de cel stoppen.'

'Je bent een verdachte, en verdachten stoppen wij in de cel.'

Hij zal niet geloven dat Mason me erin geluisd heeft. Ik kan het zelf amper geloven.

Paul komt op me af, dus ik waag nog een laatste poging. 'Ik heb het niet gedaan. Het enige waaraan ik schuldig ben, is dat ik zo stom was om verliefd te worden op Mason.' Ik weet hoe zielig dat klinkt. En hoe zielig dat is.

Paul trekt me overeind.

'Sinds wanneer is het hier verboden om het met een collega te doen?' vraag ik Nehls.

Zonder me aan te kijken wuift hij ons weg. 'Je maakt het bureau te schande.'

Alle lichten zijn aan in het cellenblok en ik herken twee van de drie vrouwen achter de tralies. Ze kijken me met blikken vol haat aan.

'Paul, dit kun je me niet aandoen. Doe me dan in de isoleer,' zeg ik.

'Sst,' zegt hij.

'Het komt door mij dat die twee daar vastzitten. Ik heb afgelopen week geholpen dat stel op te pakken. Ze kennen me. Kom op, doe me in de isoleer. Alsjeblieft,' zeg ik. 'Anders slaan ze me verrot.'

'Stil,' zegt hij, en hij loopt de vrouwen voorbij. Hij weet dat ik gelijk heb.

In de cel daarnaast vang ik een glimp op van Birdie, die onder zijn nagels zit te pulken. Die eikel knikt me toe alsof hij nergens van opkijkt. Waarschijnlijk speelde hij met Mason onder één hoedje. Al vanaf het moment dat hij Fred en mij op Marko Trovic afstuurde. Ik grijp de tralies.

'Jij werkt voor Mason. Jij bent zijn arrestant van vanavond. Jij bent zijn alibi. Smerige leugenaar!'

Birdie fluistert iets tegen zijn celgenoot, die in lachen uitbarst. Paul maakt mijn vingers van de tralies los.

'Kom op.'

Ik laat hem begaan. Ik heb al genoeg problemen.

Paul sluit me in een isoleercel op en blijft niet even hangen voor een praatje. Ik denk dat ik voortaan geen uitnodigingen van hem meer hoef te verwachten.

Als hij weg is, heb ik bijna spijt dat hij me niet bij de andere vrouwen heeft opgesloten. Dan zat ik hier nu tenminste niet in mijn eentje, opgesloten in mijn hoofd, na te denken over de afgrijselijke gebeurtenissen. Susan. Zwanger, stervend langs de kant van de weg. Ik kan mijn ogen niet dichtdoen of ik zie haar: de eerste keer dat ik haar bij Deborah thuis zag, haar gezicht met een blos en een naar ik dacht naïeve blik in haar ogen. En vanavond, haar hele blijde uitstraling verdwenen, weggevreten, deels door mijn toedoen. Ze wist zeker dat Mason bij haar zou blijven, maar ze hoopte uit alle macht dat ik weg zou gaan.

Ze leeft in ieder geval. Goddank leeft ze. Ik hoop dat ze zich kan herinneren wat er gebeurd is en dat ze me een alibi zal verschaffen, want Nehls geloofde geen woord van wat ik zei. Klonk mijn verhaal dan zo absurd? Even belachelijk als de bewering dat Fred was vermoord door een overledene?

Waarom schuift Mason mij de schuld in de schoenen? Ik weet niet wie Susan van de weg gedrukt heeft, maar ik heb het afgrijselijke idee dat Mason dat wel weet. Hij zei tegen mij dat hij van haar ging scheiden. Tegen haar zei hij dat ze naar Florida ging. Volgens mij probeerde hij van ons allebei af te komen.

Susan had gelijk: het was eigen vuur. Misschien wist ze niet dat zij in de vuurlinie stond. Maar ik had ook niet gedacht dat ik daarin stond.

Ik blijf wakker en vraag me af hoe ik terug kan schieten.

27

De zon schijnt door het spleetje van mijn celraam en ik heb geen oog dichtgedaan. Ik hoor de dienstdoende agent bezig het ontbijt rond te brengen. Alsof ik een hap door mijn keel zou krijgen.

Ik heb de hele nacht door tweeënhalve meter geijsbeerd, keer op keer alles doornemend dat binnen het tijdsbestek van een week uiteengevallen is. Kort na zonsopgang had ik een inval: ik dacht dat ik van Mason hield. Ik dacht dat we een open, eerlijke relatie hadden, en dat we ons gezonde verstand hadden behouden dankzij de moeite die we moesten doen om elkaar alleen al te zien. Maar de nacht dat Fred doodging, toen mijn buurvrouw vroeg hoe ik mijn relatie in stand hield, had ik geen antwoord. Ik had wel een mening, ik had wel een idee over hoe de liefde in elkaar zou moeten zitten, maar dat beeld was niet compleet. Net als mijn relatie met Mason.

Ik kon niet uitleggen hoe de relatie werkte, omdat ze simpelweg niet werkte. Ik wist dat ik nooit Susans plaats zou innemen, en aanvankelijk wilde ik dat ook niet. Wie zou er nou het mysterie en de opwinding van een affaire willen omruilen voor een doodgewoon huwelijk? Ik genoot van dat geheime gedoe alsof het iets intiems was. Ik dacht dat onze liefde stoelde op eerlijkheid en acceptatie. En dat was ook zo, maar alleen omdat Mason eerlijk was over het feit dat hij getrouwd was en omdat ik die situatie accepteerde.

Waar het op neerkwam, was dat Mason alles had gekregen wat hij wilde, en dat Susan en ik hadden moeten delen. Ik had genoegen moeten nemen met een deel van hem. Ik dacht dat ik het beste deel had. Intussen weet ik dat hij een leugenaar is en een lafaard, en dat alles nog niet genoeg zou zijn.

Ik heb inderdaad een idee over hoe de liefde in elkaar zou moeten steken. En ik verdien meer.

'Samantha Mack,' zegt O'Connor en hij tikt op mijn tralies. 'Ben je nu bereid om te praten, nu je uit het dagelijks verkeer weg bent?'

'Niet met jou,' antwoord ik. 'Je kunt me hier sowieso niet laten zitten. Ik heb niets gedaan.'

'Dat zeggen ze allemaal.'

Hij opent de celdeur en stapt naar binnen. Ik ruik zijn aftershave en ik zie een paar wondjes op zijn nek waar hij met het scheermes is uitgegleden. Hij doet me denken aan een jongen die ik als student kende, een schijnbaar kwetsbare knaap wiens vaste vriendin eens per week zijn hart brak. Hij had massa's meisjes die hem wilden troosten en ik vroeg me altijd af wie van de twee nou eigenlijk aan het langste einde trok.

'Je bent anders niet bepaald onschuldig,' zegt O'Connor en hij houdt een foto omhoog van mijzelf in Freds achtertuin, de avond dat ik Mason en Deborah zat te bespioneren.

Ik begin weer te ijsberen.

'Wat was je daar aan het doen?' vraagt hij.

'Dacht je dat ik jou dat aan je neus ging hangen? Ik neem aan dat je hem zelf gemaakt hebt,' zeg ik. 'Een beetje achter me aan rijden, wachten tot ik een fout maak. Wat een miezer ben jij.'

'Sorry, maar ik ben niet degene die jou een hak wil zetten,' zegt hij.

O'Connor houdt nog een foto omhoog, ditmaal van mij

achter de Weber in Masons achtertuin, terwijl ik naar hem en Susan sta te kijken. Ik heb zin hem die foto uit handen te meppen.

'Ik snap waar je heen wilt,' zeg ik. 'Hoe kom je daaraan?'

'Die heeft Mason vanochtend opgestuurd. Hij zegt dat hij iemand in de arm had genomen toen hij dacht dat jij iets te fanatiek werd met je plannen voor zijn scheiding.'

'De gele pick-up,' zeg ik. Ik dacht dat het Trovic was. En daarna dacht ik dat het O'Connor was.

'Ik weet niet wat voor auto hij heeft, maar die vent is je gevolgd naar Fred Maloney, en naar Mason, en naar een hele reeks kroegen. Je zou eens wat moeten minderen met drinken.'

Nu laat hij me een foto zien van mij bij O'Shea, dronken over de bar geleund om iets tegen Marty te zeggen. Ik ben in uniform.

'Jezus, zit jij soms bij de AA of zo? Kom je me hier van de drank afhelpen?'

'Mensen van de drank afhelpen, Sam, dat werkt alleen als de persoon in kwestie daaraan toe is. Ik ben hier alleen om je te laten weten wat er gaande is. Met deze foto's gaan we niets doen totdat degene die het onderzoek leidt naar je auto heeft gekeken. Als er geen schade is, komt er geen zaak. Dan sta je zo weer buiten.'

'Er is geen schade aan mijn auto,' vertel ik hem.

'De getuige wist niet eens zeker of het wel een Mustang was. Waarschijnlijk gaat het de archieven in als een geval van doorrijden na aanrijding.'

'Een ongeluk,' zeg ik.

'Ongelukken gebeuren nu eenmaal.'

'Mason wilde me erin luizen,' zeg ik. 'Dat had jij al tijden geleden gezegd.'

'Ik probeerde het aan je verstand te peuteren,' zegt O'Connor.

'Hoe wist jij dat?'

Hij gaat op de bank zitten. 'Ik ken Mason al een hele tijd. Hij is niets veranderd. Dat hoeft ook niet. Hij heeft altijd wel iemand om te beduvelen. Eerst was ik het, en wie weet hoeveel anderen in de tussentijd. En nu ben jij het.'

'Wat heeft hij jou gedaan?'

'Laten we het zo zeggen: de gevangenis was prettiger geweest.' O'Connor geeft me een pakje Camel en een paar aanstekers en ditmaal maakt het me niet uit of hij probeert me te overreden. Ik pak de sigaretten aan, open het pakje en neem er een uit.

'Dat heeft hij me nooit gezegd, dat jullie elkaar van vroeger kennen,' zeg ik.

'Daar kijk ik van op. Ik dacht dat hij er trots op was.'

'Dus?'

'Dus ben ik de reden waarom Mason bij de politie zit. En is hij de reden waarom ik er niet bij zit.'

Hij kijkt voor zich uit, naar de muur, en hij lijkt anders dan voorheen. Misschien omdat hij me niet steeds lastigvalt met vragen. Misschien omdat ik intussen bereid ben te luisteren. Ik ga naast hem zitten en steek mijn sigaret op.

'We hebben samen op de politieacademie gezeten,' zegt hij. 'We hadden allebei de pest aan een van onze docenten, en dat schiep een band. Die vent moest ons niet; vooral Mason niet. Mason was een brutaal joch met connecties. Ik was alleen maar slim. Samen stonden we sterk.

We studeerden samen, deden samen alle oefeningen, beschermden elkaar. We waren een team. Mason woonde zowat bij ons in, want mijn vrouw en ik woonden vlak bij de academie. De helft van de avonden zaten we met onze neus in de boeken, de andere helft zaten we elkaar sterke verhalen te vertellen. Mijn vrouw kookte, overhoorde ons voor onze tentamens, dronk met ons mee op de veranda.'

O'Connor haalt zijn handen door zijn haar. Wat er nu komt, vertelt hij niet graag.

'Lang verhaal kort,' zegt hij, 'ik werkte me helemaal suf en

Mason blufte zich overal doorheen, mondelinge tentamens en allerhande proeven, en schreef bij schriftelijke examens mijn antwoorden over. Dat vond ik niet erg. Ik dacht dat we vrienden waren en dat we bij de politie gingen.

De avond dat we hoorden dat we geslaagd waren, gingen we het vieren. Ik werd stomdronken. Mijn vrouw moest ons komen ophalen. Ze legden me op de bank neer en gingen samen naar de veranda.' O'Connor kijkt me aan, en ik kan wel raden wat hij niet zeggen wil. Ik neem de sigaret uit mijn mond en trap hem met mijn schoen uit.

'Ik heb ze zelf gezien, daar op die veranda, met zijn handen...' Zijn stem, normaal zo onaangedaan, trilt even. 'Ik zag hoe ze naar hem verlangde. Ik wist wat een kick hij daarvan kreeg.'

O'Connor staat op, de herinnering wordt hem te veel. 'Ik stormde langs ze heen. "Het is niet wat je denkt," hoorde ik mijn vrouw nog zeggen. Ik keek nog eens goed naar Mason, die een blik had alsof hij volledig in zijn recht stond, alsof ík de zielenpoot was. Ik kon maar één ding doen: weglopen. Ik stapte op mijn motor, zo'n buikschuivermodel, en zag kans de straat uit te rijden, de buurt uit, voordat ik de macht over het stuur verloor. De motor was total loss en mijn scheenbeen was niet meer te herstellen. De volgende dag had ik een badge maar kon ik onmogelijk mijn patrouilles lopen. Ik kwam achter een bureau terecht. Ik heb nooit als echte politieman gewerkt.'

O'Connor gaat zitten alsof hij de pijn in zijn been weer voelt.

'Wat nog het meest pijn doet, is dat ik het zover had laten komen. Ik had alles met hem gedeeld. Zelfs mijn vrouw. En ik liep ervoor weg.'

'Heeft je huwelijk standgehouden?'

'Nee. Ze ontkenden beiden dat er ook maar iets gebeurd was. Maar het is nooit meer hetzelfde geworden. Mijn houding was veranderd. Ik had gedacht dat ik bij de recherche terecht zou komen, en uiteindelijk kreeg ik een secretariële functie. Ik neem haar niet kwalijk dat ze weggegaan is. Ik was een echte eikel geworden.'

'Die uitwerking heeft Mason op mensen.' Ik pak nog een sigaret en steek die op. O'Connor leunt achterover en stopt zijn handen in zijn zakken.

'Maar nu ben je beter; je loopt niet meer mank of zo,' zeg ik.

'Het is tien jaar geleden. Ik ben eraan gewend.'

'Maar je bent er niet overheen.'

'Dit gaat niet om wraak, Sam. Dit is mijn werk.'

'Waar is Mason nu?'

'In het ziekenhuis, volgens de laatste berichten.'

'Hoe is het met Susan?' Ik durf het bijna niet te vragen.

'Wist je dat ze zwanger was?'

'Dat zei ze, ja.'

'Ze is de baby kwijt.'

'O, god.'

'Volgens Mason is dat jouw motief. Hij houdt vast aan zijn verhaal, hij zegt dat jij verantwoordelijk bent.'

'En zíjn motief dan? Ik kan je hele verhalen vertellen over onze relatie. Hij zei dat hij bij Susan wegging. Gisteravond nog zei hij dat hij haar om een scheiding had gevraagd...'

Te oordelen naar de blik op O'Connors gezicht neem ik aan dat ik even gestoord klink als iedereen vindt dat ik ben.

'En het onderzoek? Kun je daarnaar informeren? Volgens Mason had hij een arrestatiebevel tegen Trovic laten uitschrijven. Hij zei dat hij connecties had bij justitie...'

Diezelfde blik.

'Maar je weet toch dat hij en ik een relatie hadden,' zeg ik.

'Dat hebben jullie allebei steeds ontkend.' O'Connor haalt zijn handen uit zijn zakken en wrijft met zijn rechterduim over zijn linkerknokkel, net onder de plek waar hij een trouwring had kunnen dragen. 'Aanvaard het maar, Mack. Hij heeft je voorgelogen.'

Ik trap mijn sigaret uit. De ellende is dat ik nog steeds diep in mijn hart denk dat Mason hier een goede reden voor moet hebben. Hoe ik de leugens ook bij elkaar optel, ik ben nog steeds niet zo ver dat ik dit kan accepteren: hij zei dat hij van me hield. En dat geloofde ik.

'Hoe speelt hij het klaar, al die shit van hem?' vraagt O'Connor.

Ik kijk naar de foto's van mezelf die O'Connor op de bank heeft laten liggen. Ik denk aan Masons perfecte huis, en aan Susans gigantische diamanten ring. O, wat ben ik stom.

'Hij brengt mensen in zijn macht,' zeg ik. En dat heb ik laten gebeuren.

'Inderdaad,' zegt O'Connor. 'Het is een machtsspelletje. Daarom is het zo lucratief voor hem. Hij heeft alle touwtjes in handen. En daar gaat het hem om.'

'Lucratief?' vraag ik.

'Hij neemt geld aan. Al sinds hij bij jullie bureau begonnen is, houdt hij er een afpersingspraktijk op na. Hij laat drugsdealers betalen voor hun vrijheid. Hij heeft een hele massa jongens op bureau die meedoen.'

Ik probeer dit zonder emotie te verwerken. Mason is slecht. *Mason is crimineel.* Dat wist ik niet.

'Als jij dat allemaal wist, waarom heb je hem dan niet gearresteerd?' vraag ik.

'Hij is goed in wat hij doet. De overtredingen waarop we hem hadden kunnen pakken, waren te klein. Daarvoor had hij hoogstens een tik op de vingers gekregen van de hoofdinspecteur, en dan had hij ergens anders zo kunnen doorgaan. Of hij had zijn praktijk kunnen overdoen aan een van zijn stromannen. We willen hém, en we hebben zitten wachten tot hij het groter zou aanpakken.'

'Dan hebben we dus allemaal zitten wachten tot hij iets zou doen,' zeg ik. 'Waarom doe je zelf niet iets?'

'Denk je dat ik je heb zitten schaduwen omdat ik een afspraakje wilde?' vraagt hij.

'Hoe moest ik dat nou allemaal weten? Je hebt geen open kaart gespeeld.'

'Ik dacht dat jij Masons handlanger was.'

'In zekere zin was ik dat ook.' Ik had onze affaire verzwegen. Ik had de andere kant op gekeken als ik iets zag wat me niet aanstond. En ik had alles wat hij zei voor zoete koek geslikt, omdat ik dacht dat hij in me geloofde. Ik dacht dat hij van me hield.

Maar ik weet dat ik Mason van tenminste één ding heb overtuigd: hij denkt dat ik ook van hem houd.

'Jij denkt dat ik tot hem door kan dringen,' zeg ik tegen O'Connor.

'Moet ik het nog een keer zeggen? Ik heb jouw hulp nodig.'

Dit is het dus. Ik heb me verzet tegen Interne Zaken uit loyaliteit met mijn collega's. Ik heb me verzet tegen mijn superieuren uit loyaliteit met Fred. Ik ben mijn plicht als politievrouw bijna vergeten uit loyaliteit met Mason. En die hele tijd heb ik me verzet tegen mijn intuïtie: Mason liegt.

Ik wijs naar O'Connors badge. 'Mag ik die even? Die verklikker een paar cellen verderop is me wat schuldig.'

O'Connor blijft roerloos zitten.

'Je bént politie,' zeg ik, 'en je bent beter dan Mason. Geloof me. We krijgen hem te pakken.'

O'Connor kijkt me onderzoekend aan, misschien op zoek naar een glimp van bedrog in mijn blik, net als de blik van triomf die we beiden bij Mason hebben gezien.

Dan haalt hij zijn badge uit de zak van zijn overhemd en geeft hem aan mij.

28

Birdie zit met zijn rug naar me toe op de grond, tegen de tralies geleund, op de laatste restanten van zijn nagels te kluiven. Zijn celgenoot slaapt.

Ik steek mijn hand naar binnen en grijp tussen de tralies

door Birdies overhemdkraag. Ik trek hem naar me toe en laat O'Connors badge zien.

'Heb jij je gisteravond door Mason laten achtervolgen? Zit je daarom hier?' vraag ik.

'Nee,' antwoordt Birdie, en hij probeert weg te komen.

'Gelul! Vooruit met je verhaal!'

'Dit kun jij helemaal niet doen. Je zit zelf opgesloten.'

'Ik ben agent. Jij hebt geen idee wat ik allemaal kan doen.'

Hij wurgt zichzelf zowat in zijn pogingen om van me weg te komen. 'Ik heb mezelf aangegeven,' giert hij.

'Waarvoor? En denk erom dat het een kloppend verhaal wordt, anders laat ik je kennismaken met alle gozers die hier vastzitten en vertel dat jij een verklikker bent. Wou je soms nog nieuwe vrienden maken?'

'Het is daar niet veilig,' zegt hij. 'Trovic' mannen zijn razend. Jullie hebben hem koud gemaakt en ze denken dat ik daar meer van weet.'

Ik laat hem los.

'Daar wíst jij ook meer van. Je zei dat hij jou gezegd had dat je Fred moest bellen. Je zei dat je Trovic had gesproken toen hij al dood was.'

'Oké, dan heb ik hem niet echt gesproken. Maar de opdracht kwam van hem: van de mensen die voor hem werken. Ik wist niet dat hij dood was, ik zweer het. Ik heb gedaan wat me gezegd was, en ik heb Fred naar die afspraak gestuurd. En verder zeg ik niks, dat hoef ik ook helemaal niet. Ik zit toch al vast.' Hij trekt zijn kraag recht.

'Prima. Haal hem er maar uit,' zeg ik tegen O'Connor, die het spelletje meespeelt en zijn sleutels pakt om de celdeur te openen. 'Ik ken een paar gozers die maar al te graag met jou zullen kennismaken, Birdie.'

Zijn celgenoot beweegt even in zijn slaap, en Birdie reageert schichtig.

'Toe nou, man,' zegt hij tegen O'Connor. 'Ik weet ook niet meer dan jullie.'

'Je weet wie Mason gisteravond gearresteerd heeft,' zeg ik. 'Dat was een neparrestatie.'

Birdie blijft zwijgen; O'Connor steekt zijn sleutel in het slot.

'Oké, oké,' zegt Birdie. 'Niet zo haastig.' Hij kijkt even of zijn celgenoot nog slaapt. Dan steekt hij zijn gezicht tussen de tralies door en fluistert tegen O'Connor: 'Ze zeggen dat het iemand uit het zuiden is, een of andere stroman die voor de mannen werkt die een deal met Mason zouden sluiten. Ze zeggen dat hij tien minuten na zijn opsluiting alweer buiten stond.'

'Masons alibi,' zegt O'Connor.

'Dat moet je mij niet vragen,' fluistert Birdie.

Met zijn gezicht tegen de tralies kan Birdie zijn ogen alleen maar mijn kant uit draaien. 'Nou moet je niet doen alsof jij er niet bij hoort,' zegt hij. 'Volgens mij zat jij wel degelijk achter me aan, een beetje eng doen met je .22.'

Ik voel O'Connors blik in mijn rug. Birdie voelt dat hij problemen aan het maken is. Hij gaat door, zijn blik weer op O'Connor gericht: 'Ze zeggen dat zij Maloneys dood op Trovic wilde afschuiven omdat ze met Mason meedoet. Ze wilden het doen voorkomen alsof Trovic nog leefde, zodat niemand zou denken dat hij dood was. Waarschijnlijk is zij net zo hard op de loop voor Trovic' mannetjes als ik.'

'Nou en?' vraagt O'Connor.

Birdie houdt zijn wijsvinger tegen zijn lippen omdat O'Connor niet fluistert.

'Ze nemen al bijna een jaar geld aan,' zegt O'Connor zonder zijn stem te dempen. 'Wat is er dus zo bijzonder aan deze ene deal?'

Birdie haalt zijn vinger voor zijn mond weg en wijst ermee naar mij. 'Zij had er helemaal niet bij moeten zijn. Als het Mason ditmaal niet lukt, zijn de bazen hun spullen kwijt en dan zullen ze niet tussenbeide komen als half Servië achter hem aan gaat. Of achter haar aan.'

Ik krijg het gevoel dat ze het over de puntentelling hebben

van een sport waarvan ik de regels niet ken. En dat ik de inzet ben.

'Ik dacht dat ik een grote mond had,' zegt Birdie. 'Maar jullie doen niet anders dan spelletjes spelen.'

'Ik zet je hier en nu op straat, zo'n beetje in de buurt van Trovic' mannetjes, dan kunnen die eens met jóú spelen,' zegt O'Connor. 'En als je dat niet wilt, dan vertel je me waar en wanneer die deal moet plaatsvinden.'

'Doe me dit niet aan,' zegt Birdie, en hij loopt weg van de tralies. 'Ik ben geen rat. Ik wilde alleen mijn schulden afbetalen.' Hij werpt nog een blik op zijn celgenoot. Die ligt in diepe slaap. Birdie weegt zijn opties tegen elkaar af.

Ik bedenk dat ik de beslissing iets makkelijker voor hem kan maken. De sleutel zit nog in het slot en O'Connor houdt me niet tegen als ik die pak. Ik smijt de celdeur open en gooi er mijn volle zestig kilo tegenaan om hem tegen de tralies te persen. Hij houdt zijn hoofd in zijn nek, dus met mijn linkerhand grijp ik zijn haar. In deze houding kan ik heel wat schade aanrichten, te beginnen met een stomp in zijn ribben.

'Vooruit.'

O'Connor haalt zijn schouders op naar Birdie, in een gebaar dat zegt dat ik gelijk heb.

'Een partij heroïne uit Florida,' zegt Birdie. Hij staakt zijn verzet en zijn gezicht klapt tegen de tralies. 'Au!'

O'Connor komt vlak bij hem staan. 'Dus daarom zat Trovic in Miami?'

'Ja,' zegt Birdie. 'Trovic had de boel geregeld, enorm sluw, via iemand die hij op vakantie had ontmoet. Een of andere cruise vanuit Miami, die onderweg Cozumel aandoet. Hij had zowat tien kilo gescoord, hoorde ik. Maar Trovic was dood voordat hij het spul hierheen kon brengen. Mason Imes had de lading onderschept. En die heeft sinds Trovic' verdwijning de leiding overgenomen. Ik weet alleen dat dit de grote klapper wordt, en meteen ook de laatste.'

O'Connor beduidt dat ik Birdie los moet laten, maar dat doe ik niet.

'We houden je hier. Hier zit je veilig,' zegt O'Connor. 'Alleen nog even zeggen waar en wanneer.'

'Ik weet niet meer!' roept hij. Zijn celgenoot zit plotseling overeind en kijkt ons aan alsof hij niet weet wat hij ervan moet vinden. Ik laat Birdie los. Met zijn hand aan zijn kaak leunt hij tegen de tralies. 'Teef, dat had me zowat mijn voortanden gekost.'

'Dan zijn we nu quitte,' zeg ik, met een gebaar naar mijn oog.

Ik grijp me vast aan de tralies voor mijn cel om te voorkomen dat O'Connor me weer opsluit.

'Laat me gaan. Je hebt me nodig, dat heb je zelf gezegd!' zeg ik.

'Dat gaat niet,' antwoordt hij.

'Kom op, O'Connor, wie heb je nou verder nog? De helft van de agenten op dit bureau zal de andere kant op kijken. Als ze niet met Mason meedoen, dan zijn ze wel als de dood voor hem. Ik meen het: ik krijg hem te pakken.'

Daar moet O'Connor een tijdje over nadenken. Hij kijkt naar mijn pakje sigaretten alsof hij er een wil. Volgens mij rookt hij niet.

'Als ik jou loslaat dan doen we het op mijn manier. Dan krijg jij een microfoontje.'

'Geen denken aan. Daar kent Mason me veel te goed voor. Dat heeft hij meteen door. En als ik hem nu laat zakken en die deal waarover Birdie het had niet doorgaat, dan zitten we allemaal in de problemen.'

'Als Mason jou zo goed kent, wat verwacht hij dan zodra jij weer op vrije voeten staat?'

'Dan verwacht hij dat ik ga bewijzen dat ik het niet op Susan voorzien had. Dat ik zou achterhalen wie die foto's heeft genomen. Maar dit heeft niets te maken met wat Birdie ons verteld heeft. We hebben geen tijd om achter een of andere schlemiel van een privédetective aan te…'

'Dat ga jij anders wel doen.'

'Waarom?'

'Om mij wat meer tijd te bezorgen.'

'Moet ik als afleiding dienen?'

'Je bent bezig je naam te zuiveren. Dat zal Mason geloven.'

'En als ik die privédetective eenmaal te pakken heb, weet je wat Mason dan zal verwachten?'

'Nou?'

'Dat ik achter hém aan ga.'

'O, nee. Jij blijft bij hem uit de buurt. Je bezorgt me genoeg tijd om iets te regelen voor die drugsdeal, en dan ga je de cel weer in.' Ik weet niet of hij bang is dat me iets overkomt, of dat hij Mason zelf wil oppakken.

'Oké,' zeg ik. Het klinkt niet erg overtuigend.

'Sam, beloof me…' begint O'Connor. Om de een of andere reden aarzelt hij. 'Als ik je hier uit laat, beloof me dan dat je geen woord zult zeggen over dit gesprek.'

'Wat voor gesprek?' glimlach ik, de eerste keer dat ik naar hem lach. Hij heeft nooit naar mij gelachen.

'We kunnen allebei in de stront belanden als we dit niet goed aanpakken. Ik word niet geacht met jou samen te werken. Ik word niet eens geacht met je te praten, want ik kreeg je eerder ook niet aan de praat. Als we Mason niet bij de kraag vatten, ben ik mijn badge kwijt.'

'Je moet het maar zo bekijken,' zeg ik. 'Als ik het loodje leg, kun je hem daarvoor arresteren.'

O'Connor kijkt niet gerustgesteld.

'Hier kun je niet voor weglopen, Alex,' zeg ik. 'Het is je werk.'

Als O'Connor uiteindelijk mijn celdeur op slot doet, sta ik aan de buitenkant.

29

O'Connor zegt dat hij met de agent die mijn zaak afhandelt en met Nehls zal praten. O'Connor is dan misschien geen bondgenoot van me, maar we hebben een gezamenlijke vijand. En hij kan dingen organiseren.

Gelukkig is het bureau vrijwel verlaten als ik wegga. O'Connor loopt met me mee en roept een taxi. De zon schijnt en het is bijna warm. Op Addison Avenue wemelt het van de fietsers en joggers op weg naar het meer. Ik vraag me af hoevelen van hen een affaire hebben. Waarschijnlijk ben ik de enige die zo stom is. O'Connor kijkt me na als de taxi wegrijdt, en de blik in zijn ogen zegt me hoe vurig hij hoopt dat dit geen enorme vergissing zal blijken.

Achter op een van de foto's staat het logo van Wolf Camera, dus mijn eerste stap is erachter te komen waar die foto's zijn ontwikkeld. Het eerste filiaal van Wolf Camera dat ik bezoek is zo groot als een kiosk, ergens in een gebouw aan Rush Street geprop. Ik laat de foto's zien aan een man op leeftijd, achter een balie vol enveloppen met films die ontwikkeld moeten worden.

'Enig idee hoe ik erachter kom waar deze zijn ontwikkeld?' vraag ik. Ik hoop dat hij behulpzaam is, want ik heb geen badge om mijn woorden kracht bij te zetten.

'Als die van ons zijn,' zegt hij, 'dan hebben ze een routing-nummer.' Ik geef hem de foto van mij in Masons tuin en hij werpt er een blik op. Dan kijkt hij naar mij. 'Wie zit er achter wie aan?'

'Dit heeft haast,' zeg ik. 'Ik ben van de politie.'

Hij is niet overtuigd.

'Degene die deze foto's heeft genomen, zit nu misschien in de problemen,' lieg ik.

'Ben jij agent?' vraagt hij; hij wil bewijzen.

Het enige bewijs dat ik hem kan geven, is de foto van mij

in uniform aan de bar. Die geef ik hem; hij is niet zichtbaar onder de indruk, maar hij draait de foto om en toetst wat cijfers in op zijn computer.

'Die komt van onze winkel aan Chicago Avenue,' zegt hij en ik weet precies waar die is dus ik grijp de foto's en hol naar buiten.

'Bedankt,' zeg ik over mijn schouder. In de spiegel voor de beveiligingscamera zie ik hem hoofdschudden. Ik maak niet de indruk een tevreden klant te zijn.

'Heb jij gezien wie deze foto's heeft opgehaald?' vraag ik een studentikoos type met een naambordje waarop TIM staat. Deze vestiging van Wolf Camera is groter, maar lijkt zoveel ruimte niet nodig te hebben.

'We geven nooit de naam van klanten...' begint Tim, dus ik leun over de balie heen en laat hem de foto zien van mij aan de bar.

'Kijk. Ik ben van de politie. De vent die deze heeft genomen, is een stalker.'

Hij kijkt naar de foto, naar mij, naar alle hoeken van het vertrek. Ik vraag me af of zijn beslissing afhankelijk is van winkelbeleid. Ik neem hem op, ga tussen hem en de beveiligingscamera in staan en leg een briefje van twintig op de balie. Tim kijkt naar het geld.

'Hij heeft wel eens meer van dit soort spul,' zegt hij. 'Zijn naam ken ik niet.'

Ik leg nog een briefje van twintig neer.

'Ik weet het echt niet,' houdt hij vol.

'Kun je het opzoeken?'

Hij kijkt naar de beveiligingscamera. Dat vat ik dan maar op als een nee.

Ik raap beide briefjes op, pak de foto en draai me om op weg naar buiten.

'Gozer met een gele pick-up, toch?' zegt Tim.

Ik blijf staan.

'Die was hier gisteren nog. Heeft een rolletje afgegeven...'
Tim bladert door een stapel enveloppen en haalt er een bonnetje uit. Dat legt hij op de balie, en dan drukt hij een paar toetsen in om de kassa te openen en wacht op het geld, net als bij een normale transactie.

Ik geef hem de veertig dollar als betaling voor een naam: Bruce Zahner.

Bij een Streeter-kroeg aan Chicago Avenue vind ik een telefooncel. Ik sla het telefoonboek achteraan open. Ik zoek door de z tot ik een paar Zahners vind. Drie met de voorletter B. Een op tien minuten afstand van hier.

Ik houd een taxi aan.

De taxi brengt me langs Division Street, weg van de dure appartementencomplexen, naar de dikke, lelijke hokken aan de overkant van de rivier. Ik laat hem een eindje voorbij het adres stoppen en loop terug naar een flat met uitzicht op het water.

Ik klop aan. Er komt geen reactie, dus voel ik aan de deur. Die is open.

Als ik binnenkom, is het licht aan maar het is eigenaardig stil in huis.

'Hallo?' zeg ik. Geen antwoord. Ik had de chauffeur beter kunnen zeggen dat hij moest wachten.

Als dit een privédetective is, dan is er weinig privé's aan. Alle apparatuur staat open en bloot te kijk. Foto's van mensen die beslist niet aan het poseren waren liggen over de hele werktafel verspreid. Op de grond ligt een gedemonteerde telescoop. Er hangt een rol papier uit de fax en het groene lichtje knippert.

'Hallo?' zeg ik nogmaals. Ik rommel door wat papieren op zijn bureau, maar die zien er allemaal uit alsof ze niets met mijn zaak te maken hebben.

'Wie ben jij?' Een magere vrouw in een verbleekte spijkerbroek betrapt me als ze opduikt uit wat ik voor een kast had aangezien. Bij iedere ademhaling ademt ze rook uit.

'Ik ben op zoek naar Bruce Zahner,' zeg ik.

'Ik ook,' meldt ze. Ze ramt een sigaret in haar mond en neemt me met telkens wegspringende blik op. Of misschien kijkt ze me wel strak aan maar doet de rest van haar springerig. Ze tikt met haar voet en strijkt ritmisch met haar linkerhand over haar spijkerbroek. Ofwel er klinkt ergens muziek die ik niet hoor, ofwel ze is stoned.

'Wie ben jij?' vraag ik.

'Wie mag jij dan wel wezen?' riposteert ze meteen.

'Ik heet Mary,' lieg ik weinig creatief. 'Ik ben een ontevreden klant.'

'Kom erbij,' zegt ze. 'Ik ben Janine. Bruce' ex.' Ze loopt door het kantoor naar wat ik voor een tweede kastdeur had aangezien. Ik volg haar een gang door.

'Heb jij hem gezien?' vraag ik.

'Al een paar dagen niet meer. Ik had moeten weten dat hij er niet zou zijn. Hij is er nooit op normale tijden. Hij heeft zo'n bedrijfje waarbij je naar mensen op zoek moet, en er zijn ook altijd mensen naar hem op zoek.' Ze opent een zware deur en wordt bijna zelf meegesleurd door het gewicht. 'En maar zeggen dat hij geen cent te makken heeft. De krent. Moet je nou eens kijken.'

Ik stap een garage binnen die bijna helemaal in beslag genomen wordt door die enorme, gele pick-up. Ze maakt prijzende opmerkingen, alsof ze me een rondleiding geeft. 'Hij zei dat er onder de tafel door nog wat baar geld binnenkwam en voor je het weet staat er zo'n glimmend gevaarte in de garage, alsof hij speurwerk verricht voor Donald Trump. "Om iedereen die hij geld schuldig is op de tenen te houden," zegt hij. Idioot. Bovendien krijg ik nog geld van hem.'

Ze knipt het plafondlicht aan en naast de pick-up zie ik een zwarte Mustang uit 2002 staan. Hij ziet er beter uit dan de mijne.

'Krijg jij nog geld van hem?'

'Nee, alleen tekst en uitleg.'

'Vertel mij wat. Ik vraag of hij misschien wat van zijn rijkdom zou willen delen, mensen terugbetalen in plaats van alles te vergokken zoals vorige keer...' Ze ratelt verder.

Ik loop om de auto heen. Er zitten geen krassen op. Op een werkbank rechts van de auto staan autolak en een gereedschapskist. Op de nummerborden zitten Avis-stickers. Er hangt een chemische verfgeur in de lucht.

Dit is de auto waarmee Susan van de weg is gedrukt. Deze vent heeft geprobeerd haar van kant te maken. Het valt niet te ontkennen: Mason heeft Bruce Zahner aangenomen voor zijn smerige klusjes.

Ik heb frisse lucht nodig. Ik vind een deur waardoor ik naar buiten kan, naar een parkeerterrein met grind. Hij is zwaar, net als de deur aan de andere kant van de garage, en ik moet er met mijn volle gewicht tegenaan duwen, hoofd omlaag.

En dan zie ik het bloed. Of is het motorolie? Vlekjes op de vloer die onzichtbaar verdwijnen in het grind buiten. Ik zet iets zwaars tegen de deur om hem open te houden en raak een van de vlekjes op de grond aan. Het is geen olie.

'Wanneer heb jij Bruce voor het laatst gezien?' vraag ik Janine, en ik loop door om in het grind te zoeken.

'Twee dagen geleden,' zegt ze. 'Ik had het kunnen weten. Hij zal weer zo blut zijn dat hij niet weg kan uit dat casino in Elgin. De vorige keer dat hij daar zat, moest ik hem zelf gaan halen.' Janine loopt achter me aan langs een rij vuilniscontainers. Maar ze loopt langzamer dan ze spreekt.

Ik kniel, op zoek naar bewijsmateriaal, maar waarschijnlijk loopt het bloedspoor hier dood. Ik zal moeten uitvissen wat er in die containers zit.

'Ik had hem moeten verlaten toen hij in een of andere louche tent de complete huur had vergokt,' gaat Janine verder. Ze komt naast me op haar knieën liggen alsof ze wil helpen, hoewel ze volgens mij geen idee heeft waar ik mee bezig ben.

Ik sta op en open het deksel van de eerste container. Ik moet bijna overgeven van de stank. Dit is geen dood; dit is eerder een luierlucht. Zonder erin te kijken laat ik het deksel vallen en maak dat ik wegkom. Een meter of zo voorbij de laatste container zie ik een spoor door het grind lopen. Het is er wat uitgediept, alsof er iets in de richting van de rivier is gesleept. Het pad is bijna onzichtbaar, maar ik volg het.

'En dan die zielige verhalen van hem, en dan ook nog eens glashard vragen of ik hem honderd dollar kon lenen...'

Ik probeer haar geratel uit te filteren. Ik ben misselijk. Aan de rand van het parkeerterrein blijf ik staan. Daar loopt het pad dood in een groot blok beton. Ik leun over een metalen reling heen die het terrein afscheidt van de rivier daaronder. Mijn hoofd tolt en ik heb zin om tegen Janine te zeggen dat ze haar kop moet houden. Ik doe mijn ogen dicht en spuug en haal diep adem en probeer niet te kotsen. Mason heeft me erin geluisd. Mason heeft zijn ongeboren kind vermoord. Ik moet Bruce Zahner vinden.

Janine, die gewoon verder ratelt, komt naast me staan: 'Dus ik zeg tegen hem, als je mij niet had dan was je allang... dood... dat is... hij... Bruce!'

Even denk ik dat ze hem aan de overkant van de rivier heeft gezien en nu naar hem staat te roepen. Ik grijp de reling en recht mijn rug om hem te zoeken.

'O, god! Hij is dood!' huilt ze. Ze wijst omlaag, het water in.

Daar drijft het lichaam van een man met krullend haar, vastgehaakt aan een rots in de trage stroming. Zijn kraalogen staren me aan, en ik herinner me hem bij O'Shea gezien te hebben. En dan moet ik kotsen.

'O, nee! Bruce! Nee!' Janine begint over de reling heen te klimmen. Ik veeg mijn mond af, grijp haar bij haar ene been en trek haar terug.

'Niet doen, dat is veel te gevaarlijk. Kun je even hier blijven?' Janine laat zich in het grind vallen. Ik kijk even naar haar terwijl ik zelf op adem kom.

'Bruce,' jammert ze.

'Ik ga de politie bellen,' lieg ik. Als er één ding is waaraan ik geen behoefte heb, dan is het hier aangetroffen te worden. 'Janine?' Ze kijkt me met glazige blik aan. 'Ik ben zo terug.'

Ik tril niet eens meer, ik schok. Het klamme zweet kleeft aan mijn huid. Ik hol terug naar Bruce' kantoor.

Ik laat de deur openstaan om een oogje op Janine te kunnen houden en zoek een telefoon om O'Connor te bellen.

'Waar zit je?' vraag ik als hij opneemt.

'Nog bij jou op bureau,' zegt hij. 'Ik ben net klaar met het verhoor van agent Flagherty. Het enige dat hij bekent is een gezonde angst voor zijn vrouw. Ken je die? Als hij ook maar iets wist van de corruptie hier, had ze hem waarschijnlijk hoogstpersoonlijk in de boeien geslagen. Hij heeft het al moeilijk genoeg omdat hij Deb Maloney vaak gezelschap houdt. En waar zit jij? Ik liep je brigadier net tegen het lijf. Die kreeg zowat een verzakking. Hij heeft de agent gesproken die je auto in beslag heeft genomen – iets met een kofferbak vol rouwkaarten…'

'Hou even op over die kaarten,' zeg ik. 'Ik heb de man gevonden. Bruce Zahner. Kantoor aan Division Street, ten westen van de rivier. En daar is hij ook.'

'Op kantoor?'

'In de rivier.'

'Verder nog iemand die hem gezien heeft?'

'Zijn ex heeft hem daarnet gevonden. Hij heeft een zwarte Mustang, keurig gerepareerd, sprekend de mijne. Die staat in zijn garage. Nummerborden met Avis-stickers. En die gele pick-up waarvan ik dacht dat hij van jou was? Die staat hier ook. Hij was het. Dit is bewijs.'

'Mogelijk bewijs dat hij betaald werd om jou te volgen. Niet dat hij betaald werd om Susan te vermoorden.'

'Als hij verantwoordelijk is voor Susans ongeluk, en als we een lijntje van hem naar Mason vinden, dan is dat aanzetten tot moord. Of in ieder geval voorbedachten rade, denk je niet?'

'Laat je nou niet meeslepen. Blijf daar op me zitten wach ten. We gaan zijn stappen na. We vinden een maas. Een vergissing. We doen dit volgens het boekje.'

'Jij weet even goed als ik dat we hem zo niet pakken,' zeg ik.

'Er zijn meer mensen bij betrokken, Sam. Deze zaak is groter dan jij denkt.'

'Het maakt mij niet uit wie er allemaal bij betrokken is, O'Connor. Ik ben degene die overal voor opdraait.' Ook als ik niet had overgegeven, had ik nu gal geproefd.

'Geef het adres maar,' zegt O'Connor. 'Dan ben ik er met tien minuten.'

Door de deuropening zie ik Janine bijkomen uit haar waas. Ze begint met haar armen te zwaaien en naar passerende auto's te gillen. Een is er al het parkeerterrein opgereden en de bestuurder staat naast de auto een nummer te bellen.

'De politie is er met twee minuten,' zeg ik tegen O'Connor. 'Jij wilde dat ik als afleiding zou dienen; haal me hier nu in godsnaam weg.'

'Prima. Zeg maar waar ik je moet oppikken.'

'Dat wordt niets. Als er andere agenten bij betrokken zijn en jij gaat het bureau uit, dan komt Mason er geheid achter dat jij en ik samenwerken. Als je daar niet verder komt, dan ga ik uitvissen wie er verder nog met hem meedoet. Wees jíj de afleiding maar.'

'Verdomme, Mack, dit bevalt me van geen…' begint hij.

'Ik bel nog,' kap ik hem af. Ik hang op en neem de achteruitgang, de steeg door naar Halsted Avenue.

Als ik gelijk heb over die privédetective, dan wilde Mason inderdaad van Susan en mij af. Of misschien wilde hij doen alsof dat zo was; als er iemand dacht dat ik met hem samenspande, dan zouden ze dat idee wel laten varen bij een beschuldiging dat ik had geprobeerd zijn vrouw te vermoorden.

Waarom denkt iedereen overigens dat ik Masons handlanger ben? Zowel O'Connor als Birdie zeiden dat dat kwam doordat ik had geprobeerd Trovic aan te wijzen als Freds moordenaar in plaats van zijn dood af te doen als een ongeluk.

Dan gelooft dus niemand dat het een ongeluk was. En dan was er behalve Marko Trovic dus nóg iemand die Fred dood wilde hebben.

Ik houd een taxi aan en geef de chauffeur Freds adres. Hij zet koers naar het noorden en ik wou maar dat hij harder reed, want ik moet de waarheid over Fred achterhalen voordat Mason me inhaalt.

30

Dat laatste gesprek was niet soepel verlopen, maar ik durf het wel aan om Deborah aan de tand te voelen over Fred. Als zij ook maar iets weet over de dood van haar echtgenoot, dan zal ze me dat vertellen. Al moet ik het eruit sláán.

De taxi zet me voor Freds huis af. De erker is donker, maar ik pieker er niet over om achterom te gaan. Ik klop op de voordeur.

Een jongeman doet open, een puber nog bijna, met verf op zijn gezicht en zijn T-shirt. Hij rookt een sigaret. Hij heeft spieren die niet bij dat jonge gezicht passen. Hij lijkt niet in het minst verbaasd mij daar te zien.

'Ben jij de werkster?' vraagt hij.

Ik vraag me af of mijn uiterlijk aanleiding geeft tot zo'n vraag.

'Ik ben op zoek naar Deborah,' zeg ik. Ik probeer vriendelijk te doen. 'Ik ben… een vriendin van haar.'

De jongen knikt alsof ik sta te beweren dat de Cubs dit jaar kampioen worden (instemming is de enige beleefde optie).

'Ze is verhuisd,' zegt hij, en hij neemt me van top tot teen op.

Ga jij hier nu wonen?' vraag ik.

'Nee. Ik ben de zaak aan het opruimen voor haar. Ik zat te wachten op hulp.'

Ik wil vragen wie hij is. Ik wil naar binnen en zien wat Deb van plan is, en ik wil weten waar ze naartoe is. Had ik maar gezegd dat ik de werkster was.

'Heb jij misschien een sigaret voor me?' vraag ik.

Ja,' zegt hij. 'Die liggen achter. Wou je binnenkomen?'

Hij houdt de deur open, zodat ik naar binnen kan. Ik stap de drempel over als een vampier. Je moest eens weten, knul.

Achter hem aan loop ik de gang door; ik neem zoveel in me op als ik maar kan. In de voorkamer is alles weg, behalve de vleugel. Ook de eetkamer is leeg, op een paar dozen na. De muren in de gang zijn kaal.

'Dus jij bent een vriendin van mijn moeder?' vraagt de jongen.

'Wat?'

'Mijn moeder. Deborah.' Dit is een zoon van Deb? Heeft Deb dan een zóón? Wat krijgen we nou?

Ik probeer niets te laten merken. 'Eerlijk gezegd kende ik haar man beter,' zeg ik. Dit is onvoorstelbaar.

'Welke?' vraagt de jongen en achteloos tikt hij de as van zijn sigaret af.

'Fred,' zeg ik, en waarschijnlijk zie ik geen kans mijn verbazing te verhullen. 'Ik had het over Fred.'

'Nou, je weet natuurlijk wel dat die hier ook niet is,' zegt de knaap. Ik neem aan dat het als grap bedoeld is. Goed dat ik mijn maag al omgekeerd heb.

'Mag ik even gebruikmaken van het toilet?' vraag ik.

'Ga je gang,' zegt hij. 'Ik ga weer aan de slag.'

Ik zie kans me te beheersen tot ik in de badkamer ben. Ik doe de deur dicht en ga met mijn hoofd in mijn handen op het deksel van het toilet zitten. Mijn adem stokt. Ik zuig grote teugen lucht naar binnen. De kraan druppelt en slaat ietwat willekeurig de maat. Drup, drup. Fred zou er hoorndol van geworden zijn. Als hij nog leefde, zou hij de eerstvolgende vrije dag bij de ijzerhandel en onder de wasbak doorgebracht hebben.

Ik sta op en draai de kraan open. Ik spetter koud water op mijn gezicht om niet te hoeven huilen. Fred had me nooit verteld dat hij een stiefzoon had. Misschien zijn er wel veel meer dingen die hij me niet verteld heeft.

Misschien kende ik Fred helemaal niet. Ik moet met die jongen praten. Misschien is hij mijn laatste kans om erachter te komen.

In de achterkamer staat Debs zoon een gestuukte muur te schilderen.

'Lekker kleurtje,' zeg ik om hem te laten weten dat ik terug ben. Ik bedenk dat ik sta op de plek waar eerst de bank stond. De bank waarop Mason Deborah had zitten troosten. Een walgelijke gedachte.

De jongen geeft me een nieuwe sigaret aan, samen met de saf die hijzelf rookt. 'Ik heb geen lucifers meer.'

'Kon jij goed overweg met Fred?' vraag ik als ik mijn eigen sigaret heb opgestoken en de zijne heb teruggegeven.

Hij pakt een verfroller en haalt die door een bak lichtblauwe verf. 'Nee, we konden niet met elkaar opschieten. Ik woon bij mijn vader. Ik wil niet rot doen, maar voor een stoere politieman had Fred niet veel ruggengraat. Vooral niet waar het mijn moeder betrof.'

'Hij was dol op je moeder,' zeg ik, hoewel ik het met hem eens geweest was als Fred nog geleefd had.

'Weet ik. En dan moet hij zich zo nodig laten doodschieten bij die nachtdiensten die mijn moeder hem had aangepraat omdat het meer oplevert. Zo zal ik nooit doen tegenover een meisje, wat er ook gebeurt.'

'Ik dacht dat Fred die nachtdiensten draaide omdat je moeder het niet zo op zijn voormalige partner had.' Met vastberaden, harde halen schildert de jongen de muur, op en neer.

'Het enige waar mijn moeder het niet zo op had, dat was Freds salaris. Zal ze zich nu ook wel behoorlijk rot over voelen.'

Dat betwijfel ik, dus houd ik mijn mond. Met mijn hand onder het uiteinde van mijn sigaret kijk ik om me heen of ik ergens een asbak zie staan. Als Deb hier was, kon ik hem uitdrukken in haar oog. Hoe kon Fred ooit van zo'n bedriegster hebben gehouden?

Hij houdt op met schilderen om de roller nogmaals door de verf te halen, en ziet mijn probleem.

'Doe maar gewoon op de grond,' zegt hij. 'Ik laat toch nieuw tapijt leggen.'

'Wat is hier dan mis mee?' vraag ik.

'Wat hier mis mee is, is dat het eruitziet alsof iemand twintig zieke schapen heeft gestolen en aan de grond heeft vastgeplakt,' antwoordt hij. 'Mijn moeder heeft een hele dure, hele slechte smaak.'

Met een tikje op het filter van mijn sigaret beaam ik zijn woorden. De as zweeft omlaag en verdwaalt in de hoge pool van het tapijt. Ik vraag me af wat Deb gedaan heeft met Freds as. Ik word er boos om.

'Waar is Deb naartoe gegaan?' informeer ik.

'Napels,' zegt hij.

'In Italië?' vraag ik, hoewel ik een naar gevoel krijg bij de lege blik op zijn gezicht.

'Hè?'

'Napels, in Italië?'

'Dat weet ik niet,' zegt hij. 'Ze zit in Florida.'

Het begint behoorlijk druk te worden in Florida. Ik moest maar weer eens opstappen.

En Fred dan?

'Nou,' zeg ik, 'ik hou je niet langer van je werk. Bedankt voor de saf. Zeg maar tegen Deborah dat ik haar het beste wens.'

'Doe ik. Hoe heet je?'

'Susan,' roep ik halverwege de gang.

'Dag, Susan,' roept hij.

Ik laat mezelf uit. Deborahs zoon gaat verder met het uit-wissen van haar sporen. Arme Fred.

Terwijl ik Webster Avenue op loop, pijnig ik mijn hersens om te verzinnen wat ik nu moet. Als Susan de kaartjes naar Mia-mi had en Deb al in Florida zit, dan ben ik dus niet de enige tegen wie Mason heeft gelogen. Ik snap alleen niet waarom hij al die tijd verdaan heeft met mij. Mijn zaak tegen Trovic begraven lijkt me niet voldoende motivatie. Mason had het gewoon uit kunnen maken, zoals ieder ander zou doen. Daar was ik wel overheen gekomen.

Mason is meer van plan, en ik moet iemand zien te vinden die ook weet wat dat is. Ik heb nog steeds geen idee wie er verder met hem meedoet en ik heb nog steeds geen idee wat Fred hiermee te maken had.

Wie zal er nog met me praten? Volgens O'Connor waren er nog meer mensen bij betrokken, maar het klinkt niet of hij iemand tot een bekentenis heeft gebracht. Als ik Wade bel, moet ik nog ergens een uur lang zitten eten terwijl ik zijn je-weet-wel-beterverhaal aanhoor. Dave Blake, Randy Stod-dard... alle andere agenten met potentieel zijn waarschijn-lijk precies diegenen die hun mond niet opendoen tegenover O'Connor.

Paul Flanigan heeft geen potentieel. Dat is een groentje; daar zou Mason geen tijd aan verspillen. Bovendien was Paul degene die me Freds telefoonrekening gegeven heeft. Hij kan er niet bij betrokken zijn. Hij hielp míj.

Wat precies is wat ik dacht dat Mason aan het doen was.

Ik ga op zoek naar de dichtstbijzijnde telefooncel en ik bel Paul. Als hij nog wil, gaan we nu dat biertje drinken. Of hij nu wel of niet iets weet, daar ben ik wel aan toe.

31

'Ik dacht dat jij niet meer dronk,' zegt Paul als ik hem aan de lijn krijg.

'Dat was tijdelijk,' antwoord ik. 'Kan ik dat biertje nog van je krijgen?'

'Volgens mij is dat wel het minste, na gisteravond.'

'Kom naar Goose Island.'

Ik zit voor in de bar een prettig bitter, hoognodig biertje te drinken en door de hoge ramen naar buiten te kijken. Het begint donker te worden en telkens wanneer ik iemand over de stoep zie lopen, denk ik dat het Paul is. Ik hoop dat Mason hem niet te dicht op de hielen zit.

Er is bijna een uur verstreken sinds ons telefoontje. Ik had gedacht dat Paul hier halsoverkop heen zou komen. Ik wist dat het een gewaagde onderneming was; ik hoop alleen dat het geen volslagen vergissing is.

Als Paul eerlijk is, zal niemand me hier vinden. Goose Island is niet het soort plek waar je op zoek gaat. Geen van de collega's komt hier ooit, want het is te dicht bij het bureau. Met het bier zelf is niets mis; ik nam wel eens een fluitje van de tap bij hun voormalige brouwerij, niet ver van Clybourn Avenue, tot ze het spul in flesjes gingen verkopen. De aardigheid was eraf toen ik wist dat ik een sixpack bij de supermarkt kon kopen.

Wrigleyville is niet echt mijn soort buurt. Dit is een van onze wijken en we brengen hier meer dan genoeg tijd door als er een avondwedstrijd in het stadion wordt gespeeld. Maar ook als er geen baseball is, vindt er altijd wel een dronken ruzie plaats tussen corpsballen op leeftijd die het niet eens worden over welke alma mater de beste sportfaciliteiten biedt. Er is een bar een eind verderop waar alleen fans van Michigan State komen. Daar hebben we heel wat tijd doorgebracht met het oplossen van ruzies, en altijd is er wel een of andere gespierde vent die loopt te zeuren over een tand door de lip – die waarschijnlijk meer dan verdiend was. Wat voor stomme eikel gaat er nou op de vuist vanwege een universiteitssportploeg?

Daarbij vergeleken is de klandizie van Goose Island behoorlijk tam. Het is een kroeg die pas een paar jaar open is en die bijna gezorgd had voor oproer in de wijk. De eigenaren moesten beloven niet het soort klanten te zullen trekken die zouden gaan staan pissen in de tuin van de buren. Goose Island wordt neergezet als een soort familiegelegenheid, en nu maken de jongens op Halsted Avenue waarschijnlijk nog meer herrie. Aan de overkant van de straat liggen een paar kroegen waar het geheid rumoerig wordt, maar hier is het om de een of andere reden altijd beheersbaar.

Daarom wilde ik hierheen. Het is hier beheersbaar.

Ik zie Paul aan komen lopen, gekleed als een agent buiten diensttijd. Alles is gestreken en netjes, maar hij heeft geen spoortje stijl. Toch loopt hij met een uitstraling van onschuld waarom ik hem benijden kan. Hij heeft nog nooit iemand gedood, dat zie je.

Ik verschuif mijn kruk en tover een glimlach op mijn gezicht als hij binnenkomt en naast me gaat zitten.

'Hallo,' zeg ik, met één oog op de voordeur om te zien of er verder nog iemand binnenkomt.

'De halve stad is naar je op zoek, hoor ik. Hoezo ben ik de gelukkige?' vraagt hij.

'Omdat jij de enige bent die zichzelf als gelukkig zou beschouwen.'

'Wat drink je?' vraagt hij.

'Honker's,' antwoord ik.

'Twee Honker's,' zegt hij tegen de barkeeper.

Ik kan maar beter rustig aan doen.

Het eerste rondje bestaat uit beleefde gesprekjes waarin we elkaar aftasten.

'Woon jij hier in de buurt?' vraag ik, omdat hij is komen aanlopen zonder handschoenen of muts, en niet per taxi.

'Om de hoek,' antwoordt hij. Daarom wilde je toch zeker hier afspreken? Zeg op. Ik weet hoe jij werkt. Heb je me geschaduwd?'

'Het feit dat ik mijn vriend heb gestalkt, wil nog niet zeggen dat ik dat bij iedereen doe,' reageer ik. Ik probeer erom te lachen.

'Niet dat ik dat erg zou vinden,' zegt hij. 'Ik heb het nooit erg gevonden als een mooie vrouw belangstelling voor me toonde.'

'Wie zegt dat ik belangstelling toon? Ik kom hier voor het bier.'

Volgens mij ben ik hem redelijk op zijn gemak aan het stellen. Maar als hij ook maar in de verste verte op Mason lijkt, doet hij precies hetzelfde bij mij. Ik heb geen zin in spelletjes, dus besluit ik gewoon ter zake te komen en hem te vragen of hij voor Mason werkt. Ik zit net te zoeken naar een goede formulering voor mijn vraag als Paul zegt: 'Ik stel maar eens een domme vraag. Vind jij het naar wanneer mensen je Smack noemen? Ik snap hem wel, Sam-Mack, maar…'

'Ik zal je wat zeggen. Het is helemaal niet begonnen door mijn naam,' zeg ik. Tot mijn verbazing verschijnt er een grijns op mijn gezicht. 'Dat had Fred verzonnen. Op een keer hadden we een vent gearresteerd omdat hij omstanders lastigviel. Hij was zo stoned als wat, hij hallucineerde en op zeker moment draaide hij helemaal door – hij begon als een dolle om zich heen te meppen, probeerde weg te komen, schreeuwde dat wij robots waren, of machines, of wat dan ook. Wild maaiend kwam hij op me af, en mijn instinctieve reactie was om hem een klap in het gezicht te geven. Hij bleef als aan de grond genageld staan; hij bleef staan en barstte in tranen uit als een kind. Fred had het niet meer, zo hard moest hij lachen. Daar sta ik dus op straat, met twee mannen, en ik moet zien dat ik ze allebei laat ophouden met huilen. "Smack!" zei Fred maar steeds, met de tranen over zijn gezicht. "Gewoon, smak! De bokswereld mag wel voor je uitkijken!" Op het bureau vertelde hij het verhaal, en de bijnaam is blijven hangen.'

'Vind jij dat leuk?' vraagt Paul.

'Beter dan Kenau,' zeg ik.

Paul lacht.

'Dat is het dan. Mijn persona ontrafeld. Onder de indruk?'

'Nou en of.'

'Krijg ik nog een biertje van je?' vraag ik. Ik heb niet de hele avond, en hoe meer ik hem kan laten drinken, hoe groter de kans dat ik hem aan de praat zal krijgen.

'Als je me nog één ding duidelijk maakt,' zegt hij. 'Doet Mason geheid niet meer mee?'

Ik antwoord met een nieuwe glimlach en roep de barkeeper. 'Nog twee, graag.' Dan draai ik me naar Paul om en zeg: 'Probeer wel een beetje bij te blijven.'

Bij het volgende glas probeer ik het over de verontschuldigingsboeg te gooien. Ik hoop dat Paul zich schuldig zal voelen en iets over Mason bekennen als ik dat ook doe. Of dat hij tenminste een verkeerde opmerking zal maken.

'Sorry dat ik zo rot tegen je gedaan heb,' zeg ik.

'Sorry dat ik je moest arresteren,' zegt Paul. 'Je zag eruit of je heel wat van plan was, tot Wade en ik tussenbeide kwamen.'

'Ja, een poging tot moord op de vrouw van mijn ex-vriend was net niet helemaal genoeg. Ik wilde mijn maandagavond nog wat kleur geven met een paar willekeurige moordpartijen. Op hoge hakken.'

Hij probeert te lachen, maar dat valt hem niet mee. Waarschijnlijk ziet hij me weer voor zich in die outfit. Of misschien werkt hij voor Mason en bezorg ik hem een onbehaaglijk gevoel.

'Het lijkt me dat ik wat uit te leggen heb, in ieder geval over Mason en mij,' zeg ik.

'Dat hoeft niet,' zegt hij. 'Ik weet dat er daar twee bij komen kijken. Ik zie zijn blikken. Het is niet eerlijk, weet je. Hij heeft al een prima vrouw. Waarom zou hij er twee krijgen?'

Daar ben ik sprakeloos over. En hij kijkt me aan met die grote bruine ogen vol hoop, in afwachting van een reactie op zijn woorden. Dat is zowat het aardigste dat iemand het afgelopen jaar tegen me gezegd heeft. Ik pak mijn tas en grabbel naar sigaretten. Dan besef ik dat ik niet eens weet hoe ik op een complimentje moet reageren.

Paul geeft me een kaartje met lucifers aan en laat de hoop op een reactie varen. Plotseling heb ik geen zin meer om te roken.

'Ben jij ooit verliefd geweest?' vraag ik hem. De woorden van mijn buurvrouw klinken door mijn hoofd. En ik maar denken dat zij het moeilijk had.

Paul pakt zijn glas. 'Eenmaal.' Hij zwijgt even en heft onwillekeurig zijn glas naar degene die het was, voordat hij de laatste slok neemt. Hij kan onmogelijk voor Mason werken. Ik doorzie hem alsof hij van glas is.

'Ik dacht dat ik verliefd was,' zeg ik. Ik wil alles vertellen, maar ik houd op. Zwijgend blijven we beiden naar de biertap zitten kijken. Ik weet helemaal niets van hem, maar het voelt goed om zo te zitten zwijgen. Het doet me eraan denken dat er ook momenten van eerlijkheid zijn.

Natuurlijk kan hij me volkomen aan het bedonderen zijn. Dit is exact het soort situatie waardoor ik verliefd was geworden op Mason: een echt gesprek, een kwetsbaar moment, een paar biertjes. Ik moet me concentreren. Dit is geen afspraakje.

'Ik denk dat ik maar een tijdje wegga,' zeg ik. 'Mijn wonden likken.' Alsof ik het over de schrammen op mijn knieën heb.

'Waarheen?'

'Florida,' zeg ik, om te kijken of er een reactie komt. Die komt er niet. Ik houd mijn hoofd in mijn nek om mijn glas leeg te drinken.

Paul antwoordt: 'Florida is prachtig. Ben je ooit in Napels geweest?'

Ik houd mijn mond dicht zodat ik het bier niet over de bar sproei en schud ontkennend mijn hoofd. Ik slik en laat me van mijn kruk glijden.

'Zó terug.' Ik ga op weg naar de toiletten voordat hij me iets kan vragen.

Ik sta in een wc-hokje te roken. Ik weet dat ik rechtdoorzee moet zijn en Paul vragen over Mason. Maar misschien zit hij me hier uit te horen, net als ik hem.

Er duikt een beeld van Mason op in mijn hoofd. 'Liefje,' zegt hij, zijn warme glimlach vol mededogen, 'je hebt je hoofd gestoten.' Hij had die neiging dingen te zeggen die volslagen voor de hand lagen om me vervolgens uit te horen over wat hij maar weten wilde. Vertrouwen opbouwen is de beste manier om antwoorden te krijgen. Ik spoel mijn peuk door en beslis verder te gaan met Paul. Ik zit hier niet voor niets al de hele avond.

Paul zit aan de bar te wachten met twee nieuwe glazen voor zijn neus. Ik wens mezelf sterkte.

'Nou,' zeg ik, terwijl ik met een nieuwe glimlach ga zitten. 'Nu weet je meer dan je lief is over mij, tenzij je het nog over mijn goede gewoontes wil hebben. Want die heb ik ook. Maar laten we het nu eens over jou hebben. Waar kom je vandaan?'

'Iowa.'

'Waarom ben je naar Chicago gekomen?'

'Ik wilde bij de politie. Mijn vader was agent in Des Moines.'

'Waarom ben je dan niet in Iowa gebleven?'

'Als je opgroeit in een dorp waar iedereen je kent, valt het niet mee om iemand te worden die ze niet verwachten.' Zeg dat wel.

'Hoe ben je bij dit bureau terechtgekomen?' vraag ik.

'Stom toeval, denk ik.'

Zijn antwoorden zijn zo algemeen dat ik waarschijnlijk niet eens kan achterhalen wat hij tussen de middag heeft gegeten.

'Bevalt het je hier?' informeer ik.

'Behoorlijk. Maar ik ben het wel zat om door iedereen als jongste bediende te worden beschouwd.'

'Toen ik een groentje was,' vertel ik hem, 'heb ik daar meteen een eind aan gemaakt. Er liep daar een junk rond die helemaal door het lint ging als ze hem de handboeien uit deden. Ze stonden buiten het bureau om hem vrij te laten. Niemand had het zien aankomen. Die vent stuiterde in het rond, stompte mensen links en rechts – geen land mee te bezeilen. Ik stond op het parkeerterrein om Freds jack op te halen, dat had hij in de auto laten liggen. Waarschijnlijk enkel en alleen om mij terug te kunnen sturen, maar goed. Dit gebeurde toen ik daar was. Ik kwam terug bij het bureau, trof dat schouwspel aan en zag dat alle anderen, ook Fred, gewoon werkeloos stonden toe te kijken. Alsof die vent een gevaarlijk wild dier was of zo. Ik liep erheen en sloeg hem met één klap tegen de vlakte. Daarna heb ik nooit meer koffie hoeven halen.'

'Wat voor klap was dat? Een smak, soms?'

'Om te gillen, Paul. Ik heb een groene band. Kungfu.'

'Zou je mij onderuit kunnen halen?' vraagt Paul. Aan de blik op zijn gezicht te zien is hij bereid me de kans te geven.

'Hangt ervan af hoe je me aanvalt,' zeg ik. 'Bij de training heb ik heel wat specifieke technieken geleerd.'

'Noem er eens een.'

'Oké… de bovenhandse knuppel.'

'Een knuppel. Wordt hier in de buurt wel vaker gebruikt.' Geamuseerd kijkt Paul hoe ik ronddraai op mijn kruk.

'Stel dat iemand recht op je afstormt met een knuppel – of een eind hout, een bierfles, wat dan ook. Dan kun je diens kracht afwenden door een stap achteruit te doen, het wapen te blokkeren met je hand om de klap op te vangen, en dan je bovenlichaam te draaien onder een hoek die gelijk is aan de lengte van je aanvaller.'

'Dus dan moet je nog rekenen ook? Je rekent erop dat er een aanvaller met een bepaald wapen onder een bepaalde hoek komt aanzetten... en wat is jóúw wapen? Een geodriehoek? Denk je dat je dat lukt? Je bent geen centimeter langer dan mijn zus en die zit nog op school. Ik sta ervan te kijken dat je nog leeft.'

'Zal ik het even demonstreren?' vraag ik.

'Later misschien,' antwoordt hij. Maar hij zegt het op een toon alsof hij later op de avond bedoelt.

Volgens mij kom ik ergens.

Na vier biertjes per persoon en een hele hoop geleuter brengt Paul eindelijk de moed op.

'Ergens wil ik graag geloven dat je het gezellig vindt. Maar tegelijkertijd denk ik ook dat je me dronken wilt voeren zodat je me kunt uithoren.'

'En als het nou eens allebei waar is?' vraag ik in de hoop geloofwaardig te klinken. Als ons hele gesprek een spelletje was, dan komen we dus niet verder. En hij is goed.

'Nog één glas en je kunt me zo omverjudoën,' meldt hij.

'Geen judo. Shaolin,' verbeter ik.

'Aha,' knikt hij. Hij schuift beide bierglazen over de bar en knikt naar de barkeeper. 'Ben je zover dat je naar huis wilt om die killeroutfit aan te trekken?' vraagt hij.

'Nog niet.'

Paul kijkt tevreden.

Uiteindelijk belanden we bij Paul thuis, in een studio in Wrigleyville. Inderdaad om de hoek bij het café. Hij doet een lamp naast een gigantische, vrijgezellerige zwartleren bank aan. Het eerste wat ik zie is een weekendtas vol politiespullen. Die staat op de grond naast een fitnessapparaat met minstens honderdvijftig kilo aan gewichten erop. Ook valt me op dat er onder het raam een radiator zit.

'Klaar voor de bovenhandse knuppel?' vraag ik.

'Ja hoor, eerst wachten tot ik aangeschoten ben en dan gaan zitten uitdagen,' zegt hij, terwijl hij twee flesjes Miller Light uit de koelkast pakt.

'Nee, ik meen het. Ik wil je wat laten zien. Kom hier, kom op me af alsof je een knuppel in je rechterhand hebt, boven je hoofd geheven.'

Dat vindt Paul amusant, dus als hij de flesjes bier heeft geopend, komt hij met een ervan op me af.

Ik tackle hem, mik op zijn onderbuik en de lamp valt om. In het stikdonker ga ik schrijlings over hem heen zitten. Ik hoor het bier over de houten vloer gutsen.

'Shit,' kermt hij. 'Mijn heup.'

'Niet zo kleinzerig,' zeg ik. 'Ik zei toch dat ik jou aankon.' Ik hijs zijn overhemd omhoog op zoek naar zijn middel. Daar bijt ik speels in, en hij rolt weg in de richting van het raam, zoals ik gehoopt had.

Ik hou op met bijten en begin hem te kussen. De stemming verandert, maar ik probeer dichter bij het fitnessapparaat te komen en met mijn vrije hand tast ik rond naar de weekendtas.

'O,' zegt hij, zachter nu. Hij trekt me omhoog en kust me. Raar is dat. Hij is aangeschoten en onhandig, maar vol passie. Ik bedenk hoe vreselijk fout dit is, een beetje zitten rotzooien met een groentje. Maar ik herinner me ook hoe het was om groentje te zijn, en ik was indertijd even willig als hij, dus ga ik door met kussen.

Als verdere afleiding maak ik zijn broekriem los. Hij begint me ermee te helpen, en ik vind de handboeien in zijn tas. Ik maak ze open.

'Ja?' vraagt hij, lichtelijk opgewonden door het geluid.

'Ja,' zeg ik, en ik sluit de eerste boei rond zijn rechterpols.

'Hoort dit allemaal bij karate?' vraagt hij.

'Kungfu,' corrigeer ik.

Dan hijs ik zijn arm over zijn lichaam heen en klik de andere boei om de poot van de radiator heen.

'Wacht even. Nee,' zegt hij. 'Sam?'

Ik klim van hem af, pak zijn weekendtas en leg die buiten zijn bereik. *Game over.*

'Hé, wat doe jij nou?'

'Heb je hier nog meer licht?' vraag ik.

'Aan de achtermuur.'

Ik haal de schakelaar over en Paul ligt op de grond, met zijn broek halverwege zijn knieën en zonder enig gevoel voor humor.

'Leuk, hoor. Kom op.'

Ik steek een sigaret op en trek een keukenstoel bij. Ik slinger de sleutel van de handboeien rond mijn vinger.

'Hier met die sleutel,' zegt hij.

'Eerst zeggen wat je weet,' antwoord ik.

'Waar heb je het over?'

'Dat weet je best. Fred is vermoord vanwege een of ander duister zaakje. Zijn vrouw is nu weg. Susan Imes ligt in het ziekenhuis, Bruce Zahner en Marko Trovic zijn dood. Mason hangt het slachtoffer uit hoewel hij achter de hele toestand zit, omdat hij een of andere drugsdeal runt. Waar zijn jullie in godsnaam mee bezig?'

'Ik ben al bijna een jaar met dit onderzoek bezig,' zegt hij. 'Ik ga het nu niet verpesten.'

Ik probeer te doen alsof ik allang wist dat hij dat zou zeggen, maar ik had er geen idee van. De sleutel vliegt van mijn vinger af, de kamer door.

'Ben jij van Interne Zaken?' Shit.

'We hadden Mason al een hele tijd geleden opgepakt, maar jij zat steeds in de weg. Je hebt Masons plannen omvergegooid, en de onze ook.'

'Ben jij van Interne Zaken?' Ik kan het nog steeds niet geloven.

'Inderdaad, ja. Je dacht toch zeker niet dat ik al mijn vrije tijd met Wade zou doorbrengen als ik niet probeerde iets los te krijgen?'

'Een collega van O'Connor,' zeg ik. Er beginnen me een hele hoop kleine voorvalletjes duidelijk te worden, allemaal dingen die me iets hadden kunnen zeggen. De optelsom is één groot 'zie je nou wel'.

'Waarom heb je Mason dan nog niet opgepakt?' vraag ik, in de hoop op meer details dan ik van O'Connor heb gekregen. 'We hebben bijna geen tijd meer, Paul. Ik moet het weten.'

'Vraag O'Connor dan.'

'Prima idee. Waar is je telefoon? Dan bel ik en vraag of hij hierheen komt. Dit vindt hij vast fantastisch.' Ik trek even aan Pauls broek. 'Kom op. Dan kunnen we O'Connor je erectie laten zien.'

Hij laat zijn hoofd zakken.

'Paul. Ik hoor niks.' Ik trap tegen zijn schoen.

'Fred deed met Mason mee,' zegt hij uiteindelijk. 'Ze hadden maandenlang dealers afgeperst; die moesten dokken om niet opgepakt te worden. Uiteindelijk hadden we Fred zover dat hij zou bekennen; hij was gaan denken dat hij niet meer mee mocht doen.'

'En toen?'

'Toen vertelde Fred ons dat er heel wat geld in andere handen overging en maakten wij een plan om de bende op te rollen.'

'Fred was tot inzicht gekomen,' zeg ik.

'Fred probeerde te redden wat er te redden viel. Die vrouw van hem hielp niet echt mee, die zat maar te drammen dat hij voor Mason moest blijven werken.'

'Dus Mason heeft Fred erin laten lopen?'

'Dat wilden we bewijzen. Maar we konden niet veel doen toen Fred eenmaal dood was, met als enige getuige Masons vriendin, die alleen nog wist dat ze een dode had gezien. Je snapt het dilemma.'

'Ik ben meer vrouw dan politie, bedoel je?'

'Je bent Masons vrouw. Dat ligt een beetje anders.'

'En dat kogelvrije vest dan?' vraag ik. 'Fred had een vest aan.

Hoe komt het dat niemand de moeite heeft genomen daarnaar te kijken?'

'Het vest dat Fred uit de kast had gehaald, had een ander serienummer dan het vest dat is afgegeven als bewijsmateriaal. Een administratieve fout, wordt gezegd.'

Ik zie de details van die avond helderder voor me; mijn eigen stommiteit is het enige dat het beeld nog vervormt. Ik hoorde schoten. Fred zei dat hij geraakt was. Waarom zijn er dan geen kogels gevonden behalve de mijne?

'En de lijkschouwing? Misschien hebben ze blauwe plekken gevonden waar de eerste kogel insloeg...'

'En dat noemden ze dan bijkomende verwondingen. Kom op, Sam, wou je me nou echt vertellen dat de details van de zaak enig verschil uitmaken als de onderzoeker je eigen vriendje is? Waar heb jij gezeten?'

Ik was verliefd. Fuck.

O'Connor had gelijk. Maar toch wil ik weten: 'Waarom hebben jullie me niet meteen na Freds dood opgepakt? Waarom liet je me in het ongewisse?'

'Ik zei al: jij bent Masons vriendin. We zaten te wachten op je volgende zet.'

'Dus jullie dachten dat ik Fred had vermoord, en dat ik dat voor Mason had gedaan?' vraag ik.

'Niemand dacht dat jij Fred had vermoord. Maar we dachten wel... nou, eerlijk gezegd dacht O'Connor dat jij een fout zou begaan na Freds dood, nadat Mason je die enorme buil had bezorgd... als jij er iets mee te maken had.'

'Mason...' had me die buil bezorgd? 'Mason...' was de andere aanwezige? Had Mason Fred vermoord?

'Ja,' zegt Paul, die aanvoelt wat ik niet over mijn lippen krijg.

Nu worden de details gruwelijk helder. Ik kruip naar Fred toe. Fred fluistert: 'Je hebt geen idee waartoe hij in staat is...' Nee, dat wist ik echt niet. Maar Mason was erbij.

Schoten. Bloed in mijn ogen. Fred wist het: Mason was erbij.

'Gaat het?' vraagt Paul, en zijn stem brengt me terug naar het hier en nu.

'Mason was erbij,' zeg ik. 'Die heeft een nieuwe kogel in mijn pistool gedaan en daarmee Fred doodgeschoten.'

'We hebben niet eens kunnen bewijzen dat hij ter plekke was. Pas lang na het incident lukte dat. Zijn vrouw gaf hem een alibi.'

'Maar die ligt nu in het ziekenhuis. Nu zal ze de waarheid zeggen. Ze moet wel.'

'Dat dachten wij ook,' zegt hij. 'Maar dat was niet zo. Ze zegt geen stom woord. En als er nog anderen bij betrokken waren, dan doen die ook hun bek niet open. Ik neem aan dat het vervalsen van een plaats delict niet bepaald aardig staat op je cv.'

'Waar is je telefoon?' vraag ik nogmaals. Ik sta op en vind een draadloze telefoon in de keuken. Ik druk mijn sigaret uit in de gootsteen.

'Wie ga je bellen?' vraagt hij. 'Niet O'Connor bellen. Ik smeek je, ik heb je alles verteld...'

Ik negeer hem en glip de voordeur uit, de gang in. Ik toets *67 in om te voorkomen dat dit nummer op Masons telefoondisplay komt te staan.

'Met Sam,' zeg ik als hij opneemt.

'Ik zit op je te wachten.'

'Tot ik de cel uit kom, bedoel je? Je hebt me erin geluisd.' Ik wil hem duidelijk maken dat ik me niet stommer ga voordoen.

'Dat hangt er maar van af hoe je het bekijkt.' Zelfgenoegzaam lulletje. 'Ik zie je straks bij jou thuis.'

'Wie zegt dat ik niet de voltallige politiemacht van Chicago heb opgetrommeld?' vraag ik. Ik wil hem de indruk geven dat ik bereid ben te luisteren.

'Ik ken jou, Sam. En jij kent mij. Je weet dat ik hier een verklaring voor heb. En je weet dat ik van je houd.'

Ik wil hem de indruk geven dat ik hem geloof. Kon ik hem maar geloven.

'Ik ga nu op pad,' zegt hij. 'Sam?'

'Ik zal er zijn.' Ik hang op.

Ik ga weer naar binnen en zet de telefoon in de oplader.

'O, shit, je hebt Mason gebeld. O, god, dit komt niet goed.' Hij wringt zich overeind en komt in de bierplas te zitten.

Ik loop de kamer door en pak Pauls Bulldog .44 uit zijn weekendtas. Niet dat ik daarmee volledig gerustgesteld ben.

'Nee, Sam, kom op. Denk even rustig na,' zegt hij.

Ik stop het pistool in mijn laars. Hij weet dat ik rustig heb nagedacht. Hij weet dat ik wegga. Ik loop naar de deur.

'Sam, toe nou,' smeekt hij.

Ik draai me om, want ik heb nog één vraag. 'Wilde je steeds met mij uit om dezelfde reden waarom je steeds met Wade omgaat? Om dichter bij Mason te komen?'

'Dat hoorde niet bij mijn opdracht,' zegt Paul.

'Mooi. Als ik hier levend uit kom, dan wil ik misschien nog wel een keer met je uit. Ik vond het gezellig.'

'Maak je me dan eerst even los? Alsjeblieft?'

'Het zijn jouw handboeien; je komt er wel uit.'

Ik laat Paul liggen. Hij zoekt het zelf maar uit. Interne Zaken blijft altijd op twee veilige passen afstand, en ze zullen me echt niet inhalen voordat ik met Mason ga praten.

32

Ik spring in een taxi en zeg de chauffeur dat hij wat extra's krijgt als hij me snel naar huis brengt. We daveren Lake Shore Drive af en staan binnen tien minuten bij mij voor de deur. Ik houd me aan mijn belofte en geef hem twintig dollar voor een rit van zeven ballen.

Als ik binnenkom, zit Omar niet bij de ingang. Hij zal wel pauze hebben. Met mijn elektronische Marlock-sleutel kom ik de beveiligde deur in de gang door. Die sleutel gebruik ik ook voor de lift, en ik ga staan wachten tot die vanaf de twaalf-de verdieping omlaag komt. Het duurt eindeloos. Er stapt niemand uit.

Haastig probeer ik wat zaken te regelen voordat Mason arriveert. Ik heb niet echt een plan, maar ik verkeer in het voordeel: ik ken de waarheid. Die moet ik alleen uit hem loskrijgen. Als we elkaar niet eerst afmaken.

Ik open de deur naar mijn flatje en loop zonder het licht aan te doen naar mijn slaapkamer. Maar als ik iemand bij het keukenraam zie staan, verstijf ik ter plekke.

'Mason?'

'Mocht je willen.'

Ik deins achteruit en doe het licht aan. Aan mijn keukentafel zitten Marko's broer en het magere Servische joch met het medaillon.

'Mijn naam is Smitty. Ken je mijn broer nog, vuile teef?'

'Ik ken jou nog,' zeg ik. Marko, met vijftien kilo erbij, waarvan een deel pure arrogantie is.

Achter me doet iemand de deur op slot. Het is de langharige reus die de kras op mijn auto heeft gemaakt. Met een pistool. Ik blijf roerloos staan.

'Het komt door jou dat Marko dood is,' zegt Smitty. 'Fado,' instrueert hij de knul achter me.

Die grijpt mijn haar en zet het pistool tegen mijn hoofd, zodat ik door mijn knieën zak. Ik kijk omhoog naar Smitty en probeer de situatie te overzien. Ik heb Pauls .44 in mijn laars zitten, maar als ik die grijp, zien ze me. Ik moet wachten op een gelegenheid.

'We weten dat jij met Mason meedoet,' zegt Smitty. 'Je bent erbij gekomen zodat je mijn broer de schuld kon geven van die moord op een agent. Je wou zijn deel van het geld hebben. En de hele tijd was mijn broer bezig de zaken voor jullie te regelen in Miami. Eerst heb je hem gebruikt en toen heb je hem laten vermoorden.'

'Daar had ik niets mee te maken. Mason heeft me...' Ik

kom niet verder, ik moet kokhalzen. De tranen springen in mijn ogen. Fado trekt hard aan mijn haar. Ik voel de hechtingen openscheuren.

'Je hebt mijn broer de schuld gegeven van jouw problemen. Ik wil gerechtigheid voor wat er gebeurd is. Jij en Mason moeten boeten,' zegt Smitty en met een razende blik in zijn ogen komt hij overeind.

'Dat wist ik niet; ik ben stom geweest,' breng ik uit.

'En alsof het niet genoeg was om zijn leven te nemen, heb je ook nog eens de naam Trovic bezoedeld,' zegt de jongen met het medaillon. Olie op het vuur van Smitty's woede.

'Hou je bek, Josich,' zegt Smitty en hij loopt op me af.

Fado neemt het pistool weg en rukt mijn hoofd achterover. Ik stik zowat in die houding, en Smitty brengt zijn gezicht vlak voor het mijne.

'Mijn broer heeft een dochtertje,' zegt hij. 'Die kleine is zo dol op hem. Ik heb het hart niet om haar te vertellen dat haar papa nooit meer terugkomt.' Zijn adem is heet en smerig. 'Jij en Mason hebben mijn broer vermoord. En nu gaan wij jullie vermoorden.'

Fado laat mijn haar los en komt voor me staan. Hij zet zijn pistool tegen de linkerkant van mijn voorhoofd. Ik voel het metaal van Pauls wapen tegen mijn scheenbeen. Ik kan er alleen niet bij. Ik kijk om me heen, op zoek naar iets om de aandacht af te leiden.

En daar zie ik het, vlak voor me: Fado heeft een erectie.

Smitty zei zelf dat hij en ik niet dezelfde taal spreken. Maar er is één ding dat mannen over de hele wereld begrijpen, en het is mijn enige kans.

'Ik smeek je, ik doe alles, alles,' zeg ik tegen Fado. 'Ik smeek je,' zeg ik, mijn blik gevestigd op de bobbel in zijn broek. 'Alles,' herhaal ik, in de hoop dat hij me begrijpt.

'Kom op, Fado,' zegt Smitty achter hem. 'Maak af, dat mens.'

'Wacht even,' zegt Fado. Hij kijkt op me neer. 'Alles?'

'Ja, ik smeek het je.'

Hij barst in lachen uit.

Dan schuift hij de punt van het pistool dat hij tegen mijn hoofd drukt langzaam naar mijn mond.

'Zuigen,' zegt hij.

Ik hoor de jongen met het medaillon giechelen.

'Zuigen,' herhaalt hij.

Ik moet wel. Mijn kaak beeft.

'En zonder tanden,' maant hij me, en laat me de zijne zien.

Ik neem het uiteinde van de loop in mijn mond. Ik doe mijn mond wijd open en probeer niet over het metaal te schrapen. Ik proef olie en buskruit en voel de punt tegen mijn huig. Ik ben nog nooit van mijn leven zo bang geweest. Ik krijg geen lucht. Ik durf niet te ademen. Ik zit vijf centimeter van de trekker af. Het enige wat ik door de tranen in mijn ogen heen zie is Fado's gouden ring, strak om zijn bolle pink heen.

Ik durf niet te bewegen, maar ik kan niets zolang dat pistool in mijn mond zit.

Langzaam breng ik mijn hand omhoog, langs Fado's hand en het pistool. Heel voorzichtig, alsof ik tussen zijn benen zit, schuif ik heen en weer. De tranen stromen over mijn wangen. Met mijn hand op de zijne trek ik langzaam het wapen mijn mond uit. Ik leg mijn lippen rond de punt en laat ze daar, en ik kijk naar hem op om hem te tonen dat ik best durf en dat ik bereid ben meer te doen.

'Fado,' protesteert Smitty op de achtergrond. 'Toe nou.'

'Wacht even, Smitty. Jij bent zo aan de beurt. Na mij.' Fado kijkt om naar de derde en wisselt een stilzwijgende knik uit. Dan neemt hij het pistool uit mijn mond.

'Josich, pak aan. Op haar gericht houden. Die teef kan nog iets goedmaken voordat ze eraan gaat.'

Josich komt links van Fado aanlopen en neemt onwillig het pistool over. Hij richt op mij, maar houdt afstand. Fado niet.

'Daar ben je goed in, nietwaar?' vraagt Fado en hij raakt mijn schouder aan met een hand als een berenklauw. Hij maakt zijn gesp los. 'Wou je hier eens op zuigen?'

'Wat je maar wilt,' is het enige wat ik uitbreng.

Ik rits zijn broek open en houd mijn blik op hem gevestigd. Ik probeer niet te denken aan zijn smerige haar, de geur van zijn sleetse, leren jas.

'Ik wist wel dat het een slet was. Politiehoer. De hoer uithangen om aan Masons geld te komen,' zegt Josich ergens achter me.

'Schiet nou maar op,' zegt Smitty.

'Hou je bek.' Fado legt hem het zwijgen op. Ik merk dat hij dit liever wil dan de anderen.

'Ach, het duurt bij hem toch nooit lang,' is Josich' onbeholpen grap tegen Smitty.

'Hou je bek, zei ik,' buldert Fado. Hij legt beide handen op mijn gezicht en trekt me naar zich toe. 'Dit wapen gaat geheid af, baby.'

Ik kijk hem strak aan en steek met ingehouden adem mijn hand in zijn spijkerbroek. Fado legt zijn hoofd in zijn nek, in extase bij mijn eerste aanraking.

'Zuigen,' zegt hij, eerder als suggestie. Hij vindt mijn hand lekker.

Ik streel hem en laat hem van het gevoel genieten. Telkens verdwijnt mijn hand dieper zijn broek in. Ik wacht net zo lang tot ik zeker weet dat hij nergens meer aan denkt en dan steek ik mijn hand zo ver mogelijk naar binnen, grijp zijn ballen en knijp uit alle macht.

Fado zet het op een brullen en ik laat hem los en trek Pauls pistool uit mijn enkelholster.

'Wat krijgen we nou?' vraagt Josich, terwijl Fado staat te kokhalzen van de pijn.

'Schieten, Josich!' beveelt Smitty.

Ik sleur Fado voor me als schild, dus tegen de tijd dat Josich de moed opbrengt om te schieten, treft hij Fado in de borst.

'Fuck!' vloekt Josich, terwijl ik op mijn rug val door de kracht van de kogel die Fado heeft getroffen. Op weg naar de vloer

243

vuur ik tweemaal en tref Josich eenmaal. Hij raakt de grond op hetzelfde moment als ik, met Fado boven op me. Pauls pistool valt uit mijn handen en glijdt over de houten vloer. Ik trek Fado's lange haar naar achteren en probeer hem van me af te duwen, maar hij weegt meer dan honderd kilo en er is geen beweging in te krijgen.

Ik zit klem en Fado's haar valt over mijn gezicht. Ik weet dat Smitty nog leeft. Ik hoor hem aankomen en dan zie ik hem mijn pistool oprapen. Hij staat naar me te kijken.

'Kuthoer,' zegt hij.

Dan richt hij het wapen.

'Dit is voor mijn broer.'

Ik knijp mijn ogen dicht en ik hoor een schot, maar ik voel niets. Ik vraag me af of doodgaan zoiets is als in mijn droom. Ik durf mijn ogen niet te openen.

Dan hoor ik...

'Sam.'

En plotseling wordt Fado van me af getild.

Ik zuig mijn longen vol lucht en zie Mason staan.

Hij helpt me overeind en neemt me in zijn armen. Ik verzet me niet. Hij heeft zojuist mijn leven gered.

33

Nog geen uur later zit ik in een donkere hotelkamer aan de zuidkant van de ringweg. Ik ken het hier nog: Mason en ik zijn hier een keer spontaan beland toen we bij Everest hadden gegeten en dronken waren van het eten, de champagne en elkaar. Het bliksemde en donderde, het was die nacht noodweer, maar wij negeerden ons gezonde verstand en de enige taxi die ons voorbijreed en wandelden met de armen om elkaar heen door het verlaten financiële hart van de stad. Het zou niet bij me opgekomen zijn om me ook maar ergens over te beklagen. Toen het begon te regenen, doken we weg onder een baldakijn. Hij begon me te kussen en eer ik het wist hadden we een kamer geboekt. Ik was in de zevende hemel.

Het is hier niet zo leuk als ik me herinner.

Voor zover ik kan ontdekken heeft Mason niet gebeld om te melden wat er vanavond bij mij thuis is gebeurd. Het zou stom zijn om het hem te vragen. Ik stel me de lichten van de stad voor, achter het raam, flonkerend als een enorme schatkist. Voor mij is het allemaal één groot waas. Het enige wat me duidelijk lijkt, is dat ik allang dood had moeten zijn.

Mason komt met een handdoek om de badkamer uit. Ik lig op een dunne, kriebelige sprei met mijn hoofd op een dik kussen met een sloop dat naar chloor ruikt.

'Je bad is klaar,' zegt hij. Hij heeft een bad voor me laten vollopen. Alsof het water de herinnering aan de avond kan wegwassen: de smaak van Fado's pistool, metalig als bloed in mijn mond; het beeld van Smitty, met net zulke ogen als zijn broer, die zich over me heen buigt om een eind aan mijn leven te maken. En dan Mason, uit het niets opduikend, die me komt redden als de held in een film.

Behalve dan dat ik niet uitga van een happy ending.

'Ga je me vermoorden?' vraag ik.

Hij gaat naast me zitten, trekt me naar zich toe en legt de handdoek om mijn nek. Ik vraag me af of hij me in bad zal verdrinken. Ik buig als een lappenpop naar hem over, al mijn kracht verdwenen. Ik wil dat dit gruwelijke spel afgelopen is. Ik kan niets meer verzinnen.

'Niet bang zijn, Sam,' zegt hij. 'Ik ga je niet vermoorden.'

'Wat maakt het nog uit,' zeg ik.

'Het was allemaal voor jou,' zegt hij, alsof ik me zou moeten schamen.

Ik wist dat hij zoiets zou zeggen, maar op de een of andere manier wil ik ondanks alles wat er gebeurd is toch horen wat hij te zeggen heeft. Ik wil weten waarom hij tegen me gelogen heeft.

'Ik weet dat jij me die klap op mijn hoofd hebt gegeven,' zeg ik. 'Ik weet dat je Fred vermoord hebt. En ik weet dat je mij erin geluisd hebt.'

'Ik wilde je alleen beschermen,' zegt hij en hij laat de handdoek los. 'Jij had er helemaal niet bij moeten zijn, die avond.'

'Maar ik was er wel. En jij ook. Je hebt mijn partner vermoord en je hebt me laten denken dat ik dat gedaan had.'

'Wade had er moeten zijn,' zegt Mason. 'Toen jij in zijn plaats opdook, liep de hele zaak in het honderd.'

'Weet Wade hiervan?'

'Ja, Sam.'

Wade, die mijn vriend was, dacht ik. Hij zei dat hij niet vaderlijk wilde doen en keek me vervolgens zonder met zijn ogen te knipperen aan en loog me voor. Net als mijn vader.

'Jij en ik weten allebei dat Wade al tijden op zoek is naar een comfortabele manier om zijn baan op te zeggen,' zegt Mason. 'Al sinds dat schot. Het probleem is dat hij zo'n oud wijf is. Hij heeft heel wat praatjes, maar als het eropaan komt, laat hij het afweten.'

'Jij gaf me de indruk dat het mijn schuld was,' zeg ik en Mason knikt. Niet te geloven dat ik dat zeg en dat hij dan gewoon instemt. Ik ga rechtop zitten en het hoofdeinde van het bed klapt tegen de muur, losgebeukt door de vele nachtelijke activiteiten.

'Ik was helemaal niet van plan je erbij te betrekken,' zegt Mason, en hij veegt een lange, zwarte haar van mijn schouder − van Fado, denk ik. 'Ik ken jou, baby. Jij had hier nooit aan meegedaan. We nemen geld aan van drugsdealers. Dat mag niet. Het is afschuwelijk.' Hij legt zijn hand op mijn been en ik weet dat hij nu alles uit de kast gaat halen.

'Maar ik deed het voor jou. Voor ons, zodat we hier weg kunnen.'

Raar, maar dat wilde ik hem horen zeggen. Ik weet wel beter, maar ergens in mijn hart heb ik nog steeds een warm plekje voor hem. Ik houd me voor dat ik, hoe ik me ook voel, moet doen alsof ik meer wil horen. Ik leg mijn hand op de zijne, maar ik kan hem niet aankijken. Ik wil die fonkeling in zijn ogen niet zien.

'Waar we het toen over hadden, al die nachten op patrouille,' zegt hij. 'Weet je nog? Jij zei het ook: wij zijn voor ons inkomen afhankelijk van de misdaad. We maken geen enkel verschil uit. Misschien houden we de boel een beetje in evenwicht. Twee weken lang hebben we zitten wachten tot een of ander kruimeldiefje een fout maakte, alleen om ons salaris te kunnen innen. We hebben wat slim speurwerk verricht, de vent opgepakt, en in minder dan geen tijd stond hij weer op straat. Wat moeten we dan? Wachten tot hij het weer verknalt? Het heeft geen enkele zin. Ik ben dat evenwicht beu. Ik wil de weegschaal laten doorslaan in mijn voordeel.'

'Dus kwets je de mensen die van je houden?'

'Ik wilde jou niet kwetsen, Sam. Toen ik je die trap op zag komen, achter Fred, god, toen kreeg ik zowat een hartaanval. Ik moest pijlsnel iets verzinnen. Ik deed wat me op dat moment het beste leek…' Als zijn telefoon overgaat, zwijgt hij even. Hij kijkt wie het is en praat door zonder op te nemen: 'Ik deed wat ik doen moest. Ik wist dat je getraumatiseerd zou zijn, maar ik dacht dat we er wel doorheen zouden komen. Ik had nooit gedacht dat je op de absurde gedachte zou komen dat Trovic Fred vermoord had. Op dat moment begon het allemaal scheef te lopen. Toen jij met die Trovic-campagne begon, kregen de verkeerde mensen argwaan.'

'Wat had Trovic met de hele toestand te maken?' vraag ik. 'Dat was een pedofiel. Fred had hem opgepakt wegens aanranding.'

'Hij was gearresteerd voor aanranding. Hij heeft nooit iets te maken gehad met heroïnedeals. Of met de mannen die ons betalen.' De gedachte dat Mason zou samenwerken met een smeerlap als Trovic geeft me het gevoel dat zijn aanraking giftig is. Ik duw zijn hand weg.

Trovic is nooit gearresteerd omdat jullie hem voor geld op straat hielden, stelletje corrupte smeerlappen,' zeg ik. 'En toen heb je hem vermoord omdat hij in de weg stond. En daarna stond Fred in de weg, en heb je met hem hetzelfde gedaan. En nu sta ik je in de weg. Dus wat gebeurt er met mij?'

Mason staat op, zijn geduld bijna ten einde. Mij kan het niet schelen. Ik heb niets te verliezen.

'Met zijn hoevelen zijn jullie?' vervolg ik. 'Is MacInerny de volgende die me de schuld zal geven van iets wat ik niet gedaan heb? Gaat de commissaris mij de eerstvolgende moord in de schoenen schuiven?'

'Ik ben de hoogste,' zegt Mason, zijn stem zacht om te laten weten dat hij de touwtjes in handen heeft.

De bendeleider. Ik had het kunnen weten.

'Ik ken mijn grenzen, Sam. Ik probeer al maanden uit deze toestand weg te komen. Interne Zaken is ons op het spoor. Mijn mannetjes weten dat. We willen er allemaal mee ophouden. Maar dat kan niet zomaar. Je neemt niet zomaar afscheid van drugsdealers. We moesten een manier vinden om de zaak netjes af te ronden zonder dingen in het honderd te laten lopen. Trovic bood me een deal aan waar zoveel geld in zat dat we allemaal onze eigen weg konden gaan, en die kans nam ik met beide handen aan.'

'En Fred dan?' vraag ik. 'Wilde die niet?'

'Jij denkt maar dat Fred zo onschuldig was. Fred was degene die ons in contact had gebracht met Trovic.'

'Waarom moest hij dan de zondebok worden voor jullie allemaal?'

'Interne Zaken had Fred omgepraat om een deal te sluiten met justitie.' Mason gaat weer zitten, ditmaal op de hoek van het bed, en die zakt door alsof er geen veren onder zitten. 'Ze hadden hem klem en hij stond op het punt van bezwijken. Fred had Trovic nogmaals opgepakt en dreigde hem naar het bureau te brengen als hij de deal niet afblies. Misschien was dat zijn manier om ons te waarschuwen.'

'Als je wist dat Fred klem zat, waarom héb je het dan niet afgeblazen?'

'Daar was het te laat voor. Trovic was zodra de borg betaald was al op weg naar Florida. Zijn bazen wilden niet dat hij als lokaas bleef rondwandelen. Een deal is een deal, zeiden ze, en deze deal vindt plaats zodra Fred geen gevaar meer vormt. Ik probeerde Fred over te halen om aan onze kant te blijven. Ik probeerde Trovic' bazen te overreden om even te wachten. Maar zij dachten dat ik van twee walletjes probeerde te eten, dus dwongen ze me om met Fred af te rekenen als bewijs van mijn loyaliteit. Toen het eropaan kwam, had ik geen keuze. Fred ging eraan, of we gingen er allemaal aan.'

'Fred,' zeg ik, 'en Trovic, en Bruce Zahner, en je vrouw?'

'Ik heb Bruce niet vermoord,' zegt hij. 'Ik had hem betaald om jou te volgen, dat wel. Hij moest jou uit de buurt houden.'

'Hij zat achter die aanslag op Susan.'

'Hij was erin geluisd. Dat was het werk van de familie Trovic. Om iets duidelijk te maken. De hele toestand ging de plee in toen jij over Trovic begon.'

'Maar waarom heb je hem eigenlijk vermoord?' vraag ik.

'Toen we hiermee begonnen, was duidelijk: je doet mee of niet, je houdt je stil of je gaat eraan. Zodra Trovic naar het zuiden afreisde, begon hij op te scheppen over zijn connecties met de politie in Chicago. Ik wist dat die berichten hier eerder zouden zijn dan hijzelf. Trovic heeft zijn eigen graf gegraven, wat mij betreft. Daar moesten we van af.'

'Dus dat was die haastige trip van jou. Daarom kon je niet naar Vegas.' Het is morbide, maar ik ben opgelucht dat hij niet in Florida naar huizen aan het kijken was.

'Ik had het allemaal uitgedokterd. Hij was vermist, en iedereen ging ervan uit dat hij daargindse verkeerde vrienden had gemaakt. De heroïne had ik al in handen, dus zijn bazen maakte het niet uit waar hij was. We zouden Fred vermoorden, de deal sluiten en klaar. Niemand had ook maar enige verdenking tot jij Trovic begon te beschuldigen van de moord op

Fred. Zijn familie dacht dat hij een cruise aan het maken was. Ze stellen mij aansprakelijk, en sinds hij dood gevonden is zitten ze achter me aan.'

'En ze kwamen achter mij aan omdat ze dachten dat ik meedeed.'

'Ik had gezegd dat jij niets van Trovic wist. Ik zei dat jij er niets mee te maken had. Ik heb Trovic' bazen nog gevraagd om de zaak uit te leggen. Maar die bazen vonden dat de zaak behoorlijk uit de hand gelopen was en hadden geen zin om zich ermee te bemoeien. Toen jij na Susans ongeluk meteen weer op vrije voeten stond, dachten ze dat ik daarvoor gezorgd had. Ze waren ervan overtuigd dat we de hele zaak in scène hadden gezet.'

'Ze hebben Bruce vermoord. Ze hadden Susan bijna vermoord. Ze hebben je ongeboren kind vermoord, Mason. En waarvoor?'

Mason blijft me strak aankijken.

'Ze hebben je kind vermoord,' herhaal ik.

'Met Susan komt het wel goed.'

'En daar gaf je mij de schuld van.' Ik weet nu van geen wijken. 'En ik was ook bijna dood geweest.'

'Dit zou allemaal niet gebeurd zijn als jij je er niet mee bemoeid had.' Hij hijst me overeind. 'Toen jij eenmaal je neus in de zaken had gestoken, moest ik jou zo ver mogelijk overal vandaan houden. Ik heb zelfs geprobeerd om Wade je te laten overreden. Je moest een hekel aan me krijgen.'

'Dat is je dan gelukt.'

'Dat was opzettelijk. Geloof me, Sam; deze hele toestand, die leugens, de verwarring, de slachtoffers…' Hij zwijgt even en ik weet dat hij aan het kind denkt. 'Dat was allemaal voor ons.'

'Voor hoevelen van ons?' Ik weet dat ik het verpest als ik Deborahs naam noem. Als hij haar meeneemt, dan ben ik ten dode opgeschreven omdat ik dat weet. Neemt hij haar niet mee, dan ben ik zo goed als dood omdat ik dat suggereer. Ik

zie Masons lippen omkrullen, alsof hij een glimlach onderdrukt. Ik weet dat hij precies weet waarover ik het heb, maar
op de een of andere manier ziet hij kans de grijns om te buigen tot een beleefde glimlach, alsof hij met iemand praat die
seniel of geestelijk gehandicapt is. Hij pakt mijn arm.

'Denk je nou echt nog steeds dat ik je bedrieg? Ik heb je in
de gaten laten houden. Ik weet wiens telefoon jij steeds opneemt.'

Het heeft geen zin om ruzie te maken over trouw of on-
trouw. Dat winnen we geen van beiden.

'Wie gaat er mee naar Florida?' vraag ik.

'Ik dacht dat we Californië hadden gekozen,' antwoordt hij.
'Kom op. In bad met jou. Morgen ziet alles er anders uit.' Hij
stuurt me de badkamer in en ik laat het gebeuren. Eén oprecht gebaar, één oprechte blik, zou genoeg zijn om me te
overtuigen, maar ik weet dat hij dat niet kan. Ik weet dat hij
iets voor me verbergt, als altijd. Ik volg zijn aanwijzingen. Misschien kom ik hier niet levend uit, maar het is de enige manier om achter de waarheid te komen.

Hij helpt me met uitkleden en laat me in het water zakken.
Ik merk niets vertederends aan zijn gebaren. Zijn aanraking
voelt aan als die van een vreemde. Ik doe alsof ik me getroost
voel, hoewel ik het gevoel heb dat hij me in een doodskist
neerlaat. 'Morgen ziet alles er anders uit,' zei hij. Alsof het nu
hetzelfde is.

'Ik moet even bellen,' zegt hij.

Ik vraag niets. Ik ben blij dat hij weg is.

Zodra hij de badkamer uit is, hijs ik me uit het water. Het
is te heet, en in tegenstelling tot de vorige keer zie ik nu hoe
smerig het hier is. De voegen tussen de tegels. De wasbak.
Het zeepbakje. Ik voel me al smerig genoeg. Ik zit klem, hoewel deze rotzooi niets met mij te maken heeft. Mason en zijn
miljoenendeal die het leven van talloze anderen zal kapotma-
ken. Fred en zijn bereidheid om met criminelen om te gaan
voor extra geld. Zijn materialistische echtgenote die in de zon

ligt en fooien uitdeelt van haar weduwepensioen. En Wade, met zijn pathetische poging om zich toe te eigenen wat hem naar eigen mening toekomt. Hebzucht. Dit komt niet doordat ik een pedofiel van moord heb beschuldigd. Dit komt door hebzucht.

Ik droog me af en trek mijn kleren aan. Ik houd mijn oor tegen de badkamerdeur en ik hoor niets, dus draai ik voorzichtig de hendel om en sluip naar buiten.

Mason is niet in de kamer en ik weet dat hij in de gang staat, want de deur wordt opengehouden door de grendel. Ik hoor hem praten; hij is aan het bellen. Ik kruip op handen en knieën zo dichtbij dat ik hem verstaan kan.

'1079 bij de Greyhound op Dearborn.'

1079, 1079, wat is dat voor nummer? Hij is beslist niet de catastrofe bij mij thuis aan het melden. 1079, het Greyhoundstation van Dearborn Avenue. Ik probeer het me in te prenten. 1079, Dearborn Greyhound. 1079: dat is politiecode voor als je de lijkschouwer nodig hebt. Verwacht hij een dode bij het busstation?

'Ja, om twee uur...' zegt Mason terwijl ik tussen de bedden door kruip en de hoteltelefoon pak.

Ik kies het nummer te snel en krijg geen verbinding. Pijlsnel lees ik de instructies op het toestel en kies eerst een 9, dan weer het nummer. Mijn handen zweten; mijn lichaam is nog heet van het bad. Ik hoor de telefoon overgaan. Tweemaal. Ik begin te beven.

'O'Connor,' zegt hij.

'1079, Greyhoundstation, Dearborn Avenue,' fluister ik.

'Wat heeft dat in godsnaam te betekenen? Waar zit je? We komen net bij jou thuis aan...'

Ik hoor de hendel van de kamerdeur opengaan. 'Fuck...' Ik hang zo onhoorbaar mogelijk op en schuif de telefoon onder het bed. Misschien heb ik hem van de haak geduwd, maar er is geen tijd om dat te controleren. Ik krul me op tot een bal op de vloer en barst in onbedaarlijk huilen uit.

Dat werkt. Mason ziet niet dat de telefoon weg is. Hij komt naar me toe en neemt me in zijn armen.

'Sst, Sam, waarom zit jij niet in bad?'

'Die mannen wilden me vermoorden,' snik ik. Ik huil echt, want ik was bijna betrapt. En die kans zit er nog steeds in. Maar de uitwerking is er niet minder om. Mason veegt mijn tranen af.

'Kom op, Sam, even flink zijn. Er staat ons nog één ding te doen.'

'Ons?' zeg ik op verdedigende toon. Ik spring van de vloer op en loop naar de deur, om hem zo ver mogelijk bij die telefoon vandaan te krijgen. Als die van de haak ligt, heb ik zowat een halve minuut voordat het misloopt. Mason komt achter me aan.

'Ik moet Trovic' bazen spreken. Die willen nog steeds de heroïne kopen die Trovic had meegebracht voor zijn dood.'

'Maar jij hebt hem vermoord. En ze hebben de pest aan jou.'

'Een deal is een deal, zeggen ze. Ze wisten dat Trovic weinig voorstelde. Ze zullen echt geen goeie partij verspillen aan een dode. Ik krijg twee vijftig aanbetaling en tweemaal dat bedrag aan rente als het spul eenmaal de straat op is.'

'De straat,' zeg ik. Waar we proberen het tegen te houden.

'En wou je weten welke straat?' vraagt hij sarcastisch. 'Ze willen het naar North Shore hebben. Tot aan Highland Park. En Barrington Avenue. Volgens hen is heroïne de nieuwe coke voor rijkeluiskindertjes.'

'Nou, dan is het natuurlijk niet erg.'

'Kom op, Sam, we hebben het hier over bijna een miljoen. Dit is de deal waarop ik al die tijd heb zitten wachten. Hiermee komt er een einde aan. En dan kunnen we weg.'

Ik wil tegenspreken, maar we moeten weg. Nú. 'Waar heb je mij dan voor nodig?' vraag ik.

'Wade. Hij brengt het spul, maar hij gaat niet weg met de poen. Hij gaat zelfs helemaal niet weg. En daar moet jij voor zorgen.'

'Geef me één reden,' zeg ik. Hij mag niet denken dat ik al te snel toegeef.

'Je krijgt er twee. Ten eerste is Wade de enige die die lui verteld kan hebben dat jij hiermee te maken had. Hij heeft die lui op je afgestuurd. Hij was bereid jou te offeren voor zijn geld.'

'En de tweede?'

'Ik heb je leven gered,' zegt Mason. 'Je bent me wat schuldig.'

'Eén was wel genoeg,' zeg ik. Ik loop naar de deur om Mason de kamer uit te krijgen voordat hij de telefoon hoort, maar met hetzelfde resultaat.

Ik open de deur en stap naar buiten. Mason komt achter me aan.

'Dit is wel een volledige ommezwaai,' zegt hij.

Hij heeft argwaan. Dus draai ik me om en trek de deur dicht op het moment dat ik hem bij de kraag grijp en hem kus met alle passie die ik kan opbrengen. Volgens mij hoort hij het stemmetje in de kamer niet: 'Als u wilt bellen, dient u op te hangen en het nummer opnieuw te kiezen.'

'Kom op. Dan is het maar afgelopen,' zeg ik. Niet dat ik dezelfde afloop voor ogen heb als hij, maar als ik niet mee-speel, is er straks een moordenaar gevlogen. Alweer.

'Ik wist wel dat je je zou bedenken,' zegt Mason.

Ik weet niet of ik nu handlanger of aanstaand slachtoffer ben, maar in één ding had Mason gelijk: dit is de deal die overal een einde aan maakt.

Vol vertrouwen pakt hij mijn hand en samen gaan we op pad.

34

Ik sta bij de patrouillewagen te wachten tot Mason de portie-ren opent.

'Op de achterbank,' zegt hij. 'En bukken.'

Ik weet dat ik weinig keuze heb als ik deel wil uitmaken van zijn deal, maar het is niets voor mij om zomaar te gehoorzamen, dus ik blijf roerloos staan.

'Kom op, Sam. Het kan niet anders.'

'Waar gaan we naartoe?' vraag ik. 'Ik ga me hier echt niet de hele nacht schuilhouden.'

We blijven elkaar aankijken tot ik toegeef en naar het achterportier loop.

Ik ga op de achterbank zitten en kijk door de tralies heen naar Mason. Hij zet zijn telefoon in de oplader en glimlacht in de binnenspiegel naar me. We rijden weg. Hij heeft me precies op de gewenste plek gemanoeuvreerd, opgesloten als een crimineel. Geen wonder dat hij de patrouillewagen koos.

'Waar is de Navigator?' vraag ik.

Mason kijkt me via de spiegel aan. Hij weet dat ik ruzie zoek. Hij reageert door de spiegel bij te stellen zodat hij me niet aan hoeft te kijken.

We rijden in zuidelijke richting over Dearborn Avenue. Ik kijk om door het achterraam. De verlichting van het Hancock is nog groen vanwege Saint Patrick's Day, vorige week. De hele stad is verlicht. Het zou een spectaculaire aanblik zijn als ik toerist was. Of fotograaf. Of wie dan ook. Ik heb het gevoel afscheid te nemen van thuis.

'Waar gaan we naartoe?' vraag ik.

Hij geeft geen antwoord.

'Waar is Wade?' informeer ik. 'Weet je zeker dat hij ditmaal komt opdraven, of moet ik als plaatsvervanger optreden?'

'Ik heb hem zojuist gezegd waar hij de partij kan ophalen. Hij moet wel.'

We steken Cermak Road over en ik krijg het akelige gevoel dat het misschien niet verstandig van me was om O'Connor naar het busstation te laten komen. Ik heb het akelige gevoel dat hij alleen Wade te pakken krijgt als hij daarheen gaat. En dan komt Wade niet opdraven. Zodat Mason en ik dan met lege handen tegenover Trovic' bazen staan. Dan zitten we pas echt in de stront.

Mason slaat rechts af en we rijden langs een donkere rij hoge pakhuizen. Hij parkeert de wagen op een verlaten grindvlakte, vlak voor het klaverblad van de snelweg.

'Waar zijn we?' vraag ik. Dit is mijlenver van het busstation vandaan. En mijlenver van versterking vandaan.

'Vroeger was dit een scheepswerf. Bukken. Ik ga even rondkijken.'

Ik wacht tot hij de auto uit is en ik zijn voetstappen hoor verdwijnen over het grind. Dan kijk ik uit het raampje. Ik zie niet veel. Het enige licht is afkomstig van de maan. Het lijkt me hier een plek waar je overdag zaken zou moeten doen. Of helemaal niet.

Ik kijk naar Masons mobiel. Daar kan ik niet bij door de tussenwand; ik krijg mijn arm onmogelijk tussen de tralies door. De portieren kunnen natuurlijk niet open; dat zijn de normale voorzorgsmaatregelen in politieauto's.

Ik laat me onderuit zakken en bedenk dat ik maar het beste kan doen wat hij zegt en me gedeisd houden tot hij me de kans geeft om in actie te komen. Ik kan wel gillen. Ik zou liever denken dat O'Connor hierheen onderweg was, dan te weten dat hij de verkeerde kant uit rijdt.

Masons mobiele telefoon rinkelt in de oplader. Keer op keer op keer. Ik voel me net een aap in een kooi. Ik weet hoe ik eruit moet, maar het lukt me niet. Ik kan de tussenwand eruit schoppen, dan kan ik bij de telefoon, maar daar is Mason zo achter en dan ben ik er geweest voordat de hulptroepen arriveren. Bellen is intussen geen oplossing meer.

Ik kan het raampje openbreken en op de vlucht slaan, maar dat is ook geen haalbare optie. Ik ren niet. Ik blijf hier. Ik moet afgaan op Masons vertrouwen in mij: dat zal hem uiteindelijk de das omdoen. Denkt hij nou echt dat ik hem ga helpen? Heeft hij het zo gepland dat ik niet anders kan?

De telefoon houdt maar niet op, alsof de beller het nummer keer op keer kiest. Hij neemt niet op. Hou nou toch op! Het gerinkel dreunt als een boor door mijn hoofd. Door de wond die Mason me bezorgd heeft.

Eindelijk wordt het stil, net op het moment dat Mason weer komt aanlopen. Natuurlijk. Hij opent het linkerportier en ontgrendelt de achterportieren.

'Kom,' zegt hij. 'Rust roest.'

Achter hem aan ren ik het donker in. We komen door een open garagedeur in een soort enorm pakhuis. Het is een reusachtige ruimte en de wind blaast er als een niesbui doorheen: bij iedere windvlaag huivert de hele constructie. Mason doet een lantaarn aan en schijnt ermee op een opzichtershokje in het midden: een podium van een meter of vijf hoog en een meter of drie lang en breed. Daar moet een baas op gezeten hebben om zijn mannen in de gaten te houden. Eromheen ligt aangestampte aarde.

'Daar ga jij zitten,' zegt hij en hij wijst op het podium. 'Vooruit maar.'

Hij schijnt met zijn lantaarn op de enige manier om er te komen: een wankele metalen ladder.

'Geen denken aan,' zeg ik. 'Daar kom ik nooit meer van af.'

'Het is veilig. Daarvandaan kun je alles horen. Je gaat gewoon in het midden liggen en je wacht op het teken. Zodra de deal rond is, kun je wat mij betreft naar beneden springen. Als je Wade maar doodschiet.'

Hij geeft me een revolver. Hij wacht even voordat hij hem loslaat, maar niet zo lang dat het een teken van onzekerheid is. Ik controleer het wapen: er zit maar één kogel in. Hij heeft hier goed over nagedacht. Als ik hem ter plekke neerschiet, zit ik straks met een leeg pistool en heb ik heel wat uit te leggen aan een stel drugsdealers. Aan Wade zal ik waarschijnlijk niet veel hebben.

'En als ik hem mis?' vraag ik.

'Gebeurt niet,' zegt hij. Hij pakt het pistool uit mijn handen en schuift het in mijn broekband. Dan gaat hij me voor naar een hokje dat in de zijmuur is ingebouwd. Hij opent de deur en trekt aan een touwtje. Er springt een kale gloeilamp aan. Het vage licht werpt enorme schaduwen de deur uit, de ruimte in.

'Hier doen we zaken,' zegt hij. Ik kijk naar wat een kantoortje geweest moet zijn, te oordelen aan het verlaten metalen bureau. Mason draait zich om en slaat zijn armen om me heen, over mijn schouders, maar het is niet bepaald een lief gebaar. 'Let op: die gozers willen niets liever dan een paar agenten om zeep helpen. Geef ze daar geen reden toe.' Hij laat me los en draait me om naar het laaddok. 'En nu klim je daarop en maak je dat je uit het licht blijft.'

Ik ben zo nerveus dat ik nog doe wat hij zegt ook. Ik ren naar de ladder en begin te klimmen. Ik weet niet wie Trovic' bazen zijn of waar ik in godsnaam in beland ben, en plotseling is Mason de minste van mijn zorgen. Ik ren zo snel mogelijk de ladder op en tel onderweg de treden: een, twee, drie, vier, vijf, fuck! Zes, zeven, acht, negen, tien, elf: twaalf treden. Hiervandaan lijkt het heel wat meer dan drie meter boven de grond. Weer zit ik ergens klem.

Mason doet het licht in het kantoortje uit. Ik laat me op de bodem van het podium vallen en kijk over de rand. Hij schijnt met de lantaarn in mijn ogen.

'Ik zie je,' dreint hij. Ik kruip achteruit. 'Mooi. En je schiet als ik het zeg.'

Het geluid van een automotor rommelt door de ruimte alsof er een vliegtuig aankomt.

'Daar hebben we Wade.' Mason knipt zijn lantaarn uit en loopt naar de ingang. Ik tuur weer over de rand en richt mijn wapen. Ik heb hem perfect op de korrel tot hij in de duisternis bij de garagedeur verdwijnt.

'Beng,' zeg ik, maar hij is de enige die hier wat te schieten heeft.

Ik span de haan en blijf twee hele seconden liggen voordat me duidelijk wordt dat ik hier onmogelijk kan blijven. Ik voel de ladder onder mijn voeten, twaalf elf tien negen acht zeven zes... en dan hoor ik de motor afslaan. Fuck! Ik spring op de grond en ren naar de rand van het pakhuis.

De enige plekken waar ik me kan verbergen zijn achter het kantoor of buiten. Het was een slecht idee om van dat podium af te springen, maar er is geen weg terug. Vagelijk echoën er stemmen; ze zijn op weg naar binnen.

Ik sprint naar de donkerste hoek van het pakhuis en hoop dat het licht niet zo ver schijnt. Ik ga op mijn buik op de smerige grond liggen. Hiervandaan zie ik de ingang in het maanlicht. Ik hoop alleen dat niemand mij ziet. Ik richt mijn pistool. Als het moet, ben ik klaar om te schieten.

Er schijnen koplampen van een tweede auto over de parkeerplaats. Ik ben blij dat ik net buiten de lichtkring blijf. Zolang ze niet op zoek gaan, zullen ze mij niet zien.

'Wapens in de achterbak!' hoor ik een stem roepen. Het lijkt wel een drilsergeant. Ik ken die stem niet.

Dan hoor ik voetstappen op het grind. Zo te horen een, twee, drie, vier... te veel mensen voor één kogel.

'Heb je gekeken of het veilig is?' klinkt een stem door de ruimte.

'Uiteraard,' antwoordt Mason.

'Wij zijn de politie, wie kan ons nou iets maken?' zegt Wade. Ik zie Mason, en dan Wade, en tot slot twee anderen binnenkomen. Niemand lacht. Mason pakt een koffer van Wade aan en aan zijn lichaamstaal zie ik dat hij baalt.

'Heb je iets gedaan aan je vrouwenprobleem?' vraagt een van de mannen, met een glimmend pak aan. De ander heeft een aktetas bij zich.

Mason zegt: 'Ik ben mijn afspraak nagekomen. Nu jullie.'

Mason doet het licht in het kantoortje aan en ze lopen samen naar binnen. Ik voel het schijnsel, dus ik kruip naar een schaduw links van me net voordat Wade, die als laatste naar binnen gaat, mijn kant uit kijkt. Hij ziet me niet. Hij doet de deur dicht.

De rest van het pakhuis wordt donker, behalve het vage schijnsel uit het piepkleine kantoorraampje. Voorlopig zit ik hier veilig, maar ik moet maken dat ik wegkom want als ze naar buiten komen, zal iemand me geheid ontdekken.

Net als ik een sprint wil trekken, hoor ik buiten voetstappen. Ik hoop vurig dat het O'Connor is, dat hij Wade hierheen gevolgd is, maar degene die het pakhuis binnenwandelt, is te groot. Dat kan O'Connor niet zijn.

De man trekt zijn pistool en staat even stil om te luisteren. Dan glipt hij de schaduw in om langs de wanden te patrouilleren. Als hij verder doorloopt dan tot halverwege, zal hij me ontdekken.

Ik hijs me op mijn ellebogen overeind en houd mijn adem in. Ik richt op hem. Nog vijftig meter. Ik zie hem niet, maar ik hoor zijn voetstappen op het zand. Steeds dichterbij. En dan staat hij weer even stil. En dan komt hij weer dichterbij.

Ik hoor zijn broekspijpen langs elkaar schuren.

Ik kan maar één ding verzinnen: iets oppakken en wegsmijten, maar het eerste wat ik zie is mijn eigen wapen en ik blijf dus maar zitten in de hoop dat ik niet zal missen als ik moet schieten.

Hij komt steeds dichterbij. Ik moet slikken. Ik doe het niet.

Op dat moment gaat de deur van het kantoortje open. De man met het pistool kijkt naar het licht. Hij is zo dichtbij dat ik de tatoeage in zijn nek kan zien, vlak onder zijn oor: een mes waar het woord 'vertrouwen' uit bloedt. Kennelijk heeft hij daar niet genoeg van.

'Gelukt?' vraagt de man; hij draait zich op zijn hakken om en loopt naar het kantoor.

In het licht ben ik zichtbaar, net als hij, maar ik zie een plek anderhalve meter verderop die nog in de schaduw ligt, dus rol ik me als een boomstam om met mijn pistool nog op de man gericht.

Net als de man met, en nu zonder, aktetas het kantoor uit komt met Wades koffer in zijn handen, zit ik verborgen. Hij steekt een duim op naar de bewaker en loopt samen met hem naar het podium.

'Wat is dat eigenlijk?' vraagt de man met de tatoeage aan de ander, met een gebaar naar mijn oorspronkelijke schuilplaats. Ze staan er een tijdje naar te kijken.

'Geen idee,' zegt de vent met de koffer. Die met de tatoeage loopt naar de ladder en rammelt eraan. Hij zet een voet op de tweede tree alsof hij omhoog wil, maar zodra hij zijn gewicht erop zet, lazert die hele ladder omlaag. Hij springt opzij en de ladder valt kletterend op de grond.

'Vetzak,' lacht de man met de koffer.

Door de commotie komen de anderen het kantoortje uit zetten.

'Kom op, we gaan,' zegt de derde, de vent met het pak. Die heeft kennelijk de leiding.

Wade loopt met de mannen mee naar de uitgang en Mason blijft naar het podium staan grijnzen. Vuilak.

'Het was prettig zakendoen,' zegt Wade, terwijl hij de mannen uitlaat.

'Val dood, straatagent,' zegt de man met de tatoeage.

Wade steekt een sigaret op en kijkt het stel na. Mason gaat het kantoor weer in.

De motor van hun auto gromt en eindelijk durf ik te slikken. Ik laat het pistool los en veeg mijn handen af aan mijn broek.

De auto rijdt weg, het licht vervaagt. Ik wacht tot Mason naar buiten komt en 'Schieten' zegt, maar ik heb zo het gevoel dat dat bij nader inzien niet in het plan stond. Misschien wilde hij me laten denken dat ik met hem mee mocht tot hij er zeker van was dat alles gelukt was. Dan zou hij me daar laten zitten, klem op dat podium met Wades dode lichaam en een gebruikt pistool. En een zoveelste krankzinnig verhaal voor de politie.

Ik kijk hoe Wade zijn sigaret uitmaakt, zich bukt en een pistool uit zijn enkelholster haalt.

Misschien had Mason gelijk over Wade.
Maar over mij had hij ongelijk.

35

Ik sluip naar de rand van de kantoordeur en laat me op de grond zakken. Als ik om de hoek van de deur het kantoor in kijk, zie ik Mason een berg geld tellen uit een aktetas waar nog veel meer in zit. De aktetas staat op het lege bureau tegen de achterwand, dus staat Mason met zijn rug naar me toe. Wade staat met getrokken pistool achter hem.

'Het is zover,' zegt Mason. 'We kunnen ervandoor.'

Mason wil de aktetas dichtdoen, maar Wade zegt: 'Openlaten.' Hij schuift de veiligheidspal weg en als Mason zich omdraait, duik ik snel weg.

'Briljant, een reservepistool. Waarom heb ik daar zelf niet aan gedacht?' merkt Mason sarcastisch op.

'Er kan er hier maar één weg, dat weet je,' zegt Wade.

'Dat weet ik, Wade. Maar dat ben jij niet.'

'Ik heb anders het wapen in handen.'

'Maar jij hebt geen ruggengraat, Wade. Je wilt het geld wel, maar je bent niet bereid tot het uiterste te gaan. Ik had het zo gemakkelijk voor je gemaakt; je hoefde alleen maar met Fred mee te rijden en ervoor te zorgen dat hij naar binnen ging, en zelfs dat was al te veel gevraagd.'

'Je wilde me afslachten,' zegt Wade. 'Je hebt iedereen uit de weg geruimd die je van dat geld afhield, dus waarom mij niet?'

'Slappe lul die je bent. Sinds die avond ben ik onafgebroken bezig geweest jouw fout te herstellen. Dacht je dat ik tot het laatste moment zou wachten om je neer te knallen? Na al die moeite?'

'Je moest wel,' zegt Wade. 'Je had dit niet zonder mij gekund. Je hebt me gemanipuleerd, net zoals je alle anderen hebt gemanipuleerd. Deb Maloney is de enige die zo slim was om in te zien dat ze bedonderd werd, en dat zal wel komen doordat die nóg hebzuchtiger is dan jij. Ik wil wedden dat je zelfs Sam de indruk hebt gegeven dat ze met je mee mocht, tot aan het moment dat die Serviërs haar afmaakten.'

'Grappig dat je daarover begint,' zegt Mason, maar ik geef hem niet de kans zijn zin af te maken. Met mijn pistool op Wades rug gericht stap ik de deuropening in. Mason ziet me en ik weet dat hij verbaasd is, al laat hij dat niet merken.

'Er is een pistool op je achterhoofd gericht, Wade,' merkt hij op.

'Staan blijven,' zeg ik.

Masons grijns is niet van zijn gezicht te rammen. Al zou ik dat graag proberen.

In plaats daarvan richt ik me tot Wade: 'Wade, heb jij die Serviërs op me afgestuurd?'

'Het maakt niet meer uit wat ik zeg, Sam. Je hebt nooit naar me willen luisteren. Ik wou je nog waarschuwen...'

'Sam. Nú!' onderbreekt Mason hem.

'Ze zou dat ding op jouw kop moeten richten, niet op de mijne. Jij wilde haar vermoorden. Maar ik neem aan dat je haar iets anders aan het verstand hebt gepeuterd.'

'Weg met dat pistool, Wade,' zeg ik.

Wade kijkt me over zijn schouder aan en probeert de situatie in te schatten. Hij draait zich om, het wapen in mijn richting wijzend, maar niet gericht. Zwijgend smeekt hij om genade.

'Geef mij dat pistool, Wade. Dit is allemaal nergens voor nodig,' zeg ik.

Wade staat roerloos. 'Ik moet wel,' zegt hij. 'Ik ga niet de gevangenis in.'

'Je zei zelf dat je eigen uitdagingen uitzoekt. Hou hier dan mee op,' zeg ik.

'Luister nou eens één keertje naar me,' zegt Wade. 'Die dag wilde ik... wilde ik je zeggen: jij bent goed, Smack. En je hebt een goed hart. Maar laat dat alsjeblieft niet tussenbeide komen als...'

'Hé, Wade,' roept Mason, en Wade knijpt zijn ogen dicht alsof hij weet wat er komt. Ik doe een stap naar links en zie een piepklein pistool in Masons hand. Een blufpositie, maar Mason is dan ook de enige die geen pistool op zich gericht weet. 'Ze luistert toch niet.'

Bij het geluid van een schot spert Wade zijn ogen open en staart me niets ziend aan. Dan valt hij op de grond.

Ik sta als verstijfd. Even heb ik vreselijk verdriet, zo erg dat ik op mijn knieën wil vallen en janken. Maar nu Wade niet meer tussen ons in staat, is mijn pistool op Mason gericht. Ik verroer geen vin.

Hij ook niet; hij richt op mij. Nu is het pas echt bluffen. Mason glimlacht.

'Laten we maken dat we hier wegkomen,' zegt hij. Maar hij blijft zijn wapen op mij richten. En ik op hem.

'Leg dat pistool neer,' zegt hij.

Ik doe het niet.

'Kom op, Sam, dit is wat we ons altijd gewenst hebben,' zegt hij, met een gebaar naar de aktetas vol geld, die nog openstaat. 'Het geld, weg hiervandaan... het kán nu. Jij en ik.' Hij laat zijn pistool zakken en doet een stap in mijn richting.

'En Deb dan?' vraag ik, mijn wapen op hem gericht.

'Lieverd, die moest ik wel te vriend houden, tot het einde aan toe. Ik heb haar laten denken wat ze wilde om jou uit de problemen te houden. Ik heb haar laten denken dat ze de touwtjes in handen had.'

'Had je een relatie met haar?'

Mason schenkt me die onbeschrijflijke glimlach van hem, alsof het een bespottelijke vraag is. Maar het antwoord is nog erger.

'Ze heeft gekregen wat ze wilde, en dat krijg jij nu ook.' Hij steekt het pistool in zijn broekband en loopt op me af. Hij probeert mijn pistool af te pakken, maar ik laat niet los.

Dus buigt hij mijn arm opzij, trekt me tegen zich aan en kust me.

Het duurt maar even eer ik zijn kus beantwoord. Dit is wat ik zo graag wilde. Niet het geld. Niet de vlucht hiervandaan. Gewoon, dit. Hier had ik alles voor gegeven.

Hij houdt me een eindje van zich vandaan en kijkt me aan. Zijn ene oog loenst een heel klein beetje. De eerste keer dat hij zo naar me keek, was ik meteen verliefd.

Hij probeert achteruit te deinzen, maar ik laat het niet toe. Ik wil dit moment vasthouden. Ik wil me herinneren hoe het voelt om mijn hart te laten spreken. Want dit is voor het laatst.

Hij kust me en ik kan er niets aan doen. Ik laat het pistool los en hoor het op de grond kletteren.

Terwijl we elkaar kussen, voel ik Masons pistool tegen mijn middel drukken. Op dat moment weet ik dat er altijd iets tussen ons in zal staan. Dit moet het afscheid worden.

'Kom op, liefste, we kunnen hier niet de hele nacht blijven staan,' fluistert hij tussen twee kussen door.

Met tegenzin laat ik hem los. Hij kijkt me nog één keer aan met die blik van hem, en hoewel hij niet zegt dat hij van me houdt, weet ik dat dat niet expres is.

Ik zeg het zelf ook niet.

Hij gaat naar de tafel en doet de aktetas dicht. Ik neem aan dat hij het laatste afscheid voorbereidt. Het duurt even voor hij de laatste fase van zijn plan doorvoert, maar uiteindelijk heb ik geaccepteerd dat ik daar geen deel van uitmaak. Althans, niet in de zin die ik gehoopt had.

Hij draait zich om, en vergist zich. Ik sta niet langer op hem te wachten. Ik ben geen makkelijk doelwit meer. Ik lig op de grond, met Wades pistool op hem gericht. Voordat hij kan reageren heb ik een schot gelost. Ik tref hem in zijn arm.

Met een dreun valt hij op de grond, het pistool in zijn hand als keihard bewijs. Als een peuter met een vertraagde reactie weet hij niet of hij moet huilen of lachen. Hij kijkt me alleen maar aan.

'Ik vertrouwde jou alleen omdat ik mezelf niet vertrouwde,' zeg ik.

Met ingehouden adem probeert hij zich op zijn goede arm overeind te hijsen, zodat hij met zijn gewonde arm het wapen op mij kan richten.

Ik sta op met Wades pistool. Mijn handen trillen en mijn zicht is wazig van de tranen.

'Laat vallen, Mason. Laat vallen of ik schiet je dood, ik zweer het.'

Hij laat de punt van zijn pistool op de grond rusten, maar alleen omdat hij geen kracht meer in zijn arm heeft. Hij gaat zitten.

'Je kunt me niet doden. Ik hou van je. Hou jij dan niet van mij?' Hij wacht op mijn antwoord.

Ik laat het wapen zakken. Zonder mijn blik van hem af te wenden tast ik in Wades jaszak rond naar zijn radio. Met gevoelloze vingers zet ik het toestel aan en draai het gepiep weg.

'Alle eenheden. Versterking nodig. Agent gewond, één blok voorbij I-90, een verlaten scheepswerf, zijstraat onbekend, pal ten zuiden van Cermak Road,' meld ik met bevende stem. 'Onmiddellijke bijstand, alle eenheden. Agent gewond.'

Ik zie Mason met zijn ongedeerde linkerhand naar zijn pistool tasten. Hij probeert te richten. Nog één laatste beproeving.

Ik aarzel niet. Ik schiet nogmaals, en nu menens. Hij valt ruggelings op de grond, het pistool uit zijn hand gekatapulteerd als mijn kogel hem in het kruis treft. Pijnlijk, maar niet dodelijk: zo makkelijk komt hij er niet af. Hij zal hier de rest van zijn leven voor boeten.

'Ik herhaal, agent gewond,' zeg ik in de radio.

'Die kunnen niets voor mij doen, Sam,' zegt Mason.

'Ik had het ook niet over jou.'

Ik neem Wades handboeien van zijn riem. Mason ligt op de grond, zijn handen in zijn kruis en met opeengeklemde kaken. Ik doe hem de boeien om en blijf op hem neer staan kijken.

'Dacht je dat dit pijn deed?' vraag ik. 'Ik zou je hart breken als ik kon.'

Mason kronkelt van de pijn, niet in staat een antwoord te verzinnen.

Ik steek een sigaret op en wacht op versterking, net zoals ik had moeten doen in de nacht dat Mason Fred vermoordde.

36

Als de vloot patrouillewagens en ambulances eindelijk arriveert, is dat een welkome onderbreking. Ik herken geen van de politiemensen omdat ze van een ander bureau komen, maar ik ben blij. Bij ons op het bureau zou iedereen waarschijnlijk medelijden hebben met Mason. Deze agenten hier behandelen hem als iedere andere crimineel.

Ik sta tegen een van de patrouillewagens geleund een sigaret te roken als O'Connor komt aanlopen.

'Sympathiek dat je ook nog even langskomt,' zeg ik.

'Sympathiek van je om mijn collega aan de radiator vast te ketenen,' antwoordt O'Connor.

'Hij werd wat al te vrij,' zeg ik.

'Dat zal best. Groene band, zei je?'

De lijkschouwer werpt O'Connor een blik toe. Ze rijdt met Wades dode lichaam op een brancard over het parkeerterrein.

'We houden haar goed bezig,' zegt O'Connor. 'En ik heb het er zelf ook druk mee. We hebben heel wat uit te leggen.'

'Nee, hoor,' zeg ik. 'Dat hebben we helemaal niet. Híj wel.' Ik kijk naar een verpleger die Mason op een brancard naar de ambulance brengt.

'Je haalt het wel, man,' hoor ik de man tegen hem zeggen.

Mason kijkt me vol verachting aan en ik wend mijn blik af. Hij weet dat ik het ergens vreselijk vond dat het zo moest eindigen, maar ik wil hem niet de genoegdoening geven dat te laten merken.

'Ik heb je brigadier gesproken,' zegt O'Connor. 'Je moet uiteraard meteen door naar het bureau.'

'Bof ik even,' zeg ik, en ik gooi mijn peuk in het zand.

'Kan ik je een lift aanbieden?' vraagt O'Connor.

Hoofdinspecteur Jackowski ontfermt zich over me, zodat ik zo snel mogelijk aan het woord kom en weg kan. De adviseurs hebben kennelijk iets opgestoken van de vorige bespreking, want terwijl ik mijn verklaring afleg, zit de zenuwlijer met zijn notitieblok op zijn knie ieder woord op te krabbelen zodra het mijn mond uit komt. Zijn saai sprekende partner zit zwijgend naast MacInerny en luistert zoals hij de vorige keer had moeten doen.

Als ik uitgesproken ben, neemt MacInerny me mee naar zijn kantoor en gaat op de hoek van zijn bureau zitten voor de gebruikelijke preek. Hij zegt dat ik voor de rechter tegen Mason zal moeten getuigen. Hij zegt dat ik in de ziektewet blijf en dat ik 'ditmaal echt' in therapie moet. En hij zegt dat hij voor negenennegentig procent zeker weet dat ik gewoon terug kan komen.

Ik zeg dat ik op mijn hoede ben voor dat laatste procent.

Pas als ik naar huis mag, dringt het tot me door dat ik nergens heen kan. Ik loop zijn kantoor uit, de gang door, als een ex-student na de buluitreiking. Ik vraag me af of ik hier nu voor het laatst loop.

O'Connor zit op een bankje aan het eind van de gang op me te wachten.

'Ik dacht dat je misschien nog een lift nodig had,' zegt hij.

'Ik weet niet waar ik heen moet,' zeg ik. 'Ik heb er een puinhoop van gemaakt.'

'Zeg dat wel,' merkt O'Connor op, terwijl hij overeind komt. 'Maar ik ben van de schoonmaakploeg. Kom maar mee, ik weet iets.'

Op weg naar buiten drommen een stel agenten samen bij de ingang. Ze applaudisseren voor me; en dat hadden ze niet gedaan als ze mijn gedrag afgekeurd hadden. O'Connor glimlacht naar ze en kijkt ze een voor een aan in erkenning van de geste. Hij loopt naast me de trap af en dan schenkt hij me, voor het eerst, een glimlach.

O'Connor brengt me naar O'Shea, waar Marty een kruk voor me heeft klaarstaan. Het is er bomvol, maar ik vind het een prettig idee dat het leven hier binnen gewoon doorgaat.

'Net thuis, vind je niet?' zegt O'Connor. 'Maar dan met lekkere koffie.' Hij zet me op een kruk aan de bar, maar gaat zelf niet zitten.

'Boven hebben we een leegstaande kamer,' zegt Marty terwijl hij me een kom soep en een Budweiser voorzet. 'Mocht je een tijdelijk onderkomen nodig hebben.'

'Bedankt, Marty.'

'Mij moet je niet bedanken,' zegt hij en hij geeft me een sleutel. 'Dit is degene die borden gaat wassen om de huur op te brengen.'

'Ik zei toch dat ik van de schoonmaakploeg was,' zegt O'Connor.

Marty knipoogt naar me voordat hij een bestelling aan de andere kant van de bar gaat serveren.

'Maak je geen zorgen,' zegt O'Connor. 'Het is een bende, maar het was de moeite waard.' Dan knijpt hij even in mijn schouder en laat me in stilte mijn soep opeten.

De kamer boven is niet slecht, hoewel het er bedompt is en er een vage lucht van rook en vet door de luchtfilters uit het café komt. Er staan geen meubels, behalve een lits-jumeaux en een kapotte gokautomaat waar vroeger veel op gespeeld is.

Nu ligt hij als een soort plank vol handdoeken in plastic bandjes van de wasserij. Aan alle spelletjes komt een einde.

Ik zet de verwarming aan en knip het licht uit. Dan kleed ik me tot op mijn ondergoed uit, ga in bed liggen en trek de dekens tot aan mijn neus op. Achter het raam zie ik een neonreclame voor bier, die ik talloze malen van buitenaf gezien heb: SPECIAAL EXPORTBIER VAN DE TAP. Nog nooit heb ik zo'n nachtlamp gehad.

Nog nooit heb ik zo'n nacht gehad.

Ik dacht dat ik mijn werk goed deed. Ik dacht dat ik kon voorkomen dat mensen elkaar wat aandeden. Maar er zijn geen wetten ter voorkoming van de pijn die ik nu heb. Er zijn geen antwoorden die het verdriet rechtvaardigen als je iemand kwijtraakt die je lief was. En ik ken geen regels die het hart kan volgen.

Ik doe mijn ogen dicht en hoor een paar dronken lieden beneden nog dronkener worden. Luidruchtig debatteren ze over wat op dat moment de enige echte waarheid lijkt.

Ik val in slaap met de gedachte dat ze wel eens gelijk konden hebben.

Woord van dank

Mijn hartelijke dank aan al diegenen die me hebben geholpen met advies, kennis van zaken en ideeën: Ed DiLorenzo, Len Schrader, Scott Phillips, Ellen Clair Lamb, Dave Putnam, Jeremy Iacone, June Yang, Peter Ho Davies, Katherine Faussett, Lauren Anderson en Kathy Nehls, en Kelly Ragland.

Bijzondere dank aan David Hale Smith, mijn andere grote broer.

Ik dank Kevin voor zijn niet-aflatende optimisme.

En tot slot dank ik mijn familie, Bop en zijn adelaarsoog en Joyce, dat ze dit allemaal doorstaan hebben.